フラメンコ、
この愛しきこころ
―フラメンコの精髄

橋本ルシア

el alma del flamenco

水曜社

フラメンコ、この愛しきこころ

――フラメンコの精髄――

目次

序章　「実践的」問いかけの意義　7
第一章　フラメンコの語源について　19
第二章　ジプシー　35
1　ジプシーとフラメンコ　36
2　ジプシーの起源　40
(1)　ジプシーはどこにいたのか　40
(2)　ジプシーはどういう人々だったのか　48
(3)　旅立ちは、いつ、どうして起こったか　51

(4) 東へ行ったジプシー 65
3 西へ行ったジプシー 78
4 スペインに入ったジプシー 85
5 アンダルシア・ジプシーとフラメンコ 103

第三章 フラメンコ以前

アンダルシアに伝わる歌や踊り 113
1 有史以前 116
2 タルテッソ、フェニキア、ギリシア、ローマの時代 121
3 リノスの歌、迷宮の踊り、ベティカのガデスの娘の踊り、幻人雑技など 130
4 西ゴート時代 171
5 モーロの時代 178
6 ムワシャハ、セヘル、ハルチャなど 187
7 ユダヤ人 196

8 フグラール、ロマンセについて 202
9 ミの旋法と「リノスの歌」 207

第四章 フラメンコの歴史
フラメンコの誕生、発展過程、ならびに現状 221
1 初期の時代の歌や踊り 222
2 カフェ・カンタンテの時代 239
3 劇場、オーディオ・ビジュアルの時代 251

第五章 フラメンコ実践論
バイレから見たフラメンコの実践的本質 291
1 フラメンコの要素と形式 293
2 カンテとバイレ 307

3 舞いと踊りと歌、そして舞いが始まる時 326
4 バイレのはかなさについて 339
5 カンテは意味を解体する 344
6 バイレの演じられ方、ならびにフラメンコの実践的本質 363

終 章 残された問題 387

参考文献 i〜xviii

もし私に信ずる神があるとすれば
それは踊ることを知っている神である。
ニーチェ

序章

「実践的」問いかけの意義

フラメンコ。

これで生きようと私が決意したとき、深い洞察や理解があったわけではなかった。ただ直観と激情があっただけである。これで生きるというのは、これを職業とするとか、これで糊口《ここう》をしのぐという意味ではなく、生き方、あるいは実存的支柱というような意味である。言い換えれば、人生をかけるに足る対象として、フラメンコを選ぶということである。

人生をかけてよいと思えるほど、出会いがしらから、フラメンコには得体の知れない吸引力と謎があった。友人達は、「反省過程が欠如している」と非難し、「気が違ったのか」と困惑した。すでに彼らとは、スピノザの研究会を約束していたからである。彼らに対して私は、ヤコブ・ベーメ、スピノザ、シェリングにおける美的汎神論の流れの探求を、生涯の哲学的課題としたいと語っていたからである。しかも言明は、フラメンコ舞踊を習いはじめた直後のことであった。

ふつう、人は、ある程度経験を積み、見通しが立ったところで人生の方向を決めるものらしい。そういう観点から見ると、私の決断はまったくの無思慮、無分別、無謀以外の何ものでもなかった。他人からはそう見えても、しかし私には私なりの思慮分別があった。当時私は、デカルトの心と身体の関係に関する問題に取り組んでいたのであるが、その考察の過程で、デカルトの心身二元論は、存在論と認識論の論理的レベルの混同から生じる誤謬《ごびゅう》であるという視点から、簡単に論駁《ろんばく》できるとあらかじめ考えていたにもかかわらず、その思考をたどるうちに、デカルト的循環のただ中に巻き込まれてしまっている自分の理性のあやうさに気づいたのである。感性に生きよう、そこに誤謬は存在しない、こうした考えに至ったときに出会ったのがフラメンコであった。このままでは死が近い、という身体からの無意識的な反逆、あるいは示唆、あるいは啓示であったのかもしれない。精神も身体も解き放ちたかったのかもしれない。自在に、風のように生きたいというつぶやきを、身の内に聴いたのである。

哲学者になろうと夢みたのは、小学校４年生のときであった。同時に、天文学者や、文学者にも強く憧れた。すでに知の楽しさを知ってしまったとはいえ、私は他方で、野生児であった。虹を追いかけ、春のむせ返る匂いの中でゆらぐ濃密な空気や、風の肌を過ぎる感覚、雨粒の肌感を求めて飛びまわり、遠い空や野山に触れようと高らかに歌い、また踊りまわってもいたのである。自然に身をまかせ、自然と呼吸を合わせて一体化する感覚は、何とも言えない幸福感を伴うものであった。そこで、ダンスを習いたいと懇願したがついに許されなかった時代もあった。

自然とたわむれ、歌い踊りもし、深く考えもする。これが本来の私の姿であった。それがいつしか知に偏重していた。そのとき、身体が反逆したのである。きっかけは、フラメンコとの出会いであった。

これで生きようと飛び込んだものの、習得するほどに疑問が次々と生じてきた。フラメンコとは一体何なのか、自分とフラメンコとの関係は何か、そもそもジプシーでもないものが踊り切れるのか、等々、息苦しいほどにもどかしさが募っていった。

1982年に私が行った”フラメンコへの試み“と題する連続8回公演は、こうした疑問を解明しようとする矢も楯もたまらない取り組みであった。「死者の書」[1]（折口信夫《しのぶ》より）からはじまり、第2回「春、プリマベーラ」（ボッティチェルリより）、第3回「山吹」（泉鏡花より）、第4回「月と死神」[2]（ロルカより）、第5回「病める薔薇」[3]（ブレイクより）、第6回「真夏の夜の夢」[4]（シェイクスピアより）、第7回「葵の上」[5]（源氏物語より）、第8回「万葉の挽歌」[6]（柿本人麻呂《かきのもとのひとまろ》より）まで、8ヶ月連続での試みは死にもの狂いの挑戦であり、本当に神経がすり減って死ぬかと思うほど過酷であった。

テーマはいずれも私の生の営みの中で、魅かれ、取り込んだものの一部であった。それらを切り口として、さまざまな角度からフラメンコを照射し返すという方法をとったのである。死に向かって開かれる情念、あるいは官能の誘い、あるいは女の身の内に渦巻く、求めて得られぬものへの悲哀と憎悪と諦観《ていかん》、また二度と帰らぬものへの果てしない呼びかけ、「魂乞い」の挽歌の暗い響き、こうしたものとの内面的なぶつかり、あるいはまた、ジャズやマイムなどの他のジャンルの音楽や踊りとのぶつかりあい、さらに詩の朗読との共生、あるいは床に座してのギター演奏等の中で、何が明らかになるか、その結果私はどう変わるか——私が求めたものはこのような点であった。フラメンコをわがものとするための方法として、これらの諸テーマを設定し踊り踏み越えることを選んだのである。文字通り、フラメンコに至るための、フラメンコを理解したいための試みであった。それは、奇をてらうとか、フラメンコに実験的な変形を加えるというような考えとはまったく無縁な試みであった。

上演前は、未知の不安を持った共演のギタリストやスタッフからも、すぐに共感を表明され、回を追うごとに幅広い舞台関係者の来場を得たことは幸せであった。中には、当時来日し、「死の教室」を公演中のポーランドの演劇スタッフの姿もあった。しかし駆り立てられるように試みた、直観にまかせての探求からは、いくつかのおぼろげな像が浮かび上がりはじめはしたが、明確な答えを得たという実感を持つには至らなかった。当時の私としては考えられる限りの精一杯の模索と苦闘ではあったが、課題も残り、もどかしさも募った。そこで次に、視座を変えて、さらに明確な答えを求めて、踊りそのものの中に垂直に切り込んで探求しようと思い、ひとまず「試み」シリーズを終えたのであった。

ところで、この試みよりも以前から、私はジプシーと私達との共通性に関して一つの考えを持っていた。つまり、ジプシーは迫害という過酷な歴史の中で、たくましく生き、フラメンコを創り出してきた。フラメンコが彼らに日常の悲しみを忘れさせ、生きる力を与えるのである。他方、現代に生きる私達は、物質的に恵まれ一見幸福そうに見える日々の中で、漠とした抑圧を感じ、多くのストレスを抱えて生きているというのが実情である。こうした私達は、精神的な不安や飢餓の感覚をもってジプシーの存在の過酷さを理解し、また運命に立ち向かう彼らの強靱《きょうじん》さに共感する。これが、彼らの音楽や踊りであるフラメンコに私達が魅かれる理由である。——ときにはこの考えを熱く語り、人々を納得させたこともあった。結論的に言えば、この考えは今となっては不十分と言わざるをえないのであるが、その点についてはのちに論ずることにする。

さて、視座を変えた私は、「試み」シリーズの直後にスペインに渡り、また日本に戻り、ともかくフラメンコを根底から理解したいという思いで踊り続けた。幸いにもと言うべきか、踊りという実践の場は、私に多くのことを気づかせてくれるいわば知の宝庫でもあった。そのうえさらに幸いなことに、フラメンコの歴史や、それを担う主体、ジプシー、あるいはまたフラメンコが成り立った場所であるアンダルシアなどについての諸研究も、現在かなり充実、深化してきている状況である。しかし、スペイン人研究家の研究にしろ、日本人のそれにしろ、諸外国人のそれにしろ、何か大切な諸点、根本的でありながら、実践的な諸点が見落とされているのではないか、という思いが、私の心の中にしだいに湧き上がってきたのも事実である。

そこで、こうした諸研究の成果をふまえながら、今もう一度、「フラメンコとは何か」、「フラメンコとは私達や、私にとって何なのか」をバイレ（踊り）の実践的視点から問い直し、解明してみたいと思うに至った。

これが本論の動機である。

附記

「死者の書」

折口信夫（1887〜1953）歌人、国文学者、民俗学者。「死者の書」は古代人の魂を表現した小説である。題名は古代エジプトの「死者の書」にちなんでつけられている。1939年作。

○詩の朗読と舞踊の構成。舞台美術は簡略化された象徴的なものとなった。（1982年3月舞台化）

「春」

ボッティチェルリ（1444〜1510）イタリアの画家。彼の「ラ・プリマベーラ」という絵画はアンジェロ・ポリツィアーノ（1454〜1494、イタリア・ルネサンスの詩人、学者）の詩編「ラ・ジョストラ（騎馬試合）」に影響されて描かれたとも、当時趨勢《すうせい》だった「愛」を原動力とするネオ・プラトニズム的世界を表現しているとも言われている。世界でもっとも有名な絵画の一つで、それは詩的世界と自然とが融合された独特な世界を作り上げている。
○詩的絵画の構図（ネオ・プラトニズム哲学的解釈―ウイント説）をそのまま舞台構成に援用。絵画の三美神の人物配置から抜け出るようにはじまり、三美神の有り様をふまえながら可能な限りの3人の踊り手の絡みを試みる。（1982年4月舞台化）

「山吹」

泉鏡花（1873～1939）小説家。鏡花芸術には個人の自由と世俗的社会を対峙させつつ個人の純化された愛情の優位性を描くところに一つの特色があるが、この「山吹」もそうである。1923年作。
○ギター、バストン、パルマなどを本来持っている役割を生かしながら効果音的要素としても多く使い、世俗との対峙《たいじ》の末、世俗を離れて自分の思うところに殉じる女の思いに焦点を合わせ構成。（1982年5月舞台化）

「月と死神」

フェデリコ・ガルシア・ロルカ（1899～1936）スペインの詩人、劇作家。アンダルシアの精神を劇的に歌った「ジプシー歌集」や劇作「血の婚礼」、「イエルマ」、「ベルナルダ・アルバの家」などがあるが、彼の戯曲は日本でもよく取り上げられている。詩、戯曲において伝統的、民族的な様式と新しい様式を統合させた点でも高く評価されている。

○ロルカの詩を役者が朗読しながら舞踊と絡む構成。（1982年6月舞台化）

「病める薔薇」

ウィリアム・ブレイク（1757～1827）英国の詩人、画家。抒情詩集「無垢の歌」、「経験の歌」、散文「天国と地獄の結婚」では二元的世界の合一を探求。その他「ヨブ記」、「神曲」の挿絵も描いている。

○ブレイクの詩の朗読と舞踊の共生、交感を探る。のちにこの詩をスペインの舞踊家マノレーテに舞台でスペイン語で朗読してもらったが、そのしわがれ声とその詩に対する共鳴の仕方は、その場にいたスペインのカンタオールよりも存在感がありあ味わ

い深かった。（1982年7月舞台化）

「真夏の夜の夢」

ウィリアム・シェイクスピア（1564〜1616）英国の詩人、劇作家。戯曲は「ハムレット」、「オセロ」、「リア王」、「マクベス」など37編。詩は「ビーナスとアドニス」、「ルクリース凌辱」、154編からなる「ソネット集」などがある。

○「真夏の夜の夢」はあまりによく知られた作品であるが、これを取り上げたのはフラメンコと異質のジャンルとの統合から何かが浮かび上がるのではないかと考えたからである。しかし、当時の日本では限界がありジャズとマイムとフラメンコの構成舞台となった。（1982年8月舞台化）

「葵の上」

『源氏物語』の「葵」は世阿弥の改作では光源氏をめぐる正妻葵上と六条御息所の葛藤を、六条御息所にしぼって表現されている。その生霊の情念は激しくやがて鬼となって法力と争う。その女の怒りと悲しみに般若の面を使う。その心理表現、舞台表現ともに見応えがある。
○「能」の舞台上の象徴的技法をさまざまな形で取り入れつつ、求心的動きに焦点をしぼった。（1982年9月舞台化）

「万葉の挽歌」

　挽歌とは、人の死、過ぎ去った時を悲しみ嘆く詩歌であるが、ここで言う「万葉の挽歌」とは、柿本人麻呂（生没年月日未詳）の挽歌にみられる憑かれたものの歌、すなわち不在なるものへの限りない問いかけ、「魂乞い」の歌、それは「黒い音色、黒とはすなわち人の世のもののあわれを思わせるドゥエンデのみちたホンドのひびき」（マヌエル・トレス）に通底する。
○舞台は前回までに使ったあらゆる手法を駆使。舞踊は不在なるものへの問いかけと何ものかの到来の希求に焦点を合わせ求心的舞踊を探った。（1982年10月舞台化）

第一章

フラメンコの語源について

フラメンコとは何か。

この問いかけに対して、たいていのジプシー・アーティストは、「それは人生である」と答える。自分との関わりあいの観点から、人間らしく答えるからである。しかし歴史家や音楽研究家などの答えは次のようになる。――一言で言えば、それは、スペインの南に広がるアンダルシア地方の、ジプシーに由来する、独特な魅力を帯びた音楽や踊りである。フラメンコは、はじめ、アンダルシアのジプシー街の片隅で、ひそやかにその産声を上げた。18世紀後半のことである。それから時を経て、今それは、活動の場を世界にまで広げ、インターナショナルな支持を拡大しながら、未曾有《みぞう》の発展の道を突き進んでいっている。――何とも味気ない一般論である。私の好みはジプシー流の答えであるが、今しばらくは一般論を展開することにする。

それでは、そもそも「フラメンコ」という言葉は、いつ、どこから生まれ、どのような意味で使われるようになったのであろうか。

それが「フランドルの」という意味であれば、すでに16世紀以降一般に使われ出しており、それがこんにちのスペイン標準語の形容詞の第一の意味である。

ところが、フラメンコというのはジプシーのことだ、と言う人がいる。「その理由がどうであるかはわからないが、とにかく、ジプシーはアンダルシア人を〝ガージョ（パージョ）〟と呼び、アンダルシア人はジプシーのことを〝フラメンコ〟と呼んでいる」。『フラメンコ歌謡集』序文で、アントニオ・マチャード・イ・アルバレス〝デモフィロ[1]〟は、こう述べている。またグラナダの音楽家エドワルド・オコン[2]も、「アンダルシア地方では〝ヒターノ（ジプシーのこと）〟と〝フラメンコ〟という形容詞を、一般に同義語として使用するのが習慣である」と言っている。

「フラメンコ」という言葉が、「ジプシー」や、あるいはまたそこからさらに広げて「ジプシーの音楽や踊り」の意味で使われるようになったのは19世紀なかばのことで、さらにその意味で盛んに一般的に使われ出すのは19世紀後半ということである。リカルド・モリーナとアントニオ・マイレーナ[3]の『カンテ・フラメンコの世界と諸形式』によれば、フラメンコが、ジプシー、ヒターノの意味で、はじめて文献に出てくるのは１８３６年ということである。

それ以前は、ジプシーは、パージョ（非ジプシー）の側からは、ギリシア人を意味するグレコ grecos、エジプト人をさすエヒプターノ egiptanos、エヒプシアーノス egipcianos、そこからヒターノ gitanos などと呼ばれ、また、ジプシー自身は人間という意味のジプシー語であるロマニ romaní、ロム rom、黒い人を意味するカロリ calorri、カレ calés などという言葉で自分達を呼んでいた。カレなどというのは、彼らがインドにいたときは、インドの黒い神、カーリー神を信仰していたところから出た呼び名だという説もある。そして、前者の語群の中から、とくにヒターノという語が主流になっていったという経緯がある。

また、リカルド・モリーナは、1870年に34歳で亡くなったスペイン・ロマン派の詩人グスターボ・アドルフォ・ベッケル[4]のシギリージャ（フラメンコの重要な形式、曲目の一つ）についての一文にも触れている。それは、「フラメンコの人々、純粋なジプシーの一団が、ギターの伴奏もなしにホンド jondo（深い）な歌を歌っている」というものである。ここからも1870年以前にすでに、ジプシーをさしてフラメンコと呼ぶ習慣のあったことがみて取れる。

ところが、1840年頃にはまだ、ジプシーやその音楽や踊りについて、フラメンコと呼ぶ習慣のなかったことを示す例証がある。それは、エル・ソリタリオという筆名を持つエステーバネス・カルデロン[5]という文人が、その著『アンダルシアの情景』の中で、1840年頃のセビージャのトリアーナのある家で催されたジプシー達のパーティ、フィエスタについて記述している一文である。それには、エル・フィージョ、エル・プラネータなどの伝説的な歌い手や、グラナダの踊り手ラ・ペルラなどの歌い踊る様子が、生き生きと克明に描かれているにもかかわらず、彼らに対しての呼び名としても、また、彼らの音楽や踊りに対しても、一度もフラメンコという言葉は使われていないのである。なお、このときのフィエスタは、まだジプシー達による彼らのための集いという同族サークル的な性格を持ちながらも、すでに、エル・ソリタリオのようなパージョも出入り可能な、外へ開かれはじめた時代の様子を私達に伝えているという点でも、興味深いものがあると言える。

さて、これらの点から、おそらく19世紀後半になって、ジプシーや、ジプシー風の、あるいはジプシーの音楽や踊りという意味で、フラメンコという言葉が使われはじめたと考えるのが妥当と推論されるのである。

ちなみに、「カンテ・フラメンコ」という文字が最初に記録されるのは、トレンド[6]によると、1871年だということである。この年は、隣国フランスでは労働者達が蜂起し、パリ・コミューンを樹立した年である。多くの自由を求める若者や知識人がその戦列に加わった。当時17歳の詩人ランボーも、その報を知ると、パリに向かって走り、6日間の徒歩行ののち、その運動に身を投じている。兵士としての団体生活にはなじめなかったものの、強い共感を持ち続け、やがて戦列に加わった民衆が虐殺されていく中で、詩人の歩き方はロボットのようにぎこちなくなり、目も険悪な光を放っていたということである。「神よクソくらえ！」と落書きしてまわったりもしている。「パリ民衆の戦いの歌 Chant de guerre parisien」という詩の中で、〝パリが赤く血に染まり、民衆の怒りの場と化している〟と書きしるしている。その年の9月にランボーは、詩「酔いどれ船」をヴェルレーヌ宛てに送っている。その才能を見抜いたヴェルレーヌとの魂の交わりの関係や、「地獄の一季節」を最後に20歳で詩を放棄したことなどについてはよく知られていることである。

また、日本を視野に入れてみると、日本人としてパリ・コミューンを目撃したのは、当時ソルボンヌ大学に留学中の西園寺公望《さいおんじきんもち》であった。翌年には中江兆民《なかえちょうみん》も留学生として渡仏する。パリ・コミューンは、ルソーやボルテールの著書を思想的バックボーンとしていたが、これらの自由と民権の思想を兆民に出会わせる仲介をしたのが西園寺公望であった。帰国後兆民は、ルソーの著『社会契約論』『学問芸術論』『エミール』を、それぞれ『民約論』『開化論』『教育論』と訳し紹介することによって、日本の自由民権運動に大きな影響を与えたのである。また西園寺とともに「東洋自由新聞」を創刊している。なお、1872年には福澤諭吉の『学問のすゝめ』も出されている。

1871年（明治4年）当時の日本は、発足したばかりの明治政府によって国家体制から社会生活全般にわたる近代化、西欧化が急がれていた時期であった。「廃藩置県」によって中央集権化が図られ、また岩倉具視《いわくらともみ》を全権特命大使とするアメリカ、ヨーロッパへの外交使節団が派遣された。伊藤博文、大久保利通《としみち》らに加えて、津田梅子ら5人の女子留学生もそれに同行していた。断髪廃刀令も出され、断髪は「文明開化」のシンボルともなった。東京—京都—大阪間の郵便業務もはじめられている。配達は馬によって行われ、東京—京都間は36時間を要し、ポストは木製であった。翌年には海外郵便も開始されている。新貨幣制度も導入され、円、銭、厘《りん》となり、1両が1円に変わっている。なおこの3年前の1868年に、スペインではペセタが誕生している。そのペセタも2002年6月にユーロへと変更されたことは記憶に新しい。

さらに日本では、1871年には日刊新聞も創刊され、太陰暦は太陽暦へと変更、日曜日が休日とされ、洋服が公式の礼服とされている。スポーツでは野球が伝わっている。天皇が毎日2回ずつ牛乳を飲むという新聞記事が出ると、庶民のあいだでも牛乳の飲用が大流行し、翌年にはビールの飲用も流行しはじめている。江戸末期には大阪の2店のみで、彫り物だらけのごろつきか緒方洪庵《おがたこうあん》の「適塾」の塾生しか出入りしなかったと福澤諭吉が『福翁自伝』で述べている牛鍋屋《ぎゅうなべ》が、1869年に東京でもあいついで開店し、繁盛する。この新風俗を1871年に小説『安愚楽鍋《あぐらなべ》』にしたのが仮名垣魯文《かながきろぶん》で、「士農工商、老若男女、賢愚、貧福おしなべて、牛鍋食わねば開化不進奴」、牛鍋を食べないのは「ひらけぬやつ」と言い切っている。先の断髪の件についても、「半髪頭《はんぱつあたま》をたたいてみれば因循姑息《いんじゅんこそく》の音がする。総髪頭をたたいてみれば王政復古の音がする。ジャンギリ頭をたたいてみれば文明開化の音がする」(『新聞雑誌』1871年刊)と書かれているように、断髪と牛鍋は民衆の生活レベルでの文明開化のシンボルとなった。とくに同じ鍋を囲むという食事の形は、それまでの家長や男女が同席し同一のものを食する習慣のなかった差別の時代には考えられない平等な解放感を人々に与えたことであろう。女子の断髪の流行はもう少しあととなるが、やがて散切《ざんぎり》頭でフロックコートを着た紳士や、ドレスを着用し、レースのショールをはおった婦人が、牛鍋やオムライスを食べに、レンガ造りの洋館が立ち並ぶ街の通りを闊歩《かっぽ》するようになる。音楽関係では、1871~2年にあいついで海軍と陸軍の軍楽隊が編成され、輸入したばかりの西洋楽器で吹奏楽を演奏しはじめ、西洋音楽の紹介に大きな役割を果たすこととなった。

少々長くなったが、スペインでは、フラメンコという言葉が、ジプシーやその独特の音楽や踊りの意味で用いられ、またカンテ・フラメンコという言葉が使用されはじめる時代の隣国フランスや日本の姿の具体的なイメージの一端を浮かび上がらせるとともに、フラメンコの歴史がさほど古くもなければ、新しくもないということを示すために、あえて長文を顧みず言及したのである。

それでは、19世紀後半頃から、ジプシーの、ジプシー風の、という意味で一般的に使われるようになったフラメンコという言葉の語源は何であろうか。

『グローヴの音楽辞典』などにみられる昔からの通説には、こんなものがある。「16世紀頃、フランドルからカルロス1世についてやってきたフランドル出身の兵士達を、スペイン人達は〝フラメンコ〟と呼んだ。この兵士達が、派手好みで、酒の味をおぼえたり、女狂いをしたりとだらしなく、柄が悪かったために、フラメンコという言葉は、下層階級のならず者達、とくにジプシーや、彼らと親しく交わるあやしい者達をさすようになった」――いわゆるフランドル起源説である。イギリス人作家のジョージ・ボロウ[7]も、ジプシーはフランドルのほうから渡ってきたので、フラメンコと呼ばれたという説をとったが、ブロック[8]によると、スペイン、とくにアンダルシアのジプシーの方言の中にゲルマン的要素はないということであるから、どうであろうか。

ジョージ・ボロウという人は、ジプシーに魅せられ、その群れに身を投じて、ともに流れ動くうちに二十数ヶ国語に通じるようになったところを聖書販売会社に見込まれ、世界各国に販売ルートを広げる旅に出て、そこでまた各国のジプシーと知りあい、ジプシーものので作家として成功するのだが、鍛冶屋《かじ》としても英国を渡り歩き、一生ジプシーとともに歩んだということであるから、痛快このうえない。アントニオ・マチャド・イ・アルバレス[9]も、フランドル人の白い肌にくらべ、あまりにも違うジプシーの褐色の肌を反語的にフラメンコと呼んだ、と言っており、フランドル起源説にこだわる人々も比較的多いのではある。

そのほかに、アラビア語起源説もある。たとえば、アラビア語の「felag-mengu」（逃げ出した農民）や「fel-lah-mengu」（喉声でさえずる）に由来するという説、また「フレメング」（村の歌い手）に由来するとするライコ・ジューリッチの説などがそれである。

また別に、カンタオールの胸をそらして歌う姿がフラミンゴに似ているとして「フラミンゴ」説をとるフランシスコ・ロドリゲス・マリンなど、さまざまな説があるが、一応一般的に支持されているのはマヌエル・ガルシア・マトス[10]の『カンテ・フラメンコ、その起源について』などにある、18〜19世紀に形成されたジプシーを含む下層階級の隠語から出たとする説である。それは、スペイン語のフラマ flama（炎）から出たフラメアンテ

flameanteという形容詞が、いつしか「フラメンコ flamenco」に変化して、〝派手な〟、〝無頼の気取った〟、〝気性の激しい〟、〝粋がった〟などの、ある種の性格を表す言葉として、しだいに一般化してゆき、主にジプシー達に適用され、またそこからその独特の歌や踊りに適用されていったのだというものである。

要するに、どうもフラマ→フラメアンテ→フラメンコらしいのだが、正確に言うと、あまり語源のはっきりしない「フラメンコ」という言葉が、はじめはジプシーの気質を意味するものとして使われ、その後そのジプシーや、ジプシーの音楽や踊りのジャンルを示す言葉となったのであり、時期としては19世紀なかば以降のことだったということである。

ところで、19世紀後半というのは、フラメンコの歴史を区切るうえで重要な、あのカフェ・カンタンテの時代である。この時を迎えて、ようやくジプシーがパージョの前に、彼らの歌や踊りを職業として持って出てくるようになった。まさにそのようなときに、彼らの歌や踊りを、もっとも端的に、もっとも魅力的にさし示す名前が必要とされた、ということは十分に想像できることである。そこで、アンダルシア人好みの粋な感じを持ち、また中傷的な意味を感じさせずにジプシーをさすことができる新しい隠語「フラメンコ」が、その役割を果たしたのではないかとするのが飯野昭夫氏[11]であるが、妥当である。『ジプシー』の著者、アンガス・フレーザー[12]が、フラメンコという名前は、最初はジプシー自身に与えられた名称で、その後、カフェ・カンタンテで演奏する職業的な芸人が作った都会の音楽をさすようになった、という由縁である。

ところで、私には一つの疑問があった。カンテ・ホンド（深い歌）とフラメンコは別のものである、と詩人のガルシア・ロルカが言う点である。今の私達の常識では、カンテ・ホンドもフラメンコの範疇《はんちゅう》、カテゴリーであって、その言質は奇妙に思われる。なぜロルカは、こんなことを言うのだろうか。死の3～4年前の1931年から1932年にかけて、ラ・コルーニャ、セビージャ、グラナダ、サラマンカで計4回行われた「カンテ・ホンドの構造」と題する講演の中で、ロルカは確かにそのようなことを言っている。この講演については、スペイン語版ロルカ全集では、フランスのロルカ研究家マリー・ラフランクの説にもとづいてこのように書かれているのだが、イアン・ギブソン[13]という、心底ロルカを愛し、フィールドワークで丹念にその一生をたどったアイルランド・ダブリナーの研究家によると、その講演は1932年、バヤドリド、セビージャ、ビーゴ、ラ・コルーニャ、サラマンカの計5回ということである。

さてその講演内容は、残念なことに、断片二つと要約二つしか残されていないのだが、幸いにも新聞記者によるその要約は、講演の概略をよく伝えているとされている。そのうちの1932年5月31日付けの「エル・アデランタード（先駆者）」紙に掲載されたB・アギルレ・イバニェスの記事に、こんな一文がある。ロルカがマヌエル・ファリャと組織した1922年の「カンテ・ホンド・コンクールは、《金持ちの息子達》にカンテ・ホンドをフラメンコから隔てる違いを示した。というのは、カンテ・ホンドは遠くからやってきたものであり、……フラメンコはやっと18世紀以降のものだからである[14]」。

ロルカ自身の断片の言葉からみても、ロルカはファリャの説にのっとって、カンテ・ホンドとフラメンコはまったく別物で、起源が異なると考えている。カンテ・ホンドは、①スペイン教会によるビザンチン典礼の採用、②サラセン（モーロ人）の侵入、③多数のジプシーの群れの到来という、アンダルシアの何世紀にもわたる歴史的な諸事実を起源とするものとみなし（さらにロルカは④ユダヤの悲痛なリズムも加える）、それに対してフラメンコは、18世紀以降の歴史の浅いものとする。今の私達から見るとおかしなとらえ方ではあるが、彼には彼なりの「新しいフラメンコ」についての受け止め方があったのである。すなわち、カンテ・ホンドは、より古い起源を持つ奥深いジプシーの歌で、フラメンコは、近年の、俗悪な、堕落した芸能だというものである。

ロルカが青年期を迎える1920~30年頃というのは、フラメンコが、今のレパートリー、諸形式を確立していくカフェ・カンタンテの時代のピークを少し過ぎた頃で、パージョのアントニオ・チャコン達が、のびやかで、どちらかと言えば甘美な声で歌うマラゲーニャをはじめとするファンダンゴ類を大流行させた時代の名残も色濃く、さらに甘く技巧的なカンテ・ボニートが台頭し、また他方で、フラメンコが劇場へと進出する時代の到来を思わせる頃でもあった（第四章で詳述）。「オペラ・フラメンカと呼ばれる悲しむべき見世物スペクタクルの中で、ファンダンギージョの伴奏をする」「見せかけだけで間の抜けた」ギターの「〝名手達〟」、というようなロルカの侮蔑《ぶべつ》の表現の中に、カンテ・ボニート派などの底の浅い劇場進出に対する彼の強い否定的な感情を読み取ることができる。

　カフェ・カンタンテ時代の花形フラメンコなる新しい売り文句で商業化され、都会化されていく芸能に、堕落の危惧を抱き、また劇場化がときにみせる心からのものではない芸能の見世物化を嫌悪する中で、原初に立ち帰れ、と叫ぶ詩人の気持が、先のカンテ・ホンドとフラメンコを別物とする言葉となって出てくるわけである。

　カンテ・ホンド、カンテ・ヒターノへのロルカやファリャの思い入れは強く、くだんのグラナダのカンテ・ホンド祭りは大成功のうちに幕を閉じたのであった。コルドバ県プエ

Mari Fe（"El Arte del Baile Flamenco" より）

ンテ・ヘニルから130㎞の道をはるばる歩いてやってきた68歳の老人ディエゴ・ベルムーデス・カニェーテ〝エル・テナーサス〟（通称ヤットコ）と、12歳の少年マヌエル・オルテガ〝マノロ・カラコール＝かたつむり〟の二人が、優勝を分かちあった話は有名である。ヤットコじいさんは、1日目のドゥエンデを感じさせるすばらしい歌で優勝をさらうと、その夜大いに痛飲したという。それがたたって2日目はパッとしなかったということだが、ライバルがわざと飲ませたというのが真相らしい。もう一人のかたつむり君が、のちに20世紀最大のカンタオールとなったことは、周知の事実である。

ともかく大盛況のうちに終わった祭りではあったが、その直後、収益金をめぐって醜い争いをする運営関係者、芸術クラブの面々の姿に嫌気がさしたファリャは、その後急速にカンテ・ホンドから遠ざかっていった、というのも皮肉な話である。またこの成功によって、このジャンルを人々が営利的目的で見るようになったという点も、さらに皮肉なことである。

それはそれとして、詩人には好まれなかった言葉ではあったが、その後のフラメンコの隆盛の道行きをみれば、「フラメンコ」という命名は、やはり一つの芸能が大きく発展していくうえで大いに役立つエポック・メイキングな愛称の発明であったと言えるだろう。

第二章

ジプシー

1——ジプシーとフラメンコ

さて、フラメンコという音楽や踊りの主体は、言うまでもなくジプシー達である。彼らがいなければ、スペインの南、アンダルシアの地に、フラメンコは芽生えることも、花開くこともなかったはずである。初期の、記録に残る主なフラメンコのアーティスト達のほとんどがジプシーであったこと、しかも時代をさかのぼるほど非ジプシーの割合は少なくなることを考えれば、それは明らかである。

「ジプシー達が、アンダルシアの人々に歌や踊りを教えたのではない。逆に、彼らがアンダルシアで、それを習い覚えたのである。しかしそれ以上に、ジプシー達はそこに、小粋な味、グラシア（こぼれる魅力）、神秘、ドゥエンデ（魔的な霊感）といったものを付け加えたのだ」。ドミンゴ・マンフレディ・カーノ[1]は、『カンテ・ホンドの地誌学』の中でこう述べている。アルバレス・カバジェーロ[2]も『カンテ・フラメンコの歴史』の中で、「ジプシーは長年定住したのち、ババ（低）・アンダルシアで、カンテ・フラメンコを創り上げた。彼らが、この地方にもとからある〝音楽的〟要素を上手に利用したのは、確かである。しかしこの地方的要素は、ジプシーが手を加えるまで〝フラメンコ芸術〟に名を変えなかった。彼らはそれほどに、類《たぐい》まれな〝立役者〟だった。……だからこそ、フラメンコは、スペイン・ジプシーのものではなく、アンダルシア・ジプシーのものなのだ」と言い、「立役者」、主体としてのアンダルシア・ジプシーの存在の重要性を強調しているのである。

また、フェリックス・グランデ[3]も『フラメンコ覚え書き』で、こう書き記している。「フラメンコの様式が形を整え広まっていく初期の段階の演奏者とクリエーターは、すべて例外なくジプシーであった。そうであるから15～18世紀のすばらしいアンダルシアの音楽的下地がなかったら、フラメンコは存在しえなかったであろうし、また、ババ・アンダルシアにあのインド生まれの浅黒い者達の末裔《まつえい》が定着しなかったら、フラメンコは生まれなかったであろう」と。

ガルシア・ロルカも、次のように言っている。カンテ・ホンド（深い歌）に「大きな影響を与えた歴史的な諸事実が、三つあります。スペイン教会による典礼歌の採用、半島に三度にわたってアフリカの血の新しい流れをもたらしたサラセン人の侵入、そして多数のジプシーの群れの到来です。カンテ・ホンドに決定的な形を与えるのは、この放浪する謎に富む人々です」。なぜならば、ジプシー達がやってくる前から萌芽として存在していた明らかにアンダルシア的な一つの歌である「シギリージャ」がシギリージャが保持する"ヒターナ"という形容詞と、歌のテクストにおける、ジプシー達の俗語の著しい多様とが、そのことを証明しています」。この議論はシギリージャ・ヒターナをカンテ・ホンドの中心、典型的な歌と位置づけるマヌエル・ファリャの考えにそってなされている（ただし、当時の研究の限界、すなわち領域的にモーロまでしか射程に入れられていない点は考慮しておく必要がある）。１９２２年2月19日、グラナダ芸術センターでの「カンテ・ホンド――アンダルシアの原始的な歌[4]」と題する講演や、前章でも触れた「カンテ・ホンドの構造[5]」という講演の中のものである。

ところで、現在のスペインのジプシー人口は、スペイン科学教育省調べによると37万5０００人、その半数がアンダルシアに集中しており、そしてその人口比は住民１００人に一人の割合だということである。フラメンコに対するその存在の大きさにくらべると、１%という数字は、あまりにも小さすぎるように思われる。

もっとも、スペイン国立マドリッド・アウトノマ大学教授の近藤仁之氏の推定によると、実際はもう少し多くて、50～60万人はいるということである。フラメンコに関係深い地区で言うと、セビージャのトリアーナはかつてジプシーのメッカの一つであったが、最近は近代化が進み、それに伴って多くがサンタ・エウラリアに移り住んでおり、その数1万2000家族ということである。20年ほど前、私がプエンテ・サンテルモ橋を渡ってトリアーナに入ったとき、そこの高層マンションから、突然ロバが出てきたのには心底驚いた。マンションの一室で飼われているということだったが、その近所のやはり高層マンションの一室には「フラメンコの女王」と言われるマヌエラ・カラスコが、当時は住んでいた。うわさでは、コンクリートの床の上で、直にしかも、かかとの細いパンプスでサパテアード（足踏み）をやって平気なのだ、ということだった。ともかく二重にも三重にも不思議でおもしろかった思い出である。

ちなみに、マケドニアのジプシーで、技術学校の体育教師をしながらジプシー語の文法書をまとめ上げたシャイプ・ユスフォフスキーによると、現在の世界のジプシー人口は約800万人だということである。そのうち定住するものは半数の約400万人、残り半分はいまだに放浪を続けているとみられている。正確な人口を特定できないのも道理である。

それはともかく、スペインのジプシーは、しかしもともとスペインにいたわけではない。

スペインの歴史の記述にはじめてその名が登場するのは１４２５年のことである。それでは一体、彼らはどこから来たのか。

2——ジプシーの起源

ジプシーは、どこからきたのか。もともとどこにいて、どういう理由で、いつ、どのような経路をたどって、スペイン、とくにアンダルシアにやってきたのだろうか。

(1) ジプシーはどこにいたのか

ジプシーの起源については、いくつかの伝説があるばかりで、彼ら自身による記録はない。彼らのジプシー語は、話し言葉だけであって、文字を持たなかったからである。しかし、仮に文字を持っていたとしても、彼らは自分達の過去を書こうなどとは思わないだろう、というのが、マルチン・ブロックの考えである。みずからジプシーの仲間となって彼らの実生活の中に入り、ジプシー研究を続けた彼は、こう断言している。ジプシーには「現在《いま》しかない」のである、と。

ヨーロッパでは、16世紀から18世紀までのあいだは、ジプシーのエジプト起源説が主に信じられていた。ジプシー自身がヨーロッパに姿を現したときに、「小エジプトあるいは低エジプトから来た」と言っていたからである。

ロシアに住むジプシーに伝わる伝説にも、次のようなエジプト起源説が見受けられる。すなわち、あるエジプトの王がユダヤ人を迫害した。のちに王は、家臣達もろとも、南ロシアの黒海で溺死してしまった。このとき一人の少年と一人の少女だけが助かり、二人はやがて結婚して大勢の子どもを産み、ジプシーの祖先となった。マルチン・ブロック[6]は、これを、長いあいだのジプシーの放浪の旅の中で聞いた伝説の脚色であろうとして、否定している。

もう一つ二つ挙げておこう。ジプシーの先祖はもともと、古代エジプトの国王「ファラオン」の血を引く部族だったが、ＢＣ１２００年頃、ラムセス3世がエジプトの沿岸部を制圧したときに、奴隷の身分に落とされるのを嫌い、国を捨てたグループだ、という伝承もある。また、8世紀の中頃、コルドバに回教王国を建てたアブデルラーマン（アブドゥル・ラフマン1世）に従って、イエメンの砂漠を出て、スペインに入った部族だという説もある。20世紀末のラファエル・ラフェンテ[7]も、ジプシーは、インドの前にエジプトにいたと主張しているが、実証性という点で否定される傾向にある。人類の祖は、北アフリカから出て、世界中に散っていったという最近の人類学の共通認識から言えば、まったく間違いというわけではないが、どうであろうか。

　このようなエジプト起源説にもとづいて、エジプト人をさす英語「エジプシャン Egyptian」、スペイン語「エヒプターノ Egiptano」、フランス語「エジプティアン Egyptien」が、それぞれ「ジプシー Gypsy」や「ヒターノ Gitano」、「ジタン Gitan」になまって、ジプシーの呼称となったのである。

　その後ドイツではユダヤ人起源説が出たり、ボヘミア起源説が流れたりしたが、いずれも論拠が曖昧ということで否定されている。

　18世紀後半になって、ジプシー語とインド語との類似性が偶然の形で気づかれると、言語学からの研究が盛んとなって、インド起源説が登場し、やがてそれが主流となっていく。きっかけは、1776年に「ヴァーナ・アインツァイゲン」という新聞に載った記事であった。ハンガリーの牧師イシュトヴァン・ヴァーリ[8]が、ライデン大学にいるとき、インドのマラバル島の習慣に従って留学していた3人の学生から、母国語を1000語以上採取していた。そのとき、それらの言葉が郷里のジプシーの言葉に似ていることに気づいた彼は、ハンガリーに帰国後、実際にジプシーにその1000語を使ってみると、ジプシーはその大部分を理解できた、というのである[9]。それ以降、ジプシー語の収集と、インド語との比較研究が進み、ヨハン・リュディガー[10]がヒンディー語との類似性を、バクマイスター[11]はムルタン語（ラーンダー語や、西パンジャブ語の一方言）とのそれを見い出し、ハインリッヒ・グレルマン[12]はグジャラート語（スラト語）との近似性を分析的に導き出していった。

19世紀になると、サー・ウィリアム・ジョーンズ[13]、アウグスト・フリードリッヒ・ポット[14]、フランツ・ミクロージヒ[15]などによって、ジプシー語とサンスクリット語との比較研究が進められるようになる。

こうした言語学的分析によって、ジプシー語は現在のヒンディー語に近く、とりわけインドのパンジャブ地方から現在のパキスタンのカラチあたりで話される地方語とほぼ同類であり、また、ラジャスターン起源の古いサンスクリット語が根にあるという事実が突きとめられたのである。ジプシー語には、インド起源とみられる語が５００以上含まれているということである。詳しくはグリアーソンの『インドの言語学的研究』[16]を参照されたい。

さらに、社会構成や民謡の採取・分析という社会学や民俗学のアプローチに後押しされながら、とりわけ、ごく最近の遺伝子学的研究の急速な進歩によって、こんにちジプシーの起源は、インド北西部のパキスタンにまたがるタール砂漠の東半分を包んで広がるラジャスターン地方と、ほぼ証明されるに至っている。２００１年に、アメリカン・ジャーナル・オブ・ヒューマン・ジェネテックス誌[17]で発表された、アメリカ、オーストラリア、イタリア、スペイン、ブルガリア、リトアニアの学者達からなる研究グループによる遺伝子調査が決定打となった。彼らは、ラジャスターン地方に多く住んでいる種族ジャーティ（ジャート）と、ヨーロッパ各国に住むジプシーの遺伝子ＤＮＡを比較分析して、その強い類似性を突きとめたのである。この論文は、２００３年12月にスペインの新聞にも取り上げられ、話題となっている。

現段階のＤＮＡによる研究は、まだ今後に多くの課題を残すものとされているが、私達のＤＮＡには、クロマニヨン人のものは引き継がれているが、ネアンデルタール人のものはかけらもない、ということまでわかってきている驚異の研究分野であるから、将来もっと精度の高い確実な研究結果が得られていくことは明らかで、大いに期待したいところである。それにしても、私達が、あの好戦的なクロマニヨンのDNAしか受け取っていないとは……。穏やかで、相当賢かったと言われるネアンデルタールとは縁のない種族であるとは……。きわめて残念である。最近の研究でアジア・ヨーロッパのホモサピエンスには、2%のネアンデルタールの遺伝子が残されていることが判明した。

ジプシー出自のトニー・ガトリフ[18]監督によって、みずからのルーツをたどる意図のもとに作られた「ラッチョ・ドローム」(よい旅を)という1993年のフランス映画が、ラジャスターンから出発し、スペインに至るまでの音楽と踊りのドキュメンタリーであったことは、記憶に新しい。

ところで、アーリア人と言われる遊牧民は、南ロシア、ユーラシアのステップ地帯から東方へと、数世代にわたって移住して、BC2000年代、ないしそれ以前にインドに侵入したと言われる。そのときから、インド語(インド・アーリア語)が分岐・発展していくわけであるが、その侵入以前から、インドにはドラヴィタ人という土着の種族がおり、ドラヴィタ語族を形成していた。このドラヴィタ語族からの語の借り入れが、インド・アーリア語であるサンスクリット語にはあり、そのいくつかをジプシー語に見出すことができる。このことからジプシー語とインド・アーリア語との分離は、インド領内で起こったことがわかる。ジプシーの起源は、やはり、インドと言うべきなのだ。

しかし、原ジプシーとの分離の起こる前の中央アジアのステップ地帯にいたアーリア人に起源を求めれば、さらにアーリア人などの分離の前の、現代人の祖であるクロマニヨン人に、さらにその600万年前の人類の祖と言われる北アフリカを初発とする二足歩行の猿の仲間に、いやさらにさかのぼって、10億年前に地球上にはじめて現れた十数種類ほどの生命体に、いやさらにその生命のもととなる左型アミノ酸へとさかのぼり、さらに、それが彗星によって地球に運ばれる以前の、太陽系の一番外側を取り巻く無数の小天体、いわゆるオールトの雲にまでさかのぼらなければならなくなる。地球上の生命の故郷がこのオールトの雲であることは、最近の天文学の常識となろうとしている考え方であり、地球上のチマチマとした雑事にこだわるよりも胸の躍る議論で、私としては嫌いではない。

実際私は行きづまったときには、射手座の彼方向こうにある、暗黒星雲にとり囲まれてハッブル望遠鏡でも見ることができない、あの宇宙のはじまりにして終わりの、宇宙の中心をなすブラック・ホールのほうに目を向ける。すると懐かしい思いがこみ上げ、小さな迷いなど吹きとんでしまうから、おもしろい。人々や犬や猫や馬、草花などと同じくらい、宇宙や星々は懐かしく、愛しく思われ、２００３年の秋の地球への最接近以来しだいに遠ざかり、６万年後にもう一度戻ってくるまでは、やがて見えなくなってしまう火星など、とくに愛しく、つい手を振ってしまったりもする。話はずいぶん遠くにきてしまった。オールトの雲まで行ってしまうと収拾がつかなくなるので、今は話を地上に戻そう。

ジプシーの起源については、このほかに、妙な、あるいは笑える説もあるので、少しそれらにも触れてみよう。以下は、東大ジプシー探検隊伊藤千尋氏[19]によるものである。

まず、ギリシアの地理学者ストラボンが書き残したシギネスという種族をドナウ河畔にいたジプシーとみる説、また旧約聖書にヒントを得て、ジプシーはカインの末裔だとする説もある。これは、弟を殺したためにカインは神から地上の放浪者となるよう命じられた。このカインから6代目のレメクに3人の子どもがいたが、それぞれ、天幕に住む者の祖先、楽器を奏でる者の祖先、銅と鉄を細工する者の祖先になった、というものである。そのほかに、ジプシーは海に沈んだ謎の大陸アトランティスの生き残りで、波間を漂いアフリカに泳ぎ着いてエジプトに定着して、ファラオの民になったという説もある。18世紀の学者の説ということであるが、当然にも学会では馬鹿にされ、ただ詩人だけが支持したそうである。

(2) ジプシーはどういう人々だったのか

　ところでジプシーは、一体どういう人々だったのだろうか。つまり、ラジャスターンあたりで何をする人々だったのだろうか。

　手がかりは、「ロム」という言葉にありそうである。それは、ジプシーの言葉のうち、自分達自身の種族の男性を示す言葉である。ヨーロッパ系ジプシーはロム romと言い、アルメニア系ジプシーはロム lom、シリアと今のペルシアであるイランのジプシーはドムdomと言う。こうした言葉はどれも、特定の部族集団をさすサンスクリット語のドームバdōmbaや、現代インド語のドム domあるいはドゥム dumと、音韻学的に対応することが証明されている。そしてサンスクリット語ドームバの意味は、「歌唱や音楽で身を立てる下層カーストの男」というものである。現代インド語のドムやドゥムは、シンド語では「放浪する楽士のカースト」、ラーンダー語では「下賤の民」、パンジャブ語では「旅まわりの楽士」、西パハーリー語では「下層カーストの肌の黒い連中」などの意味を持つ。こうした名称が、私達に、ジプシーのもともとのカースト、地位、職業を告げている。おそらく彼らは、漂泊する、肌の黒い、下賤の下層カーストや、旅まわりの楽士、というようなものであったであろう。

また、これとは別の仮説を主張する人々もいる。主として、自分自身の起源の研究に取り組むジプシー研究家達である。コチャノフスキー[20]を代表とする彼らは、クシャトリアが自分達の祖先だと考える。クシャトリアというのはヒンドゥー社会の四つのカーストの上から2番目の「王侯、戦士」のことである。この説は、ジプシーをジャーティ（ジャート）族と、ラージプート族の戦士の末裔と想定するインド人学者も支持している。ジャーティが多く住むラジャスターン地方は、古くは、武士階級であるラージプートの住む土地、すなわち「武将《ラージャ》の大地《スターン》」であった。この地域で王侯、戦士らは、それぞれの覇権をかけて争いながら、また西から侵入してくるイスラム勢力との戦いを繰り返していた。そこで、この地方には砂漠の伝説や雄大な叙事詩、英雄伝説が多く残っており、また、今でも旅芸人や楽士、占い師、霊媒師らや、鍛冶《かじ》をする者や籠《かご》作り、動物を扱う者などの非定住者の人々が漂泊していると言われている。その一端が、最近活発な活動を続けている世界的なジプシー運動のロマニ連合の事務局長ライコ・ジューリッチ博士の『世界のジプシー』[21]に、写真とともに紹介されている。戦士集団がいれば、当然彼らを支えるのに必要な職業集団を随行させる。それが、鍛冶や、占い、楽士などの下層カーストの集団である。そしてそのうち、二つの集団の社会的区別もぼやけていった、というのがクシャトリア説である。これは戦士達自身というよりも、クシャトリアに随行する下層職業集団の姿がより強く浮かび上がるが、考えられなくもない説ではあろう。

ところで、先述の言語学についてはミクロージヒ以来、ジプシーの言葉から、ジプシーが西への移動でたどったに違いない経路を跡づける研究がはじまるのである。20世紀には、ジョン・サンプソン[22]を代表とするタルド語群説、すなわち、ジプシー語は北西部のインド諸州から発し、そこからの移動は、少なくとも9世紀末とする学説と、サー・ラルフ・ターナー[23]を代表とする、ヒンディー語を典型とする中央語群説、すなわち、BC250年より前に生じた中央地方から北西部への移住後、数世紀逗留してからのちに、9世紀以前のある時点でジプシーの離散が開始されたとする説が、並び立って主流を占めていた。そして、20世紀末にはテレンス・コーフマン[24]が、原ジプシーの西への移動をBC300年より前とする説を提出するなど、大混乱の様相を呈している。

次に、こうした学説などもふまえながら、ジプシーは、いつ、どこへ移動していったか、という点について検討してみることにする。

(3) 旅立ちは、いつ、どうして起こったか

ジプシーが、いつ、どうしてインドを離れたのかについては、実は、数多くの説がある。もっとも古いＢＣ６世紀説から、ＢＣ４世紀説、ＡＤ５世紀説、８世紀説、９世紀説、10～11世紀説、14世紀説まで、一体どれが本当なのか。頭が混乱しそうになるほどである。しかし各説ともに、そう考えるのがもっとも妥当と根拠を挙げて主張しているのであるならば、どれが正しいか、という正解を探すのではなく、まったく根拠がないと明らかに考えられる場合を除いて、すべての説に何らかの事実が含まれているとして受け止め、とらえ返したほうが、私はおもしろいと思う。諸説あるということは、ジプシーの出立が、長い期間にわたって幾度も繰り返されてきたことを示すものだとも考えられるからである。全部を受け止め、振り返ってみると、豊かな生き生きとしたジプシーの長い旅立ちの姿がとらえ返されるのではないだろうか。たとえ小さな伝承や伝説にも、何らかの真実が含まれている、と私は考える。ここでは安易な批判はやめて、すべてを受け止め、まとめてみたい。

まず、一番早い時期を示す説からはじめよう。ジプシーの出発は、おそらくＢＣ６世紀

であろうと主張するのがヒギー[25]というアメリカの言語学者である。これを歴史的事実に対応させてみると、確かにＢＣ５２１年に、ペルシアのダリオス１世がパンジャブおよびシンド（インダス川下流、現在のパキスタン南東部で、昔はインドの一部だった）を征服している。ダリオスは、ギリシアのスパルタとの有名なテルモピレーの戦いの覇者クセルクセス１世の父であるが、ＢＣ５１８年にはガンダーラも攻略している。ペルシアは、その数年前のＢＣ５２５年、すでにオリエントを一応統一しているが、その動きの一環として、さらに東への進出を企み、東の端インドの西側に攻め込んだのである。その戦禍を避けてか、あるいはペルシアの傭兵としてか定かではないが、ジプシーの出発として、十分考えられる出来事である。

　次に古い時期、ＢＣ４世紀を挙げるのが、やはりアメリカの言語学者コーフマンである。彼は、音韻学的諸事実をもっともよく説明するためには、原ジプシーがＢＣ３００年より前に、イラン語地域へ最終的に移動したと想定することが妥当だ、としている。そして、それはおそらく、ＢＣ３２７〜３２６年にアレキサンドロス大王が北西インドに侵攻した結果であろうとする。確かに、ＢＣ３２７年にアレキサンドロス大王の軍がパンジャブを征服したことは歴史的事実である。行く先々で目のあたりにする宿敵ペルシアの高度な文化と統治のレベルに学んだ大王は、ペルシア王の装束を身につけるようになったと言われている。インドを越えて世界の果てまで行きたいと望んだ王に対して、よほどヒンドゥクシ山脈の険しさがこたえたのか、家臣らは全員故郷に帰りたいと主張し続けたため、大王もついに折れ、東征の旅は終わるのであるが、アラブの人々は彼を征服者としてではなく、親しみを込めてダリオスの弟と呼び、今でもその話を現代のダルヴィシュ Darwish（行者で講釈師）が語り歌い、最後に人々が斉唱する、そんな姿をイランなどの街々の一隅で見かけることがあるそうである。

アレキサンドロスのインド侵攻に関しては、ジプシーの側に次のような古い伝説もある。

私達は、ガンジス河のほとりに住んでいたが、私達の族長は、力が強い英雄だった。彼の声は、国の全部に響きわたっていて、彼の下す決断は、最終的なものであった。族長には一人の息子がおり、その名をチェンといった。その頃、ヒンド（インドの一部）という国があり、この国を強力な国王が支配していた。王が寵愛した后は、ただ一人の子どもしか生まず、その子どもは娘で、名をガンといった。ジプシーの族長が死んだあと、息子のチェンは、ガンと結婚しようと心に決めた。しかし多くの人々は、ガンをチェンの妹だと思っていた。彼女は実際は、チェンの妹ではなかった。けれどもそう思われていたので、国民は二つの派閥に分かれてしまった。そこへある魔術師が、侵略が起こって非常に悪い時代がくると予言した。果たして、アレキサンドロス大王の部下の一人の軍隊が押し寄せてきた。それは、大暴風のように荒れ狂い、ヒンド国の王は殺され、あらゆるものが破壊され尽くされた。これは魔術師が予言した通りである。国民の一人が、敵の将軍を訪ねて、兄が自分の妹と結婚するという問題について判断を仰いだ。将軍は、その国民の頭を殴った。するとそのとき、その将軍と彼の馬に破裂が起こり、将軍と馬は、岩の上で砕けた土器のように、粉々になってしまった。それから大風が吹いてきて、偉大な軍人だった将軍の遺体を砂漠に吹き飛ばした。私達の部族は、二つに分裂した。チェン反対派はチェンを国から追放した。ある魔術師が、チェンに次のような呪いをかけた。「おまえを永久に地球上を放浪させせよう。おまえを二度と同じ土地で眠らせないようにしよう。おまえを二度と同じ井戸の水を飲ませないようにする」。

（チャルマン・ラル『ジプシー——インドの忘れられた子ども』[26] より　訳／相澤好則）

ライコ・ジューリッチによると、これは、ジプシーのあいだで繰り返し語られている伝説で、チェンという名は今でもジプシーの名前にみられるそうである。ともかく、アレキサンドロスの侵略戦争によって故国を離れたジプシーの様子の一端がうかがえるものと言えるかもしれない。

5世紀ならびに8世紀、あるいは10世紀とするのは、ジプシー出身の人権活動家であるグラタン・パクソン[27]である。パクソンの言うところによると、

「5世紀にペルシアのベラム・グール王がインド北西部、現在はパキスタンにあたるムルタンから、ロム（ジプシー）の祖先1万人をペルシアに連れていった。ロムは当時、ルリと呼ばれていた」

「さらに8世紀にはムルタンの近くのシルマン山にヤットという名で呼ばれたロムが住んでいた。彼らはインドの支配者から独立しようとし、インドに攻め込んできたアラブと手を組んだ。アラブが勝てば独立できると考えたのだ。ところが頼みのアラブが負けてしまった。そのままでは皆殺しにされるので退却するアラブ兵と一緒に西に移動した。714年のことだ」

「ヤットはもともと黒い牛を飼う遊牧民だった。だからアラブの王は彼らに牛を飼えるようメソポタミアの土地を与えた。このときの人口が1万7000人。しかし多産で子どもが多く、100年後（9世紀）には10万人になった。そこで持ち前の独立心から反乱を起こし、40年近く解放区を維持した。856年にアラブと和解したが生命を保証され

たかわりに住むことはできなくなり、西のビザンチン帝国に移動した。これがヨーロッパ進出のはじまりだ」

（以上、訳／伊藤千尋）

パクソンの5世紀説のほうに出てくるベラム・グール王とは、ササン朝ペルシアのバフラム5世（在位420〜438）のことである。ペルシアの詩人オマル・ハイヤームによって、詩集『ルバイヤート[28]』で「偉大な狩人」と書かれているように、勇猛果敢な熱血漢と伝えられる彼は、狩りや恋の話で民間伝承のヒーローであったらしい。このパクソン説には証拠というべきものが二つある。

一つは、1010年に完成したペルシアの代表的詩人フィルドゥーシーの民族叙事詩『シャーナーメ[29]（王の書）』である。その中に、バフラム王がインド王（カンボジアの王だったと言うが）シャンガルに、楽士と芸人を送るよう要請した一文が載っている。

宮殿で楽しい生活を送る王のもとへ臣下から「王は楽しいだろうが、貧乏人は音楽を聴くゆとりもない」という不平の手紙が届いた。王はこの手紙を読んで大いに笑い、やがて足の速いラクダに乗せて使者を友人のシャンガル王の元に送ってこう言わせた。「この地の貧しき階級は、音楽もなしにワインを飲む。富める者には許しがたい行状である。そこで、リュートで演奏する1万人の男女をルリの中から選んで、私のもとへ送られたい」。

420年のことである。バフラムは、招待したルリ1万人の一人一人に牛1頭とロバ1頭を与え、家畜を使って田畑を耕し、小麦をまいて生活しながら、同時に王国内の各地の貧しい者のために音楽を無料で奏するように命じた。ところが、ルリ達は1年も経たないうちに、小麦も家畜も食べ尽くしてしまった。倹約ということを知らないと怒った王は、「こう命令して彼らを追放した――ロバを連れて、その背に家財道具の一切を乗せ、歌を歌い、柔らかな弓をかき鳴らして身を立てよ。毎年、国中を旅してまわって、高貴の者、下賤の者の楽しみのために歌え。この命令に従ってルリは今も世界をさまよいながら、仕事を求め、犬や狼を宿りの友として（つまり一緒に暮らし）、道すがら昼も夜も盗みをやる」。

もともと遊牧民のルリに突然農耕をやれといっても無理な相談だし、また、何もかも食べ尽くしてしまうのも、いかにもジプシーらしい。しかしなんと言っても当時の王は、今の権力者らよりもずっと文化レベルが高く、民衆思いだったようである。

ターン[30]によると、先のシャンガル王がいたカンボジアというのはこんにちのアフガニスタンあたりにあった王国だということである。「カピサはカブリスタンへの出口である。カブリスタンはカンボジア人の故郷で、彼らはギリシア人にとって有用な支援者だったらしい。事実、カピサとカンボジアは同じ言葉を持っていたと考えられ、しかも両都市とも他の重要な都市よりもバクトリアに近く、三つの幹線道路を支配下に置いていた」、彼はこう述べている。

ここからより鮮明なルリの姿が浮かび上がってくる。あの貿易通商路上にいて、歌や踊りを職業としていた遊牧民。彼らは、ロバにまたがり、天幕などの日用品をその背に乗せて、楽器を片手に漂泊し、またシルクロード上の隊商を襲い、村や町で盗みを働く。文字通りのジプシーのルーツだと、杉山二郎[31]氏は言っている。また、当時のシルクロードの中継地点の関所のようなところを取り仕切っていたのはユダヤ人だったことも考え合わせると、なかなか興味は尽きないのだが、先を急ごう。

パクソン説を裏づけるもう一つの文献は、アラブの歴史家イスファハンのハムザ[32]のものである。彼は、950年、『王の歴史』の中で同じような話を伝えている。バフラム王は臣下達に、1日の半分だけ働いて、残りの時間は音楽の調べを聴きながら飲み食いして過ごすように命じた。ところがある日、ワインを飲みながらも音楽を楽しまない集団が見つかった。とがめられた彼らは、平伏してこう申し上げた。演奏させようと楽士達を探したが、楽士達が見つからなかったのでございます、と。そこで王は、インドの王に頼み込んで、1万2000人の楽士を送ってもらった。その彼らが、ペルシア王国のあちらこちらに配属されて、そこで増えた。「その子孫が、少数ながらも今そこにいる。それがゾットである」。

要するに、5世紀バフラム王の時代に、1万人規模の人々がインドからペルシアに移ったことを、二つの文献が伝えているのである。

ここで出てくるルリとゾットという名は、今も使われている。今のペルシア、イランでは、ジプシーのことをルリとかゾッティ（ゾッティの複数形がゾット）と言う。シリアやエジプト、パレスチナでは、ルリは現在ではヌリ（複数形ナワル）と変化している。インドのラジャスターン地方に多く住む部族名ジャート（ジャーティ）をパクソンはヤットと言っているが、それをアラビア語風に発音、変化させると、ゾットとなる。

また、これらの話は歴史的事実と符合している。歴史家によると、7世紀のアラブ勢力の拡張期には、シンド人の無数の部隊がササン朝ペルシア軍に従軍したということである。ところが、ペルシアの軍勢が傾くと、今度はムハンマド（マホメット）が興したサラセン帝国側に寝返り、イスラムに改宗して今のイラクのバスラに定住した。ゾットの他の集団も各地に定着したということである。714年、サラセン軍がシンドに侵攻して、アジア支配がもっとも東まで拡大されたとき、多数のゾットやシンドの住民が、メソポタミアのティグリス川両岸に追放されている。こうした集団は、その後数次にわたり植民のために北部シリアに移住させられている。パクソンの言うヤットのメソポタミア植民、移住の話は、このあたりに符号するものである。

彼の言う８５６年のビザンチン帝国への移動に関してみると、サラセンとビザンチン帝国が８５３年から８５６年にかけて小アジアで激しく戦っている。そしてビザンチン帝国がシリアを攻撃した８５５年に、かなり多くのゾットの男が、妻や子ども、牛ごとに捕虜にされギリシアに連れていかれた。これはアラブの歴史家タバリが記録していることである。タバリの記録によると、ジプシーのヨーロッパへの移動は、９世紀なかばのギリシア連行からということになる。

もう一つ別の、５世紀と10世紀説もある。シャイブ・ユスフォフスキーの説である。「私達の先祖はインドのラジャスターン地方に住んでいたが、タタール人に追われたのと食べ物がなくなったのとで、５世紀に１万２０００人が故郷を捨て旅に出た」「さらに10世紀にも集団で西に移動し、ヨーロッパのバルカン半島に入った」。

ユスフォフスキーの５世紀説に出てくるタタール人というのは、中央アジアの遊牧民エフタルのことで、インド史によると、確かに5世紀末頃グプタ期のクマーラ・グプタ1世の時に、インドの北西部にエフタルが侵入したとある。「白フン族」と呼ばれるエフタルのこの動きは、ゲルマン民族の大移動を引き起こしたあのフン族のヨーロッパ侵攻の動きと呼応しているのがおもしろい。また10世紀バルカン半島への移動についても、986年ガズニ朝のパンジャブ攻撃という史実と呼応する。1001年に侵略が本格化し、1004年にはパンジャブは、ついにガズニ朝に征服されてしまう。1024年にはグジャラートも攻撃されている。10世紀から11世紀にかけてのジプシーのインド出立説も大いにありうるわけである。

最後に14世紀説がある。チムールの侵略戦争の難を避けてジプシーがインドを離れたというものである。確かに1398年、チムールはインドに侵入しデリーを掠奪した史実はあるし、この時点でのジプシーのインドからの離散も可能性はある。

ところで、ジプシーは一般に大別して三つの系統に分けられている。シンティ、ロム、カレである。シンティは、アジアから東ポーランド経由でドイツに入ったジプシーで、フランスでは「マヌーシュ」と言う。ロムというのは東欧に移動したジプシーをさすが、これとは別に、何世紀も前にはじめてインドからヨーロッパに向かったジプシーと区別して使われる場合もある。1864年、ワラキアとモルドヴァが統一されてルーマニアとなったときに、それまで奴隷であったジプシーを解放する令が出されるわけであるが、それを契機として、ジプシーはバルカン半島とハンガリーから全世界にいっせいに大移動を開始する。そのときに全世界に向かったジプシーのことをロマ（あるいはヴラフ＝ワラキア系ロマ）と言う場合である。カレというのは、スペインのカレ、フランスのジタン系のことである。

このうちのシンティは、インダス川下流のシンド地方にいた人々の末裔ではないかと言われている。中近東のジプシー、ゾットは、インドの北西部ラジャスターン地方のジャート（ジャーティ、ヤット）、中央アジアのジプシーはムルタンというが、パクソン説にも出たインダス川上流パキスタン東部にかけての地域である。

タール砂漠からラジャスターンあたりのこうした故郷から、ジプシーは何世紀にもわたって、何度も何度も繰り返し、またいくつものカースト・グループ、部族ごとに、西へ向けて出発した。請われて、あるいは傭兵として、あるいはそれに付属する部隊として、あるいはまた戦禍に追われて——。これが真実に近い姿なのではなかろうか。

ところで、インドのカーストは、古代インド語ではヴァルナと言われる。これは「色」

を意味し、征服者インド・アーリア人がパンジャブに入ったときはじめて皮膚の色の違う異民族、土着民に出会い、自分達征服者と彼ら被征服者を区別するために用いた言葉であるが、やがてそれはバラモンのマヌ法典で、ブラーフマナ（バラモン：司祭者）、クシャトリア（王族）、バイシャ（庶民）、シュードラ（奴隷）という四つの身分と職業を示す言葉に変化していく。これとは別に、ジャーティというもともとは「出生」を示す言葉がある。とりわけ不正当な結婚による出生という意味を持つこの言葉は、やがてヴァルナとは別の雑種のカーストを示す言葉となっていく。インド・アーリア人と土着民とのあいだや、異なるカースト同士間の通婚などが多くなった結果、こうしたサブ・カーストも増加し、現在カーストは、２０００〜３０００に及ぶと言われている。私には、このジャーティと原ジプシーの族としてのジャーティの類似性が、何かを物語っているように思えるのである。たとえば、ラージャの戦士とそれに随行する多くの職業びとの群れとの雑婚と同化……。「ジャーティ」はこうした流れを物語るような言葉である。

また、東欧のジプシーには、現在12の種族があると言われている。エリー、カルデラーシュ、ジャンバジ、ロワリなどの名がついているが、それは種族というより職業集団ということである。インドのカーストと構図は同じである。そして、エリーはアーリアのことでサンスクリット語で「聖なる」「尊い」の意味、トパナはトルコのトップ、大砲を語源として、14世紀にトルコの兵士としてバルカン半島に入ったジプシーの末裔で、軍隊で大砲を造っていたことからついた名称である。ジャンバジはギリシアから来た商人のこと、アラバジはルーマニアの馬商人……などなど。カースト・グループの出発と旅の道筋まで読み取れるようである。

パクソンは、ドナルド・ケンリック[33]との共著『ヨーロッパのジプシーの運命』で、もう一つの古い伝説を紹介している。

かつて私たちの国には、ジプシーである偉大な国王がいた。むろん彼は、私たちの王子から王になった。ジプシーはその当時、美しい国の、あるところに、みんなと一緒に暮らしていた。その国の名はシンドという。そこでは幸せと喜びがいっぱいあった。私たちの族長の名は、マー・アメンゴ・デェブといった。彼には二人の兄弟があり、一人はロマノといい、もう一人はシンガンといった。それは良い時代だった。しかしその後、大きな戦争が起こった。イスラム教徒が攻めてきたのである。イスラム教徒は、ジプシーの国を灰と塵だけの廃墟にしてしまった。そこですべてのジプシーは、一緒にその国を逃れなくてはならなくなった。彼らは不幸な人間となって、よその国や土地を流浪しはじめたのである。そのとき例の三人の兄弟も、それぞれ部下を引きつれて移動しはじめた。その際、彼らはそれぞれ違った道を進むことにした。ある者はアラビアに、ある者はビザンチウム（今のトルコのイスタンブール）に、ある者はアルメニアに。

（訳／相澤好則）

次は、西へと移動するジプシーの、スペインに至るまでと限定した足跡をたどることにする。しかし、その前に、私にはどうしても気がかりな点がある。ジプシーは、東には行かなかったのか、という問題である。

(4) 東へ行ったジプシー

中国と日本にはジプシーはいない、というのがこんにちの一般論である。しかし、本当だろうか。中国の北部にはいる、という話もある。この点について少し考えてみたい。

北方には、ヒマラヤ山脈やカラコルム山脈などの高山が彼らの旅を阻む、と相澤久氏[34]は言う。カシュミールにも前述のロムやドムを思わせるドゥーム Dūm 族がいて、土地の農民階級は彼らと縁組せず、村の番人とかもっと下等な仕事に雇うということだが、雇い主の農民達よりずっと頭がよくて活動的だと、中央アジア探検隊のオーレル・スタイン[35]は言っている。ちなみに彼は、12世紀はじめのインドの歴史家カルハーナによるサンスクリットの詩句8000からなる『カシュミール王統年代記《ラージャタランギニー》』[36]を刊行したことで知られている。

　また東部ヒマラヤにもドム族はいて、農民や職人である。北部インドのドム族は、一般に掃除人夫、籠作り、刑場人夫、また職業的な泥棒だと思われている。彼らは何となくジプシーを思わせるのだが、そうはいかないらしい。マルチン・ブロックによると、彼らの言語はジプシー語とは関係の薄い隠語まじりのヒンドスタニー語ということだから。

　それならば、ヒマラヤは越えられないにしても、そもそもジプシーに分かれる前のアーリア人は、南ロシアやユーラシアのステップ地方からアフガニスタンを通りカーブル渓谷を抜けてインドのパンジャブ地方に入ってきたのであるから、ペルシアやアラブ勢力に圧迫されたときに、来た道を逆流するということは考えられないものだろうか。逆流すればシルクロードがあり、ペルシアやイタリアへのルートのほかに、中国、韓国、日本のルートを容易にたどれるはずである。先述したルリ、あのジプシーを思わせるルリが、シルクロードの隊商を襲っていたのではないかという想像の先には、東方が見え隠れする。事実、飛鳥時代に市の立つ日には、飛鳥の四つ辻で胡《こ》（ペルシア）の踊り女の踊る姿が見られたという話もあるほどであるから。

またジプシーは、南方、つまりインドの中央部や南インドに向かわなかったのだろうか。ビルマとの東部の国境には、ナガ高地やアラカン山脈があるが、さほど障害になるとも思われない。東にも向かおうと思えば可能である。このルートはどうか。

前節でみてきたジプシーの源流、いわば原ジプシーとでも言うべき人々のうち、数々の歴史の試練にもめげずに、何らかの理由でインド国内にとどまり、今もなお、インド国内を非定住、漂泊して生きる人々がいる。ジプシーの故郷と言われるラジャスターン地方にも、今でもテント生活をしつつ、音楽や踊りで生活している集団がある。そして、これとは別に彼らアーリア系とは起源を異にする、もっとずっと古くからインドにいた土着民と言われるドラヴィダ人を起源とする多くの漂泊的部族も存在している。彼らもまた、籠作り、木彫り、放浪詩人、楽士、鍛冶、金属細工などといったアーリア系のジプシーと同じ仕事に従事し生活しているのである。西に行ったジプシーも、このドラヴィダ人が起源だという説が当然あり、アンガス・フレーザーなども可能性なきにしもあらず、と言っている。ジプシーのドラヴィダ人起源説は、かつてセイス[37]によって提唱された。

明治、大正時代の日本の民俗学者らは、このセイス説が当時の最先端だったのだろう、そこからジプシーのインド起源説を論じる傾向が強くみられる。『遠野物語』で知られる柳田《やなぎた》國男《くにお》もその一人で、日本にもジプシーが来た、と考える。彼は日本のクグツシ（傀儡子）が、韓国の揚水尺《ようすいせき》と似ている点に注目して、「わが邦《クニ》のクグツは九州より上りたりと覚ゆれば、朝鮮を通過して大陸より入りこみしジプシーの片われではなきかなどと空想いたし候《ソウロウ》」と南方熊楠《みなかたくまぐす》への手紙[38]に書いている。日本のクグツは、大陸から韓国経由で九州から入ってきたジプシーではないか、というのである。ただし、今は証拠とする材料がないので、「だんだん御助勢下さりたく候」、どうかバックアップよろしく、と南方に頼むのである。

平安時代に、日本にすでにジプシーらしきものがいたとするのは南方も同じである。彼らの論拠は、平安時代の学者、大江匡房《おおえのまさふさ》の『傀儡子記《くぐつしのき》』である。

匡房によると、クグツシというのは、定まった住居も家もない非定住の族で、テントにフェルトのとばりの仮屋で水草を追って移動しており、北狄《ほくてき》、中国の北方に住むツングースや、匈奴《きょうど》、鮮卑《せんぴ》、突厥《とっけつ》などの風俗に酷似している。男は弓矢と馬を使って狩猟生活を営んでいるが、ある者は両刃の剣7〜9本を同時にもてあそび、また別の者は、木製の人形を舞わせて、マジックを使って、生きた人間のように見せたりする。一人前の女性になると、愁顔で泣くまねをし、腰をくねくね振って歩き、化粧し、唇や頬に朱を施し、白粉を塗りたくって、倡俳《わざおぎ》=役者のように歌ったり、みだらな音楽を奏でたりする。そして妖しく媚びて誘惑し、娼婦のようなことをしたりする。田畑も耕さず、蚕《かいこ》も飼わず、自分達から進んで放浪し、郡県の役人に隷属することもなく、王公がいることも知らず、村長がいてもおそれず、自由さを楽しんでいる。夜になると太鼓を叩いて舞い、馬鹿騒ぎの限りを尽くして、神の助けを願う。クグツシの有名な者の中に、小三、日百、三千載、万載、小君、孫君、などの名妓《めいぎ》がいる。レパートリーも多く、今様《いまよう》、古川様《こせんよう》、足柄《あしがら》、片下《かたした》、催《さい》馬楽《ばら》、黒鳥子《くろとりこ》、田歌《たうた》、神歌《かみうた》、棹歌《さおうた》、辻歌、満固《まご》、風俗、呪師《ずし》、別法子《べつほうし》など数えきれない[39]。きわめて奇異な輩《やから》である。狩りとテント生活で漂泊しながら、操り人形芸や、庶民的な歌舞音曲、はては売春なども行う、自由なこのクグツシがジプシーのようだ、というわけである。

　ジプシーと考えたいという柳田に対して、南方は、行為、風俗、生活、習慣が似ているからといって同源というわけにはいかない。テント生活などというのは蒙古人の生活に近い、「とにかく、小生は本邦にはジプシイ入りし等のことなしと主張す」[40]、日本にはジプシーは入っていないと考えると断言する。

確かに、世界中の同じ環境や条件の下に暮らす人々は、選択肢が限られているので、好むと好まざるとに限らず同じような生活や生業《なりわい》を選ばざるをえないために、形態が似てくるというのは明らかである。しかしまたそれが、同一性の根拠とはならないのも事実である。

ところで、クグツシに似ているという朝鮮半島の揚水尺というのは、やはり、「朝鮮のジプシー」かとも言われる。彼らは、高麗《こうらい》の太祖が百済《くだら》を攻撃したときに制圧できなかった民の後裔《こうえい》で、戸籍も租税の義務もなく、もっぱら水草を追って移動し、男は狩りと柳《やなぎ》行李《ごうり》を編んで売ることを生業として、女は妓《わざおぎめ》、売春婦をしていた下層の人々のことである。のちに、これでは一般人に異端視され、通婚もできないので、白丁と改称され、戸籍を与えられ、農業や軍隊に入らせて、平等に扱われるようになった経緯がある。日本のクグツシにそっくりであるが、これもまたジプシーのような人々としか言いようがない。

別の日本のジプシー説もある。三角寛《みすみかん》[41]などの、山窩《サンカ》（山家）をそれとみる考え方である。サンカは、日本のジプシー、クグツシ、朝鮮半島のジプシー、揚水尺、白丁と類似し、通底し、関連している、というものである。

サンカという漂泊民が、１９５０年代頃までは九州から関東まで存在していたということは、事実である。東京の戸山の彼らのテント小屋風景は、現在50代以上の人々の記憶にあるという。しかし、１９６０年代のいわゆる高度経済成長期に入ってから、急速にその姿が消えてゆき、70年代になると、まったく見かけられなくなってしまった。

サンカという名称は、三角寛によると、彼らが、三つの生業による区別、すなわち「ケチ」とそれを統率する三つの「カミ」のことを、「サンケ」「サンカ」と意表発音していたのだが、いつしか外部にもれて山河と理解されて、それから山窩、山家と誤解され、表記されるようになったということである。[42]

サンカには、テント生活のセブリと、一般人にとけ込み定住するイツキの二つがある。三つの生業というのは、箕《み》作り系（箕や、農業用の籠などを作る）と、笛作り系（古くは笛や琴を竹で作っていたのが、のちに竹製の楽器、茶筅《ちゃせん》作りとなった）、最後に、遊芸系（俵ころばし、獅子舞、猿舞、猿楽《さるめ》など）のことで、出雲阿国《いずものおくに》も、この遊芸系の出だと言われている。さらに副業として、イツキの流転家業である竿《さお》屋《し》、イカケ（鍛冶）、刃物研《と》ぎ、洋傘直し、羅宇屋《らうや》、ニワカ庭師、マムシ捕り、占いやお告げ師がある。

まったくジプシーそっくりの生活であるが、彼らの起源については三つの説がある。はじめに、柳田國男の日本先史時代から住む土着の〝山人〟の末裔でクグツシがその源流とする説と、次に、喜田貞吉《きたさだきち》の室町期の賤民系の河原者《かわらもの》の末裔とする説、そして三つ目は、18世紀末、江戸幕末の天明と天保の大飢饉《ききん》（１７８３～88年と１８３２～38年）をきっかけに起こった下層農民の逃亡、漂泊民化説である。スペインのアンダルシアでは、ちょうどその頃、フラメンコが産声を上げる時代であることを考え合わせると、感慨深いものがある。それはともかく、三つ目の説に関しては、寛政の改革で有名な松平定信《さだのぶ》も『宇下人言《うげのひとこと》』[43]の中に、天明の飢饉当時、人別改め（人口調査）をしたところ、前年より１４０万人減っていたが、全部死んだのではなく、「さまよいありく徒」つまり放浪民が多数出たことを書きしるしている。

　しかし、明治前半より以前のサンカについての文献上の記録は一切ないのが実状であり、社会構成や風俗、生活習慣などのジプシーとの近似性以上の根拠も見い出せず、１９５０～60年代まではいたが、今となっては姿も見つからないサンカであるため、ＤＮＡ鑑定調査も不可能な今、ジプシーのような人々が日本にもいた、としか言いようがない。

　ところで、日本の門付《かどづ》け芸のうち、とくに猿回しに注目して、それがインド北西部を源流として、東への移動ルートで伝わったのではないかと考える市川捷護《かつもり》[44]氏の、次のような考えも注目に値すると思う。すなわち、インド北西部から移動した集団は、西方だけでなく東方に向かったものもあるだろうが、西に移動した人々とその文化は、イスラム文化圏との摩擦によって同化が妨げられた結果、自分達のアイデンティティをより強固にしながら、ヨーロッパへと移動していった。それにくらべて東への移動、とくに東南アジアへの移動は、摩擦がなく、したがってアイデンティティを確立することなく同化していったので、ラジャスターン地方での漂泊民の習慣などは吸収されてしまったのではないか、というものである。これは一つの新しい切口ではあろう。

とはいえ、市川氏は、猿を厩《うまや》につないで馬の守護神とするという猿と厩の風習に着目し、それが、インド、中国、朝鮮半島、日本列島（鎌倉時代の『梁塵《りようじん》秘抄《ひしよう》』にその風習が書かれている）に共通のもので、しかもインドから発生しているという点から、猿回しという芸能が、インド北西部から東南アジア、中国、日本——なぜか朝鮮半島には、先の風習はあるにもかかわらず、その芸能についての情報に乏しく、野生の猿がいないと言われている——に伝播《でんぱ》したのではないかと推定し、ジプシーのインド北西部から東への移動のルートの可能性も残している。

余談になるが、市川氏が猿回し芸の西への移動についても触れ、熊使い（ウルサリ）、蛇使いのジプシー集団はいるけれども、猿についての記録がないので西では成立しなかったとしている点は、見落としがあり、残念である。スペインのアンダルシア、セビージャには、マリアーナというフラメンコの歌が生まれるもととなった逸話がある。それは次のようなものである。――19世紀のにぎやかなセビージャの通りに、東欧のジプシーが1匹の猿を連れて現れ、芸をした。主人のジプシーがタンバリンを鳴らして、東洋的なリズムと響きの素朴な歌を歌うと、その老いた賢い猿は、実に上手に、その声音《こわね》に合わせて表現力豊かに踊るのだった。そのことはすぐに評判となり、セビージャの人々はその歌を、猿の名前にちなんでマリアーナと呼びはじめた――[45]。

ベルナルド・エル・デ・ロス・ロビートス[46]の歌うマリアーナの歌詞は、その逸話を彷彿とさせるもの悲しいものである。

私はハンガリーから
しのぎをもとめてやってきた
私のマリアーナと一緒に
トルロロ……

お登りよ、マリアーナ、さあ、
あの丘を越えて
マリアーナ、愛しい子、

神よ、どうか
もうこれ以上マリアーナを打たないで、
このあわれな猿は
片腕もがれ、片足も傷ついた身なのですから、
レレ……

19世紀の繁栄に活気づくセビージャの街角には、東欧からきた猿回しと猿の、それはそれはもの悲しい歌と踊りが存在したこと、そしてその猿の名をとってマリアーナと名づけられた歌が、フラメンコのマリアーナのもととなったということなどから、今は廃《すた》れたということはあるかもしれないとしても、西方への猿芸の伝播が確認されるのである。

私としては、日本の古代史の逆照射から、ジプシーの東方や、日本への移動もありえ

たと考えたい。

日本の古代史研究家の小林惠子氏[47]によれば、もとは北方騎馬遊牧民でBC9世紀、周の時代より波状的に南下して中国で犬戎《けんじゅう》と呼ばれるようになった民族が、BC4～3世紀頃に南海から海上を北上し、南西諸島づたいに九州に上陸したのち、近畿地方に定着して葛城《かずらき》氏となったとのことである。その葛城氏も1世紀はじめに、新勢力に追われて百済で瓠公《カクコウ》＝赫居世《カクキヨセイ》として歴史に再登場する。またBC5～4世紀、呉越《ごえつ》の遺民が、舟山《チョウシャン》群島を経て日本の日本海側の越《こし》の国（新潟県近辺）あたりに移住したこと、雲南の滇《てん》国から月氏《ゲッシ》（もとは中央アジアの遊牧民で、青眼、赤ひげの民族）が匈奴に攻められて南海を北上し九州から出雲地方に入り大物主《おおものぬし》勢力となったこと、あるいはツングースを母系とする（高《こう》）句麗《くり》の大武神《ダイムジン》が日本海から丹波に渡り、北九州を制圧し奴国《なのくに》を建て、漢の光武帝《こうぶてい》から金印「漢委奴国王」を与えられると同時に、同年、脱解《ダッカイ》と名を変えて、新羅《しらぎ》王として登場する様子や、シルクロードのクチャ（亀茲《くじ》）系のニギハヤヒが南海を北上し、奄美大島から薩摩半島に入り、しばらく大分にとどまった（古事記の高千穂《たかちほ》クジフルタケに降臨したと記述されている）のちに筑紫に渡り、大武神＝脱解の奴国を制圧、その後近畿地方に侵出していく様子や、卑弥呼《ひみこ》が呉によって追放された巫術《ふじゅつ》者許《キョ》氏一族の娘の許黄玉《キヨコウギヨク》で、ニギハヤヒと同族のクチャの王子阿達羅《あだるら》（新羅と加羅の両方の王となった）と結婚することや、あるいは匈奴の劉曜《りゅうよう》支配下の日本を崇神朝《すじんちょう》と呼ぶことや、鮮卑慕容《ぼよう》仁《じん》系の垂仁朝《すいにんちょう》、あるいはヤマトタケルが慕容仁の兄の皝《こう》の日本人妻の子、儁《しゅん》で景行朝《けいこうちょう》であることなど、東アジア入り乱れての覇権争いの様子を、小林氏は、中国や三韓、あるいは日本の史書の記述などから解き明かしていっている。一体日本は何だったのか、と思われるほど、古代は、東アジアの激動の波をそのままかぶった多数の人種のるつぼであったようである。海を渡って征東することなど何でもなかった。とても簡単なことだったのだ。

　ただ、今のところジプシーの日本までの東方行の具体的な記録上の手がかりが見つかっていないのも事実で、可能性のみ、それこそ「空想」することしかできないのが、残念である。しかもクグツやサンカなどのジプシーらしきものも、日本では、一般にはタブーとして冷たく差別され、アイデンティティを確立することもなく、歴史の闇に消えていった。アンダルシアとは大違いである。そしてこの点は、フラメンコを考えるうえで大変重要な意味を持つのである。

　しかし今は、この論点から離れて、記録の残っているジプシーの西方への旅に目を移し替えることにする。

ルリの伝説やフィルドゥーシーの記述などは、ジプシーがインドからペルシアに入ったことを示している。比較的早い時期にペルシアを去り、シリアや小アジアへ抜けた、サンプソンの言うアジア系ジプシーとは異なり、ヨーロッパ系ジプシーは、ペルシアに長い期間いたと考えられている。彼らの言葉にはペルシア語からの借り入れが多く認められるからである。

3——西へ行ったジプシー

ビザンチン帝国や、新しく台頭してきたセルジュク・トルコの攻撃によって、やがてヨーロッパ系ジプシーは、アルメニアに移動する。アルメニアに彼らが長くとどまっていたこともまた、彼らの言語にみられるアルメニア語の多数の借り入れによって証明される。そしてこのアルメニアで、ビザンチン帝国支配のうちはじっとしていたジプシーも、セルジュク・トルコが侵入すると大移動を開始する。まずビザンツ領の西部のコンスタンチノポリス（コンスタンチノープル、今のイスタンブール）とトラキアへ、それからバルカン半島とヨーロッパ全域へと移動していくのである。

　コンスタンチノポリスにジプシーが存在することを最初に書きしるしたのは、１０６８年頃アトス山のイベロン修道院で編集されたグルジア語による聖人伝『アトス山の聖ゲオルギオスの生涯』だと言われている。１０５０年、コンスタンティヌス・モノマクス皇帝がコンスタンチノポリスの狩り場で、猟獣を食い荒らす野獣に悩み、「魔術師シモンの子孫で占いと魔術の誉れ高かったアドシンカニと呼ばれるサマリア人達」に助けを求めた。すると彼らは、たちどころに野獣を退治してしまう。このアドシンカニはグルジア語で、ギリシア語のアツィンガノイを語源としている。アツィンガノイはビザンツではジプシーをさす言葉として一般的であった。ドイツ語のツィゴイナー、フランス語のツィガーヌ、イタリア語のツィンガリ、ハンガリー語のチガーニョクなどは、すべてこれから派生していると考えられている。その後約１００年間、教会関係文書に、アツィンガノイが、熊使い、蛇使い、腹話術師、マジシャン、占い師として言及されている。しかも当時の人々が彼らに寄りついてしょうがないという主旨の報告なのである。

　また、エジプト女をさすアイグプティサスと関わった人々に、5年間の破門を定めた15世紀のビザンツの教会法からみて、ジプシー・エジプト起源説も、すでに15世紀までにビザンツでは定着していたことがわかる。

ビザンチン帝国がオスマン・トルコに追いつめられる15世紀のはじめには、ジプシーはおそらくオスマン・トルコの進出に追われて、トラキアからマケドニアを通り、ギリシアや東欧地域へと移動していた。14世紀のあいだに、ペロポネソス半島とギリシアのクレタ島やイオニア島に定着していったジプシーは、15世紀になるとギリシア本土にも到達していた。

十字軍の遠征の動きと関連して、ヨーロッパの人々の間に聖地巡礼が流行していたこの時期、当然ジプシーは巡礼者らの目にとまることとなり、その目撃談が巡礼団の数々の日記の中にあらわれることとなった。15世紀のドイツやスイスから来た巡礼団は、ギリシアのモドンにあったジプシー居留地のことを数多く報告している。海港モドンは、当時、ヴェネツィアからヤッファに至る聖地巡礼の人気ルートの中間にあって、最適な宿営地として栄えていた。ライン宮中伯アレキサンダーという巡礼者の報告によると、モドン近くのギーベの丘には、1495年当時、ジプシーの住む小屋が約200~300あったということである。彼はまた、「一部の人はこの丘とその周辺を小エジプトと呼んでいた」とも報告している。別に、ケルンの巡礼者アルノルト・フォン・ハルフも1497年に同様のことを書きしるしている。

しかし、スイス人、ルートヴィヒ・チューディが１５１９年にモドンにやってきたときには、ジプシー小屋は30戸に減ってしまっていた。というのも、１５００年にはこのモドンも、オスマン・トルコに占領されてしまっていたからである。トルコ侵略に直面して、ジプシーは15世紀末にはしだいに他へと流出していった情景が目に浮かぶようである。

ヨーロッパ系ジプシーの言葉に、ギリシア語の強い影響が認められることから、ギリシアには相当長い期間ジプシーがとどまっていたことが、一般に認められている。

１４５３年、オスマン・トルコとの戦いに勝利したハンガリーがバルカン半島一帯を制圧すると、ジプシーは次に中部ヨーロッパにも姿を現しはじめる。ハンガリーに現れた１４１６年を境に、西へ西へと移動していく彼らの姿が、諸々の文書に記録されていくのである。スイスに現れたのが１４１８年、ドイツのフランクフルトが１４１８年、スペインは１４２５年、フランス１４２７年、イギリスは一番遅くて１５０５年ということである。ジプシーが故郷インドを出発しはじめてから、１０００年〜２０００年の長い旅であった。そして、ビザンチン帝国領内とギリシアの長い滞在の中で、ジプシーは新しい言語や、キリスト教世界のことを知った。聖地のことも、巡礼が特権的な旅人であることも見聞きした。おそらく彼らは十字軍遠征のことも知ったであろう。

実際のところ、ペロポネソス、ギリシアからのこの時代の避難民は、ジプシーだけではなかった。もちろん、トルコのヨーロッパ侵出のさなかに、多くの貴族達は地元にとどまり、イスラムを受け入れた（９２０年と９６０年、セルジュク・トルコはゾロアスター教からイスラム教に改宗している。そしてオスマン・トルコの寛大さは有名で、支配者トルコ側に税金を支払う限り一般人は自由にしていた）が、他方では、聖職者や家臣とともに故郷を捨て、あげくに西方をさまよって、慈善の施《ほどこ》しを受けて生き延びた貴族もあったという。伯爵を名のる者に率いられた放浪するギリシア人の群れや、ハンガリーの騎士が率いる一団などに施した支払いの記録が、ヨーロッパの町や村に古文書として残されているのである。１４５３年のコンスタンチノポリス陥落以降は、それこそありとあらゆる階級の人々が、数人のグループごとにひっきりなしに、ビザンツ・ギリシアから中部ヨーロッパへと流入している。

この時点でジプシーは、さらに西のヨーロッパ、キリスト教世界に、比較的簡単に移動してゆくための重要なカギを握ったのである。時はまさにオスマン・トルコを旗頭とするイスラム勢と、ジギスムント王率いるハンガリーを旗頭とするキリスト教勢力の激突、対峙する時代であった。ヨーロッパ社会の中に流入してゆく方便は二つ、一つは十字軍遠征、もう一つは巡礼である。容易さから言えば巡礼のほうが圧倒的に優っている。宗教的なためらいはないのか。ジプシーのパクソン氏が答える。「キリスト教、イスラム教、ヒンドゥー教。何であろうとジプシーが宗教に関わるとしたら信念からではなく便宜上にすぎない」（訳／伊藤千尋）。氏によると、ジプシーはインドにいたときはカーリーという女神を信仰していた。カーリーというのはヒンドゥー教で宇宙の破壊と再生を司るシバ神の妃で、死と邪悪の神と言われる。それは黒い肌の鬼の様相を持ち、赤い舌と牙がある。酒を飲んでは人肉を食らい、ドクロのネックレスをしている。グレルマン教授がジプシーを人肉主義だと誤って紹介した由縁もそこであろう。実に恐ろしい形相ではあるが、しかし私達日本人には親しみのある女神である。日本人が安産や子どもの幸せを託す鬼子母神《きしもじん》こそ、それなのであるから。カーリーというのはジプシー語の「黒」という意味である。インドからアラブに入るとジプシーはイスラム教を信じ、アラブから東欧に入るとキリスト教に改宗し、東欧がトルコ支配下になるとイスラム教に戻る。今や再びキリスト教に改宗し、懺《ざん》悔《げ》の旅、巡礼に出る。安全通行証《フリーパス》は手に入れたも同然である。

さて、ライコ・ジューリッチ博士によるまでもなく、ラジャスターンを出たジプシーは、西へ西へと向かう。フランツ・ミクロージヒの説では、カブリスタン、イラン、アルメニアを通ってフリギア、ラコニアからビザンチン帝国、そしてギリシア、そこから中部ヨーロッパへというルートが挙げられている。また、別のジョン・サンプソンの説によると、「アルメニアからビザンチンに至るルート」と「シリアを南下して北アフリカに至るルート」の二つがあったという。そして、スペインへの移動については、北アフリカ説とヨーロッパ横断説の二つがある。ただし、前者は、ジプシー用語に北アフリカの言葉やイスラム語の影響がないことや、ジプシーがギリシア語は操るがエジプト語は話せないこと、などから否定される傾向にある。

また別に、マンフレディ・カーノの、スペインのジプシーにはもともと二つの「カースト」があったとする説もある。すなわち15世紀後半に、サンティアーゴ巡礼路沿いにピレネー山脈を越えて入ってきた「小エジプト（小アジア〜ギリシア、キプロス、その周辺部出身の一派」と、それとは別に、それ以前に地中海沿岸をたどって入国した「ギリシア系ジプシー」（グレシアーノス）の二派があって、これらのうちの後者が、ベティカ（バエティカ、アンダルシアの古称）と呼ばれるスペイン南部系ジプシーだというものである。

4――スペインに入ったジプシー

ともかく、ジプシーは、文献、記録に残る限りでという意味で、15世紀頃スペインに入ってくる。

記録に残る最初のジプシーの一団は、「小エジプト」出身のドン・ファンとその一行で、1425年、アラゴンのサラゴサでのことである。彼らはアルフォンソ5世から、1425年1月12日付けの有効期間3ヶ月の安全通行証を与えられている。寛大王とあだ名されるアルフォンソ5世は、彼らを大いにもてなしたであろう。ライコ・ジューリッチによれば、彼らはフランスを追放されたグループであったということである。

小エジプトのトーマス伯爵一行も、別の安全通行証を与えられている。サラゴサ近くの住民が、この伯爵から、グレイハウンド犬とマスチフ犬を盗んだ（ジプシーからものを盗むとは……）とき、アルフォンソは、即刻の返却を命じている。トーマス伯は安全通行証を大切に保管して旅を続け、ナバラのブランチェ女王から23フロリンの施しを受けたあと、ハーカのソンポール峠のカンフランクの国境検問所に到着した。１４３５年５月「きわめて高貴にして高雅なる」この伯は、自分達がキリスト教信仰のために巡礼の旅に出て世界をまわっていることを告げ、アルフォンソ５世からノータックスでフリーに領内を通過してよいと言われたと言って関税の支払を拒否し、例の特許状を示したそうである。この書状は現在、本物であるという保証書が付けられて、ウェスカに保存されている。彼が申告した持ち物は、各20フロリン相当の馬５頭。絹製のコート５着。重さ各８オンス前後の銀の酒杯４個ということであった。

カスティージャ王国のアンダルシアにも、はじめてジプシー一行が現れる。１４６２年11月、ハエンでのことで、小エジプトのトーマス、マルティン両伯爵の一団を、カスティージャの代官兼尚書官のミゲル・ルカス・デ・イランソ伯爵が盛大に歓迎している。両伯は、妻とともに宴席につき、一行には大量のパン、ワイン、肉、家禽、魚、果実、大麦、麦わらなどが与えられ、出発のときには、毛織物と絹、多額のお金が餞別として贈られ、ミゲル伯は、２・５km先まで送って行ったそうである。このミゲル伯はよほどの善人なのか、１４７０年にも、小エジプトのハコボ伯爵とその妻ロイサほか50人ぐらいを、アンドゥハルの自宅に５～６日も泊めてもてなし、さらにその２週間後にも、パブロ伯一行をもてなしている。ハコボ伯は１４７０年7月、パブロ伯は１４７１年1月、ともにムルシアを訪れ、市参事会員から多額のお金を受け取っているが、市参事会員達は、そのために借金をしたということである。

こうしたジプシー一行の様子はどんなものだったろうか。フランスの一つの記録に、そのありさまがかなり詳しく記述されている。それは一般に「パリ市民」と呼ばれるあるフランス人の日記の一部で、１４２７年８月17日から9月８日までパリ郊外のラシャペルに滞在した騒々しいジプシーの一群についてである。

「１４２7年8月17日、日曜日。パリに12人の自称〝貴族〟が現れた。公爵と伯爵が一人ずつおり、みんな馬に乗り着飾っていた。彼らは善良なキリスト教徒で低地エジプトから来たという。サラセン人の侵略でやむなくキリスト教を放棄したためキリスト教国の王の怒りを受け、ローマ法王の許しがなければ土地を持ち定住することはならないと言われた。このため彼らは大人も子どももローマに巡礼し罪を懺悔したところ、ようやく許しを得た」

「しかし法王は彼らにベッドに寝ることなく7年間世界を放浪し、罪を詫びる気持を示せと命じた。パリに入ったときはすでに5年の旅のあとだった。法王はまた同時に各地の僧に命じて、彼らを町で見かけたら10ポンドを与えるように命じたという。旅のはじめは1000から1200人いたものが、ほとんど路上で死に、今や100から120人となってしまったそうである」

「彼らのほとんどが耳たぶに穴をあけ銀のイヤリングをしていた。これが彼らの国では由緒正しい血筋のしるしだという。男らは大変色黒で、髪は縮れ、女達はとても醜く、色黒だった。顔には深いしわが刻まれ、馬の尾のように長い黒髪だった。そしてたった1枚の布を肩のところで結び、中のシャツのようなものがのぞいていた。足は裸足で、これほどみじめな人々がフランスに来たのははじめてだった。彼らは、魔術を使い、手相占いをしたり、財布をうかがったりしたあと9月8日に去った」

おそらく、スペインに入った一行も、似たようなものであっただろう。スペインでは、かなりな数の貴族がジプシーの保護者であり続け、のちの弾圧のもっともひどい時代でさえ彼らに援助を与えている。ジプシー女の魅力のせいだとか、名馬の調達がうまいからだとか悪意に満ちた非難もあるが、それは別にして実におもしろいことである。

ジプシーがヨーロッパに入ったのは、十字軍と関係がある、とする江上波夫氏[48]のような説もある。イスラムにいじめられたあわれなキリスト教徒だというので、十字軍はジプシーをヨーロッパに連れていくが、占いやダンスやかっぱらいなどをやり、キリスト教徒らしくもなく、居つきもしないので追い出された、というものである。

パレスティナに遠征した十字軍の道筋は、帰路ヨーロッパへ向かう。また、かつてペルシアの傭兵としてインドから出立したこともあったという点からも、十字軍への従軍もありうることである。兵士として、あるいはそれをサポートする鍛冶や、歌や踊りの技術をもって。

実際、その十字軍に加わる義勇兵というのも、戦争専門の騎士達というイメージが強いが、実態はそうではなく、大多数が、徒歩の雑兵、農牧民、商人、乞食、犯罪者、破産者、およびその妻子というものであったそうである。十字軍参加によって、前科や負債を帳消しにしてもらおうとか、一攫千金の戦利品などの魅力にひかれて故郷を捨てた雑多の群衆の民族大移動だったのである。1212年のトレドに向かうレコンキスタ（キリスト教徒によるイスラム教徒に対する国土回復運動。再征服とも言う）の群れを、永川《ながかわ》玲二[49]氏はこう記述している。いかにもジプシーが入り込んでおかしくない集団ではなかろうか。とはいえ、十字軍へのジプシーの従軍という記録は見当たらず、やはり可能性はある、としか言えないだろう。

それはさておき、１４４７年6月11日にはバルセロナにも、はじめてジプシー達の野営する姿が見られたということである。

このような例にも見られるように、ジプシーがスペインに登場したはじめの50年ぐらいのあいだは、ジプシーに対して寛容と優遇の措置がとられたのである。のちにジプシーの弾圧をはじめるイサベルとフェルナンド両王も、在位のはじめのうちは、既存の保護令状を破棄せず、新しく発行したりもしている。１４９１年、小エジプトのフィリッポ伯爵に与えたものがそれである。

ジプシーに対する寛容の態度は、カトリック、ローマ法王の権威がまだ根強かったことと、ジプシーの持つ鉄細工や鋳掛けの技術の優秀さが大きな原因と言われている。風俗的にも、異国風の装いの神秘さも手伝って、ジプシー女の手相見に群がる、身分の高低を問わない人々の姿も多く伝えられている。

しかし50年を過ぎる頃から、都市ギルドの台頭などの社会的環境の変化や、国王の絶対権の強化、カトリックの権威の低下などの理由で、ジプシーに対する統制が強化されていくことになる。１４７０年代以降は、ジプシー達が姿を現わすと、お金だけを与えて追い返すか、何も与えずただ追い返すことが多くなった。

１４９７年、神聖ローマ帝国の議会が、ジプシーをトルコのスパイだとして、国外退去を命じた。この時点を境に、ジプシーを見る目が〝巡礼者〟から〝うさんくさい者〟に変わったのである。時はまさに、ヨーロッパ社会が中世から近世へと大きく変化していく時期であった。イスラム勢力はヨーロッパから追い払われ、宗教改革が進み、ルネサンスも到来する。そうした中で、今やカトリックの権威は大きく失われた。16世紀前半には、ヨーロッパ人口の４割がプロテスタントに信仰を変え、さらに16世紀後半になると、人口の７割がプロテスタントになっていたのである。こういう社会情況の中で、もはや巡礼を装うことが効果を失ってきたとみると、ジプシーは今度は、小エジプト出身とは言わず、トルコから逃げてきたギリシア人だと自称しはじめる。リーダーも、伯爵などとは名のらず、親方、騎士、隊長などと言うか、または姓だけ名のるようになった。

長い内戦ののち、１４７９年、カスティージャとアラゴンの二つの王朝が統一され、イサベルとフェルナンドがカトリック両王として統治をはじめると、まず法と秩序の回復、ならびに中央集権化に乗り出す。折りしも、１４９２年にグラナダが陥落し、アラブ勢力が一掃される。そのとき同時にユダヤ人の追放も実施されている。次は、ジプシーに狙いが定められる。１４９９年３月４日、カトリック両王の布告が、ジプシーに定住か退去かを迫るのである。メディナ・デル・カンポの国事勅令《ちょくれい》というものがそれで、「スペイン内を放浪するジプシーは、60日以内にすべからく住居を定め雇い主を求めて仕事につかなければならない」というものである。背けば、まず100回の鞭打ち、二度目に見つかった者は耳を切り落とし、三度目の者は生涯補囚の身分に落とす、という罰則つきであった。

1523年、1528年、1534年のカルロス1世の勅令は、放浪者が三度目に見つけられしだい捕まえた者の終身奴隷とし、60日以内に定住や出国をしなかった者は、6年間のガレー船送りとする、というものである。このカルロス1世は、賄賂《わいろ》を使って1519年に神聖ローマ帝国の皇帝カール5世となっている。

フェリーペ3世の時は、1619年、「グループとして固まらず、人口2000人以上の集落に分かれて住み、農業にたずさわるべきこと。さもなければ、6ヶ月以内に国外退去。違反すれば死刑」と通達。同時に「ジプシーの衣装、言語さらにジプシー（ヒターノ）という呼称を捨て去るならば、残ることが許される」とされる。

フェリーペ4世の1633年のプレマティカ（国事勅令）では、「〝ヒターノ〟なる呼称を完全に追放するために、何人もこの名を口にしてはならない……舞踊その他の行為において〝ヒターノ〟を名のる衣装、その他一切のものは許されない」と、ジプシーの風俗習慣をすべて否定し、徹底的にスペイン人化させようとしている。

この頃、スペインの人口は減り続け、大問題となっていた。そこで、ジプシーを追放するのではなく、強制的に統合し、人口を増やすことが目標とされたのである。そういう観点から、ジプシーは、自分達だけで集まり、特異な衣装を身につけたり、独自の言葉を使いがちなバリオ（街区）に住むことを禁じられた。他の住民と入りまじって住み、善良なキリスト教徒として生きなければならない。ヒターノという名称も駄目、舞踊や演劇でも、ヒターノを題材としてはならない。放浪するジプシーを捕まえた者は、それを奴隷とすることができる。——こういう内容を持つこのプレマティカが、これ以後150年にわたるジプシーの強制的同化の方向のもととなったのである。

スペインのハプスブルグ家出身の最後の国王であるカルロス2世も1695年に布告し、ジプシー全員と、その職業、武器、家畜の完全登録を定め、バリオに住むこと、耕作以外の職業につくこと、馬や武器を持つこと、祝祭市や市場に出入りすること、のすべてを禁止した。彼らを助けたり、かくまったりする者は、貴族なら罰金、平民はガレー船送りとされた。

スペイン・ブルボン家の創始者であるフェリペ5世の1717年のプレマティカは、それ以前のものからの政策の転換がみられるものである。それは、ジプシーの居住場所をスペイン全土に分散する41ヶ所の町に制限したことである。

彼の息子のフェルナンド6世は、1746年、さらに34ヶ所の町を追加した。この中に、セビージャ、グラナダ、バルセロナ、サラゴサなどが含まれていた。狙いは、ジプシー1家族につき、非ジプシー住民100人を基本とし、非ジプシーの負担を軽くすることだった。このセビージャに、のちの最大のヒタネリア（ジプシー居住区）が形成されることになるのである。そしてこの頃、つまり18世紀はじめまでに、ジプシーの定住化はすでにほぼ完成され、非定住ジプシーは、ごくわずかとなっていた。

スペインの神学者達は、ジプシーについて国王以上に強硬で、厳罰を加えるよう、国王に要請している例が多い。しかしなぜか異端審問所は、ジプシーに対しては鞭打ち程度のかなり穏やかな対応であった。持ち込まれる案件が、異端や魔女という問題よりも、占いや魔術で人をだます程度の民衆の迷信につけ込んだありふれた詐欺行為にしかみえなかったうえに、ジプシーがみんなきちんと洗礼を受け、教会で結婚式を挙げていたためである。つまり善良な市民の形式はしっかり守っていた。

しかし、異端審問所の態度の最大の理由は、ジプシーが政治や経済活動の面で、ユダヤ人などのような影響力を持つに至らなかったことである。たとえば、異端審問所がユダヤ人に対して本当に機能しはじめる、１４８１年のセビージャのサンタクルス街の弾圧事件をみてみよう。それは表向きはキリスト教徒のふりをしながら、心や家庭内ではユダヤ教を信じている者の摘発であった。そういうユダヤ人を「マラーノ」という蔑称で呼ぶ者もあった。マラーノとは豚のことであり、ユダヤ教が豚を食することを禁じていたことから、ハモンセラーノ（スペインの生ハム）を食べさせて踏み絵とするなど、ずいぶん残酷なふるまいがあったらしい。マラーノという噂だけで逮捕・拷問され、６人が火あぶりの刑で殺されたとき、多くのユダヤ人はアンダルシアを逃げ出し、ポルトガルへ亡命した。そのせいで、セビージャは経済的な運営があやうくなり、異端審問官も弾圧の手をゆるめざるをえなくなったということである。

コロンブスの渡航計画への支援をイサベル女王に決心させたのも、アラゴン王国の大商人、ルイス・デ・サンタンヘルという改宗ユダヤ人（コンベルソ）の息子であった。彼はフェルナンド王に徴税や王室財産の管理をまかされ、またカスティージャの経済問題についても、イサベルの相談役だったということである。これだけでも、当時ユダヤ人がどれほど政治や経済機構の中に食い込んでいたかということは、明らかである。

これにくらべジプシーは、その埒外《らち》にあった。わずかな労働力として期待されることはあっても、政治や経済に対しては何の影響も与える存在ではなかった。ユダヤ人は、自分の宗教への強いこだわりと、その政治・経済面での力によって、民衆などの嫉妬や憎しみを被ったが、ジプシーにはそんなこだわりも力もなく、したがって、異端審問においてもほとんど問題外の扱いであった。ユダヤ人やモーロ人とは、大きく異なるところである。政治、経済に関わらないのは、能力の問題ではなく、1000年以上にもわたるジプシーの旅から得た知恵であろう。

最悪の弾圧はフェリーペ6世の時期で、1749年の一斉摘発では、12歳以上の男子1万4000人が、海軍の造兵廠《しょう》や銀山や砂取り場に連行され、強制労働を強いられたという。ガレー船はもうこの時代には廃され、新たに近代的な海軍の工場の労働力が欲求される時代となっていたのである。

20世紀のジプシーの偉大な舞踊家マリオ・マジャ[50]は、弾圧時代のジプシーの苦しみをテーマにした「私達は話したい――カメラモス ナケラール（ジプシー語）」（1976年初演）や、「アイ・ホンド」（1983年初演）等の作品を発表し、みずからの存在の探求と問題提起を行って話題を集めた。

ジプシーへの統制が弱まるのは、カルロス3世の1783年9月19日の布告からで、そのときはじめてスペインのジプシーに対して、これまでのすべての苛酷な規制を廃棄し、人格の平等が認められたのである。ただし、彼らが定住生活に入るということを条件としてではあった。

定住するならばどこに住んでもよいということ、マドリードと王宮所在地以外では、どんな商売をしてもよいということ――ただし、動物の毛の刈り取りや刈り込みと、市場や祝祭市での商売、人口の少ない地域での宿屋経営（これが大変誠実だと外国人に評判であった）というこれまでジプシーの重要な職業だったこれら三つのものだけは禁止されたのだが――、さらに刑法上の平等を内容とするこのプレマティカは、カルロス3世が亡くなるまでの5年間だけは、効果的に実施されたという。5年間だけというのは、王の死後フランス革命が起こり、ブルボン家系のスペイン王室としては、その対応に追われてジプシー問題どころではなくなったからである。それはともかく、実際には、カルロス3世が、1783年以前に行った人口調査によると、追放策をとり続けたカタルーニャを除くスペインのジプシーの88％以上が、すでに定住生活に入っていた。つまり1783年のプレマティカより以前の諸布告がすでに功を奏していたことが、ここに読み取れるのである。1

783年のものはその総仕上げというべきものであった[51]。

プレマティカ後の1785年には、ジプシー人口は1万2000人あまりで、その3分の2以上はもっとも貧しいアンダルシアに集中していた。セビージャ600人、ヘレス386人、カディス332人、マラガ321人、グラナダ255人。ちなみに当時のスペイン総人口は約1000万人だった。

繰り返しの統制令が出たということで、やはり、ジプシー人口は大幅に減少している。15世紀には18万人と推定されたものが、17世紀後半には、5万～10万人に減り、18世紀は1万2000人にまで減ってしまっていたようである（下図[52]参照）。

■ジプシー人口の歴史的趨勢

時期	人口（人）
15世紀	180,000
1673	50,000～100,000
1772	40,000
1785	12,000
1836	40,000
1870	50,000
1889	40,000
1903	40,000
1911	50,000
1915	300,000
1971	200,000～300,000
1986	322,480＊
1995	375,000＊＊

＊スペイン内務省統計
＊＊スペイン科学教育省調べ

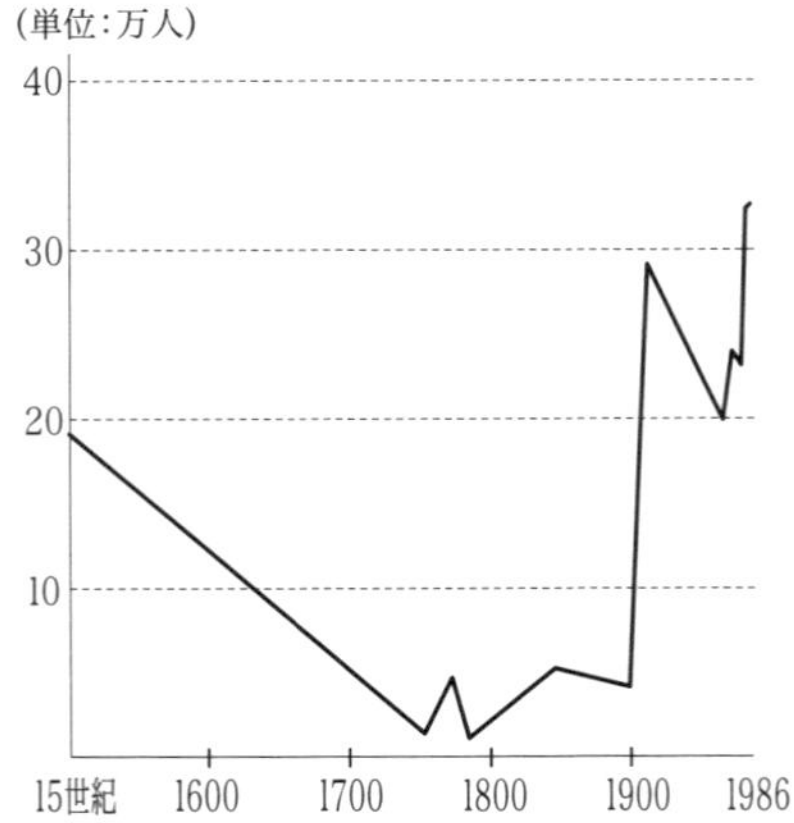

近藤仁之『スペインのジプシー』(1995年刊)より

ジプシーの数は減り、定住化も進んだが、しかし彼らはおとなしくはなかったようである。１７４９年の一斉検挙で造兵廠に送られ、鎖につながれながら、疲労や病気に耐えて16年間もがんばり通したジプシーもいた。しかも彼らは、検挙されるいわれのないこと、何の違反もしていないことを証拠立てて抗議し続けたために、次の王カルロス3世の代になった１７６３年に、全員釈放されることとなった。ただし、王の側近の激しい抵抗で、執行は１７６５年ではあったが。ジプシー達は国家権力、支配者らと闘い続けたのである。

また前にも触れたが、貴族らによるジプシーの保護もあり続けた様子が、１６９５年のカルロス2世の布告からも読み取れる。罰金やガレー船送りの刑罰を定めなければならないほど、ジプシーに対する彼らの保護は厚かったということである。

事実、ジプシーが、自分達の住む村や町で、住民達と共存していたらしいことを示す例がいくつかある。１７４９年の全国一斉取締まりも、共存関係があったからこそなされたものと言えるだろう。マドリード南東１００㎞のところにあるビリャレホ・デ・フェンテスという町では、１７８１年11月のあるジプシーの結婚式で、司祭や町の役人も自由に加わり、盛大に着飾ったジプシー女達が、司祭の前で、砂糖菓子をみんなに配りながらギターに合わせて踊りまわり、教会を出る行列は群衆から盛んに祝福されたそうである。

“El Arte del Baile Flamenco” より

これが明るみに出たのは告発されたからで、くだんの司祭は、上司から厳しく叱られたということである。

ジプシーのヒタネリアが公的に認められたのは、先にみたように１７１７年フェリペ５世の布告と１７４６年のフェルナンド6世の布告によってであるが、それ以前の１５６０年のフェリーペ２世の布告以降、各地の町はずれにヒタネリアが生まれはじめたとする説もある。

１７８３年の布告以降、このヒタネリアの人口が飛躍的に増加していったことは明らかであり、実際、その50年後には4倍に膨れ上がっていることが記録されている。生活や生命の安定を、一応はという限定つきながら獲得して、ジプシーの歌や踊りも活気づいていく成り行きは、容易に想像できるであろう。

5――アンダルシア・ジプシーとフラメンコ

前節では、記録上ジプシーがはじめてスペインに姿を現した１４２５年から、ヒタネリアなども公認されはじめて、ついにジプシーが一応の市民権を得る１７８３年までをみてきた。

しかし、残念ながら、この15世紀から18世紀までの時期にはっきり記録に残されているのは、ジプシーの放浪と非行を統制する法令ばかりで、彼らの歌や踊りについての詳しい記録というものは見当たらない。ただ諸法令に記された「ヒターノの衣装をつけての踊りの禁止」（１６１９年のもの）などの表現から、逆にジプシー流の踊りが民衆に支持され、あなどりがたく存在していたことを類推しうるだけである。

ただ例外的に、文学作品や演劇作品には、多少その類推の材料となるものが存在する。たとえば、ポルトガルのエヴォラで、１５２１年にジョアン3世の御前で上演されたファルサ（道化芝居）の中の、「ジプシー女達の道化芝居」というものなどがそれである。

ジル・ヴィセンテ[53]というポルトガルの有名な劇作家の作品で、４人ずつの男女のジプシーが、観客に語りかけつつ、歌ったり踊ったりしながら「神の愛のために。われらはキリスト教徒、ほらここに十字架が」と言って喜捨《きしゃ》を求め、男達は一方的に馬の取引を行う。それから女達は婦人客に近づき、しつこく手相見を申し出て、お世辞まじりにチップをねだり、もらえそうもないとみると、踊りながら、観客のあざけりの言葉に見送られてにぎやかに去って行く、というものである。もらいは少なかったそうであるが、ここからジプシーの生活ぶりの一端は読み取れても、どんな歌や踊りだったのかはよくわからない。

また、ドン・キホーテの作者セルバンテス[54]が、『模範小説』の中の『ラ・ヒタニージャ』で、ジプシー娘が歌や踊りで人々を楽しませる様子を書いていたとしても、この16～17世紀頃に、ジプシーの歌や踊りが存在したことはわかっても、それが具体的にフラメンコの原初型、プロトフラメンコとなる歌や踊りの存在かどうかは確認できないと言わざるをえない。ましてや、「フラメンコ」という言葉などどこにも見当たらないのである。

ただ、フラメンコにつながるかもしれないと思わせる事態はある。牢獄や囚人ということである。フラメンコの最古の歌の部類に入るカルセレーラスが、牢獄、囚人の歌であったことが、この統制弾圧の時代との関連性を想起させるのであるが、確証はない。

ところで、為政者側からの法的迫害と一般感情は別物であった、とリカルド・モリーナは言う。「アンダルシアでは、ジプシーは、決して逆境にのみ立たされていたのではない」。反対に、16~17世紀を通じて、彼らは貴族の庇護を受けたことも事実なのである。洗礼の際の名づけ親となったり、自分達の苗字をジプシー達に与えたりもしている。ジプシーのフラメンコ・アーティストの名門であるバルガスVargas、エレディアHeredia、レジェスReyes、スアレスSuáresなどがそれである。先のカルロス2世の布告で、ジプシーに農業以外の職を営むことを禁じ、彼らを手助けした非ジプシーには、貴族に対しては高額の罰金、平民に対しては10年のガレー船服役を科していることがその逆証明だという点は、すでに前にも触れておいた。これらのことは、まだフラメンコとは呼ばれないが、ジプシー達の音楽や踊りが、貴族や民衆に高く評価されていたことを物語っていると言えるだろう。リカルド・モリーナはまた、「16世紀の中頃には、ジプシーに親しむ気風が大変盛んになり」とも書いているが、先のジプシー弾圧の布告の中に、ジプシー風の身なりをしたり、彼らと生活をともにしてはいけないという表現がみられるのは、逆に、そうしたジプシーにシンパシーをもってふるまう人々の現実があったからとも言えるのである。ジプシーは、アンダルシアでは、一方では嫌われながら、どこか深い共感をもって受け入れられていたのである。

哲学者ミゲル・デ・ウナムノ[55]によれば、スペイン人に対するジプシーの影響は、アラビア（モーロ）人のそれより大きいのである。これは詩人ガルシア・ロルカらとも親交のあった政治家で、文明批評などの評論も書き、また医学者でもあったグレゴリオ・マラニョン[56]が伝えるところである。

ラファエル・ラフェンテ[57]も『ジプシーとフラメンコ』の中で、ジプシー的なものは、スペイン的なものの中で思いもかけないほどの重要性を持っていること、スペイン人の芸術や風俗習慣に深く影響を及ぼしていることを、鋭く指摘している。「私達のもっとも典型的な風俗には、どこかジプシー風の味がする。そればかりか〝ジプシー的なもの〟は、〝アンダルシア的なもの〟のシンボルにさえなっている」「もしアンダルシア人が、外来の客をもてなすとき、この土地のもっとも典型的なものを見せようと思えば、ためらわず、ジプシー達の踊っている店や洞窟へ連れていくだろう」「そして、フェリア（祝祭市）のときには、セビージャやヘレスの娘達は〝ヒターナ（ジプシー女）〟の身なりをするのである」。セビージャの春祭りや、ヘレスの馬市、あるいはロシオの巡礼などを思い起こしてみればよくわかる。まさしく女達は、老いも若きも、幼児さえも、あでやかなジプシー衣装に身を包み、セビジャーナスというフラメンコの踊りを踊り続けるのである。

ラフェンテは、さらにこう続ける。――アンダルシア人の目に映るジプシーは、頑固な個人主義の権化であり、「大衆の福祉に名を借りて個人の自由をせばめる支配者階級に対する、これ以上ない非妥協性をそこにみる。この反逆精神が、南スペインの人々には、たまらなく気に入るのである」。つまり、アンダルシア人は、ジプシーの支配者階級に対する非妥協性、反逆精神が大好きなのだ。そして「ジプシーが示す生まれつき持っている気質への忠実さ、社会常識にたてつく気風が、アンダルシア人を楽しませ、現実のしがらみにからめとられた彼らを慰める」。社会常識などは、良識へと純化されなければ、ただの固定観念にすぎないことを、ジプシーは、すでに長い旅路の中で学び、知っているのである。現実のしがらみにもがくアンダルシア民衆には、ジプシーの〝自由〟な気質は、憧れでもあり慰めとも映るのだ。「アンダルシア人は、日常的な平凡さに抵抗を感じる……そして、ジプシーは、彼らにとって、彼ら自身の本来の持ち味への自覚を、常に生き生きと保たせてくれる存在なのである」。

ジプシー達の持つ、権力（おかみ）や社会常識にたてつく、自分らしさを失わない気質に対する、アンダルシアの人々の深い共感と憧れ、そしてそれに対する自分達の心の同質性の自覚。このことが、まさに重要なポイントである。これがジプシーをアンダルシアにひきとめた大きな原因の一つであり、また彼らが、ここでフラメンコを生み育てていくうえで、大きな助力となるものであった。他のヨーロッパの国々や、他のスペインの地方とは異質なもの、つまり、単なる差別や迫害のみではない、共感と同質性の自覚による受容の態度、こうしたものを見い出したがゆえに、定住をはじめたジプシー達は、そのヒタネリアでアンダルシアに同化していったのである。

ジプシーに対するアンダルシア人の深い共感。これこそが、アンダルシアにジプシーを引き留め、やがて彼らがフラメンコというもっとも人間的で美しく、根源的な深みから魂をゆさぶる民俗芸術を創り上げていくことを助け、また、ともに味わうことを可能にした最大の理由である。

中国や朝鮮半島は別として、日本には、これがなかった。ジプシーらしき人々が、たとえジプシーだったとしても、それに対する民衆レベルでの深い共感や、バックアップがなかった。いや、クグツシや出雲阿国が評判となった時期もあるのであるから、共感は一部にはあったにしても、それは時代が流動していた間だけで、政治が安定し、つまり国家権力が強固になると、つまりもっと言えば、世の中が落ちつくと、やがて日本の民衆は、異端から離れ、目をそらし、あげくは蔑視し、嫌い、駆逐し、絶滅させてしまったのである。ジプシーに対するアンダルシア人の深い共感――世におもねない、権力者に逆らい続ける、自由さへの憧れ、言い換えればそうした魂の共有。……ここまできて、私は、自覚したのである。私がフラメンコに魅かれてやまない一つの大きな理由は、まさしくここにあったのだと。冒頭で述べた"試み"の私の8作品の模索のあいだも、その後今に至るまで、私はこの触れあう魂を求めていたからこそ、試行錯誤し続けていたのである。

実は、私が、このジプシーの章に多くの時間を割いたのは、ジプシーと自分との血のつながりを求めてのことであった。そして、それは、可能性という結論にしか至らなかった。しかし、求めるべきなのは、魂のつながりのほうだったのだ。ジプシーを受け入れたアンダルシアの人々の心、あるいは魂と同質の心を持っているがゆえに、私は、こんなにもフラメンコに魅かれるのだ。

そしてまた、あの「ラッチョ・ドローム」という映画の中で、インドから最後にたどり着くスペインのフラメンコの章に来て、ぐっとテンションが下がるのはなぜか、という疑問も、ここで氷解するのである。

ハンガリーのヴァイオリン弾きの老人の章までは、生き生きと脈打っていた映像が、ぼんやりぼやけてラストを迎える。なぜこうなるのか。それは差別がストレートに迫害に結びついた東欧や、フランスなどのジプシーと、スペインのアンダルシアのジプシーを同じ枠組みでくくるからである。彼らには、大きく異なる面があったのである。差別、迫害、虐《しいた》げられた人々だけでとらえられない別の面、すなわち、アンダルシアの民衆に、どこか愛され、受け入れられた面が描かれていないので、ありきたりの、一面的な思想性や主張ばかりが浮わつく、貧弱なラストとなってしまったのである。監督の心情はわかるが、残念としか言いようがない。

論を先に進めよう。

ここで、ジプシーをアンダルシアにとどめたものは何かを、もう少し別の面からも、みておくことにする。

まず、風土からみてもアンダルシア、とくに平野部、バハ（低）・アンダルシアは気候が温暖で、生活がしやすい。そのため人々の気質、精神構造も、陽気で、人なつこく、こだわりがなく、小粋で、お祭り好きである。

社会経済面では、鉱業のほかにブドウ、オリーブ、小麦のいわゆる「地中海三部作」の農業が中心で、社会構造も、自作農が少なく少数の大土地所有者が、種まき、取り入れ時に日雇労働者を利用するというパターンが一般的である。これは定職につくのを嫌い、また家族ぐるみで働きたがるジプシーには、最適な仕事のやり方である。また、アンダルシアでは、牛、馬などの大型家畜の飼育が盛んである。まさに、アンダルシアは定職につかず、手細工、鉄細工の技術に優れ、動物扱いがうまいというジプシーの特性が、このうえもなく生かされる土地柄であったのである[58]。

文化の面でもそうである。そこはまた、古くから、数多くの民族が入れ替わりもたらす文化が累積し、共鳴しあうるつぼであり、歌や踊りに才能を発揮するジプシー達を触発してやまない文化的な、彼ら好みの土地であったのである。アンダルシアにはフラメンコの生まれる最高の土壌があったわけである。これらもジプシーのアンダルシア居つきの諸要因として、付加されなければならないだろう。

ところで、先にも述べたようなヒタネリアの増加という流れの中で、19世紀なかばには、セビージャのトリアーナ地区は最大のものとなり、ヘレスのサンティアゴ地区、カディスのサンタ・マリア地区も有名であった。定住生活に入り、アンダルシアの文化を受け入れたジプシー達の社会であるこうしたヒタネリアの中で、フラメンコはその目覚めの時を待っていたのである。

しかし先述のように、16～17世紀のジプシーの歌や踊りが具体的にどんなものであったかについての記述、資料はほとんど皆無に等しく、フラメンコということでは、ただ18世紀後半に法的に基本的人権を得たのちの、アンダルシアのヒタネリアのジプシー人口の増加の時期が、いわばフラメンコのゆりかごの時代とみなされることだけを述べるにとどめる。ジプシーに対するアンダルシアの人々の深い魂の共感に支えられながら。この点もまたしっかりと把握しておく必要がある。

第三章

フラメンコ以前

アンダルシアに伝わる歌や踊り

画／小松 欽

ジプシーは、その流浪の旅のはじめから、あるいは、途中の他の国から獲得して、スペインに入る前に、すでにフラメンコの原型を持っていたのだろうか。

19世紀末から20世紀はじめには、フラメンコのジプシー起源説、独創説もあったようであるが、現代になってからの影響は別として、ヨーロッパやアジア、また、スペイン内の、アンダルシア以外に住むジプシーの中に、フラメンコによく似た音楽や踊りは見当たらない。この点から、そうした説は否定されるものである。

ただアンダルシア、とくにバハ(低)・アンダルシアのジプシーの中でのみ、フラメンコは創り出されたのである。

フラメンコの主体をなすジプシーについては、先に述べた。それでは、なぜアンダルシアなのか。この章では、彼らを触発し、創造へ向かわせたアンダルシアの文化、その音楽と踊り、すなわち客体について見ていくことにする。

1——有史以前

少し歴史をひもといてみよう。

前にも触れたが、約600万年前、二足歩行の猿の仲間が、森から草原に出て暮らしはじめる。これが一般に、人類の祖と言われる原人達である。彼らは、北アフリカを初発として、南や、東、西へと進出していく。そして、イベリア半島にたどり着いたのは、約180万年~150万年前ということである。アタプエルカで発掘された最古の人骨は、70万年前のそうした原人のものと特定された。

約60万年前からはじまる前期旧石器時代には、北アフリカの人類が、イベリア半島に定住をはじめる。

約20万年前の中期旧石器時代になると、ヨーロッパ大陸から、ネアンデルタール人が南下し、定住する。ジブラルタルでは、彼らの頭蓋骨も発見されている。彼らは、高度な石器を持つ穏やかな狩猟民族で、埋葬の習慣もあり、幼児の赤色に全身を塗られた遺体なども発見され、何らかの宗教性もあったと考えられている。彼らは、最後のビュルム氷河期までに絶滅してしまう。

約４万年前からはじまる後期旧石器時代になって、現代人の祖、ホモ・サピエンスが登場する。クロマニヨン人などがそれで、ピレネー山脈を越えて、フランスから移住してくるのである。スペイン北部カンタブリア地方には、後期旧石器時代のマドレーヌ文化が盛えている。アルタミラをはじめとする１１１ヶ所に点在する洞窟壁画群がそれで、約２万年～１万５０００年前のものと言われる。それらの洞窟壁画は、狩猟の成功を祈る呪術のためのもので、そうした呪術に付随する音楽や踊りも発達していたと考えられることは、川成洋氏[1]が指摘している。カタロニアのコグールの洞窟に描かれた踊る女の壁画は、マチスの「踊る女」の絵のように躍動的である。

約１万年前に氷河期が終わり、ＢＣ７０００年以降は、地中海沿岸部を除いて砂漠化が進み、住民は姿を消してしまったということである。

ＢＣ４５００年頃、地中海地方から影響を受けて、東部沿岸部からイベリア半島は、新石器時代に入る。それが本格的に広まるのは、ＢＣ３０００年以降であるが、この頃アフリカから農耕と家畜飼育の技術を持つ民族が侵入し、南東部アルメリアに定住すると、その文化はすぐに南西部にも広がっていく。この民族がイベロ人で、彼らはアンダルシアに定着し、先住民、原住民となった。彼らは地中海系とも、アフリカ系とも言われるが、不明というのが一般的である。しかし、古代エジプト人やベルベル人などのハム語系語族に近く、出土品からみて、古代エジプト文明や、クレタ文明に近い文化を持っていたという説もある。当然、北方や地中海地方との交易は盛んであっただろう。このイベロ人が、銅器文化や青銅器文化の担い手であった。銅器文化は、ＢＣ２５００年頃に地中海地方からもたらされる。その最盛期は、ＢＣ２０００年頃で、この時代のものとして巨石ドルメンが遺跡として残っているが、ドルメン文化を支えた民族名については謎とされている。

ＢＣ１９００〜ＢＣ１６００年頃には、青銅器文化も、同じく地中海方面から入ってくる。アルメリアのエル・アルガールがその中心となる。川成洋氏によると、エル・アルガール人は、金、銀、銅、象牙などのネックレスやイヤリングをつけ、長い髪をきれいにとかしつけて編んでいたという。オリーブの栽培、オイルランプ、荷車、脱穀機、灌漑《かんがい》設備もあったらしい。

ＢＣ９００〜ＢＣ６００年頃になって、インド・ヨーロッパ語諸民族、つまり多種のアーリア人が、ピレネーを越えて波状的に侵入してくる。彼らは鉄器をもたらすのである。

アーリア諸族の中で、とくに、カザフ・キルギス平原あたりを起源とするケルト人の侵入が著しく、まず北部ガリシアなどや、西部ルシタニア（今のポルトガル）に定着したのち、数世紀をかけて南部にたどり着く。

このケルト人は、先住民のイベロ人と内陸部で混血を繰り返し、ケルト・イベロ族を形成していく。これが現在のスペイン人のルーツだと言われている。

野々山真輝帆氏[2]によると、ケルト・イベロ人の集落は、他の部族からの攻撃から身を守るために高地に造られ、周囲を城壁で囲み、夜になると城門は閉じられた。石の壁と木の柱、陶土と木の枝や麦わらをまぜ合わせて造った屋根を持つ家に住んでいた。

宗教は、呪物崇拝、自然崇拝で、人間や動物のいけにえの風習もあった。また、満月の夜、月や星に祈りを捧げながら、家族全員で踊るという宗教もあったし、ギリシアの影響で、女神アルテミス崇拝もあったという。守護神としての馬の彫刻も残されている。

社会形態は、血縁が主の家族や氏族が単位であったが、よそ者にも友好的だった。他方、軍事色の強い恩顧関係も重要な位置を占めていた。パトロンがよそ者を保護する代わりに忠誠を誓わせるもので、パトロンが死ぬと、顧客も自殺であとを追わねばならなかったという。やがて、血縁より主従関係を選ぶ風潮が強まり、政治的には、世襲の君主制、貴族制などが存在し、貴族からなる上院と自由人による下院のようなものもあった。諸族、都市、集落は乱立しつつ、利害によって離合を繰り返す、ゆるやかな連邦制のような形態をとっていた。

ギリシアの地理学者ストラボン[3]によると、ケルト・イベロ人は、土地が貧しいので耕作に熱意がなく、他国を侵略することばかり考えていたということである。ルシタニアのケルト人は、「ケチ」とも書かれているが、1日1食しかとらず、勇猛果敢な狩猟民ということである。意外なことに、スペインで1日2食あるいは3食になるのは、12世紀になってからである。ストラボンには、彼らは、髪を長くたらした野蛮人に見えたらしく、残忍で、武器節約のため罪人は高所から突き落として殺すなどとも書かれている。彼らは、南の大西洋沿岸地方や地中海沿岸地方を除いて、内陸部のほぼ全域に居住していた。

2――タルテッソ、フェニキア、ギリシア、ローマの時代

では、大西洋沿岸部と地中海沿岸部は、どういう状況だったのだろうか。

文献に名を残す最古の民族は、タルテッソ人である。旧約聖書、ヘロドトス[4]の『歴史』、ストラボンの『地理学』が、それを伝えている。

当時のアンダルシアは今と異なり、グァダルキビール川のデルタ地帯は、今のセビージャあたりまで広大な内海であった。タルテッソは、内海の周辺部、今のグァダルキビール河口あたりの島に位置する王国だったという。

ヘロドトスは『歴史』第1巻163章で、その王「アルガントニオ」（ギリシア語で「銀の人」という意味）の羽振りのよさを記述しているが、その名の示す通り、タルテッソは金銀をはじめ、青銅づくりに欠かせない銅や錫《すず》などの重金属資源の宝庫を背後に抱える国で、それに目をつけた小アジア、レバノンあたりのティロ（ティルス）や、シチリア島のフェニキア人が、BC12世紀頃から盛んに交易をはじめ、BC12世紀ともBC8世紀

とも言われているが、今のカディスにガディルという港町を建設した。ガディルは、イベリア半島で最初の城壁都市だったらしい。フェニキア語の要塞を意味する「ガディル」が、カディスの語源である。フェニキア人をバックアップしていたのがイスラエルのソロモン王であったことは、旧約聖書「列王伝」第1巻10章22節の伝えるところである。氷川《ながかわ》玲二氏の訳によると——

「ソロモン王が使う酒杯はみな純金製であり、レバノンの森の屋形の食器類もすべて精錬した金であった。銀製品を使わないのはソロモン王の時代には銀を珍重しなかったからである。なにしろ王はタルシシ行きのヒラムの船団を持っており、3年ごとにそれが金、銀、象牙、猿、孔雀《くじゃく》などを満載して帰ってくる」——こんな具合である。贅沢な王の生活を支えるエキゾチックで豊かなタルテッソのイメージが広がってくる一節である。ヒラムとは、ティロの王の名である。

当時ガディルは小さな島で、船でセビージャまで行きグァダルキビール川を上れば、鉱物が簡単に手に入る。またガディル西北のリオ・ティントは水がティント（赤ワイン色）に染まるほど資源豊かな川筋であった。つい最近探査機調査で水、海があったことが確認された火星であるが、35億年前の生命に充ちていた火星とティント川の状況は、非常によく似ているらしい。最近の微生物調査でその事実が確認され、今、科学者達の注目の的となっているのが、このティント川である。35億年前の火星と同じ大地を、タルテッソ人やフェニキア人達が掘っていたのかと思うと不思議な気持になってくる。それはさておき、こうした土地に住むタルテッソ人は、温和で人当たりがよく、陽気で、怠け者の夢想家だったという。古代エジプト王朝時代から名うての航海士で貿易商人だったフェニキア人には、タルテッソはまさしく黄金郷であった。ティロから頑丈な帆船で片道約100日、夏のみの航海技術しかなかった当時としては、往復に最短でも3年かかったのである。

重金属類のほかにも農作物、海産物などがオリエントに持ち帰られ、反対に工芸品や、オリーブ・ブドウの栽培技術やフェニキア語など、オリエントの最新の文化がアンダルシアの土着の文化の中に持ち込まれた。あいつぐ戦禍を避けて、タルテッソに住みつくフェニキア人も増えていったということである。彼らはガディルのほかに、セビージャ、マラガ、コルドバにも植民都市を造っている。

フェニキア人は、この黄金郷のことを内密にしていたが、やがてその秘密が、海難事故によって偶然ギリシア人の知るところとなる。サモス島の船長コライオスが見つけたとへロドトスは書いている。BC700年頃、今のトルコのフォーチャ（フォカイアともいう。

小アジア西海岸、イオニア地方）あたりのギリシア人が、東部海岸北寄りのバレンシアを中心に、ガレー船でやってきて、交易をはじめた。ヘロドトスの記述によると――フォーチャ人はギリシア世界の中では遠洋航海の先駆者で、アドリア海を手はじめに、イベリア半島のタルテッソまで航路を開いた。そのとき彼らが使ったのは底の深い幅広の商用帆船ではなく、50挺のオールで漕ぐガレー船だった。彼らは地中海東沿岸にデニア、ロサス、アンプリアスなどの多くの町を造った。彼らが親しくつきあったタルテッソの王アルガントニオは、すでに80年間もあの国を治めており、死んだときは120歳だった。この王はフォーチャ人がよほどお気に入りらしく、イオニアの故郷を棄ててタルテッソに来ないかと勧めた。――120歳はともかく、小回りがきくガレー船使用などは、フェニキア人や地元の海賊の脅威を思わせ、興味深い。交易手段として貨幣がもたらされ、またギリシアの豊かな芸術、文化も、ギリシア語とともにアンダルシアにもたらされた。エルチェの貴婦人像などはその影響を物語っている。アルファベットという文字の提供も、フェニキア人とギリシア人によってなされた。なおサグントにはギリシア劇場も残されている。

続いて、アッシリア帝国などに攻められてティロが衰えると、もとはティロの出店《でみせ》であったカルタゴが、地の利を活かして急成長し、カルタゴ人が北アフリカ地中海岸から入ってくる。

やがて、カルタゴはローマに滅ぼされ、スペインはローマの支配期を迎える。最終的に侵略が完了するのはBC133年であるが、その後約100年間小紛争の続く中、しだいにローマは支配権を拡大し、アウグストゥス皇帝（在位BC27～AD14年）の下で、カンタブリア人とアストゥリアス人の最後の抵抗を退け、イベリア半島は平定され、ベティカ（今のアンダルシアの古称）、アラコネンシス、ルシタニアの3州に分割統治、ローマの属領ヒスパニアとなるのである。このヒスパニア（ヒスパニアエ）というローマ語が、今のエスパーニャの語源である。そして、ヒスパニアの語源は、フェニキア語の「スパーン」と言われ、「ウサギの国」と「遠隔の地」という二つの意味を持つものである。

ローマの属領となることによって、人間的な意味で、はじめてスペインは一つになった、とフリアン・マリーアスが、『知的スペイン――複合スペインの歴史的理性[5]』の中で言っているように、ローマは、単なる占領や征服ではない利口なやり方で、ヒスパニアをローマ化していった。つまり、長い時間をかけて、行政、政治、言語、そして最後に宗教的統一を、イベリア半島に積み重ねていったのである。まず、ローマ以前の君主制を温存し、先住民の王に皇帝の命令を実行させた。社会構造も、富豪と高級官僚からなる権力者と、貴族、下級役人、庶民、奴隷に分けられた。前の時代の海路中心を改め、道路網をはりめぐらせて都市間をつないだ。ローマ征服以前は、ケルト、ケルト・イベロ、バスク、ルシタニア、オレタニアなど40以上の部族が、それぞれバラバラな言葉を使用していたものを、ラテン語という普遍語で統一した。正確には、ローマの支配者が使っていた古典ラテン語と区別される俗ラテン語であるが、都市を中心にすみやかにヒスパニア社会に浸透していった。各部族バラバラの言語であったヒスパニアの人々が、まず、自分達同士で話を通じあえるという意味でも、またローマの支配が届く地中海全域においても共通語で通じあえるという意味でも、ラテン語の導入は大きな意義を持っていた。BC1世紀には統一的なヒスパニア社会が成立し、時代を追うごとに、ヒスパニア人はローマの社会で重要な位置を占めてゆくのである。セネカ父子やマルティアリスなどの学者や詩人だけでなく、トラヤヌス、ハドリアヌス、テオドシウスという3人のローマ皇帝も輩出している。ヴェシパシアヌス帝（在位69～79年）時代には、スペイン、とりわけベティカは「ローマ以上にローマ的」と言われていた。

道や言語の普遍性は文化の伝播《でんぱ》にも役立ち、都市部には、ローマのギリシア風ヘレニズム文化も広がっていった。セビージャ近郊にあるイタリカの円形闘技場や、メリダの円形劇場と円形闘技場の遺跡が、それをよく物語っている。なおトレドにも、ローマ時代の神殿や円形劇場、円形闘技場などの遺跡が残されている。

宗教面では、都市部を中心にギリシア・ローマの信仰が広まったが、原住民の土俗的な信仰も根強かった。セビージャ近郊のカルモナにあるローマ遺跡ネクロポリス（集団墳墓）の中から、フリギアにはじまりギリシア・ローマ時代を通じて民衆の熱狂的な信仰を集めた、豊穣《ほうじょう》の女神キュベレ崇拝の聖殿跡が発見されている。一般に「象の墓」と呼ばれる洞である。タリファとカディスのあいだにある町バエロ・クラウディアでは、古代ローマ都市跡からエジプトの女神イシスの神殿跡も発掘された。またセビージャでは長いあいだ昔のカルタゴのヴィーナス、女神サランボーの崇拝も残っていた。287年春のサンタ・フスタの事件がそれを伝えている。サランボーの御輿《みこし》をかついだ女達が歌ったり踊ったりしながらにぎやかにセビージャの広場に繰り出して、市民に寄付を求めたとき、広場の片隅で陶器を売っていたフスタとルフィーナという貧しい娘姉妹が、キリスト教徒であったためにそれを拒否して騒乱となり、女神像を壊し、殉教する。ことの顚末《てんまつ》の中に土俗宗教と新興宗教のせめぎあうありさまが物語られているのである。セビージャの鉄道駅サンタ・フスタの名の由縁でもある。また兵士や奴隷のあいだでは、ペルシアの軍神ミトラの崇拝もなされていた。

このようにローマは宗教的には寛容な時代が長く、ギリシアのオリュンポスの神々から、東方の原始的土俗神や、エジプトの神までが迫害されることなく受け入れられていたのである。その基本は、農民信仰とも言うべき農耕社会特有のもので、豊作と多産、自然の脅威からの保護を神に求めるものであった。葬式をイベリア半島にもたらしたのもローマ人である。

歌や音楽、踊りを見てゆくうえで、宗教とりわけ豊穣の祭礼や葬儀は、古代において大変重要な意味を持っている。諸々の祭礼は必ず歌や音楽、踊りを伴い、しかもきわめて重要な位置を占めていたからである。祭礼がその社会の中で占める重さに応じて、音楽や踊りもその重みを増すのである。

２１２年には、カラカラ帝によって属領ヒスパニアの全自由民に対しローマ市民権が与えられた。

ところでキリスト教は、イベリアではすでに1世紀頃、聖パウロによってもたらされていたが、ローマでは３２４年にコンスタンチヌス帝によって国教化されるに至った。全自由民へのローマ市民権の付与と、キリスト教の国教化の2点は、ヒスパニア・ローマ人のアイデンティティが形成されていく過程で大きな役割を果たしたと一般には言われているが、マイノリティ（少数派、社会の底部をなす多数の農奴や奴隷、下層民）にとってはどうであろうか、疑問の残るところである。

さて、ローマによって国教化されるに至ったキリスト教ではあるが、常にセクト（分派）争いを内包し、３２５年のニケーア宗教会議でアタナシウス派を正統と決定したあとも、異端のアリウス派などとの抗争の収まることはなかった。

アンダルシアに広まったキリスト教も異端派のものである。それは、3世紀初頭にローマ教会に反逆して急進的な教義を唱えたテルトウリアスの流れを汲むものであった。北アフリカのマグレブ地方で熱烈な信者を集めたその過激な教えが、主にカルタゴを経由してアンダルシアに浸透していったのである。またスペイン全土でもキリスト教の内紛は続き、ガリシア出身の異端派プリシリアヌスが宗教裁判によってはじめて死刑に処せられるという出来事もあった。４００年後、ガリシア西部の洞窟で発見された古い遺体は、十二使徒のうちイベリアで布教した聖ヤコブ（スペイン名サンティアゴ）のものとされ巡礼も絶えないのであるが、実はプリシリアヌスのものだという説も最近になって提出されている。プリシリアヌスは、処刑後も地元では殉教者として長く崇《あが》められていたということである。

この節では、フェニキアやギリシアが到来した頃のイベリア半島やアンダルシアの状況と、ローマ支配下の「ヒスパニア」の歴史をざっとみてきた。それでは、一体、この時代の人々の歌や踊りはどんなものであっただろうか。

3――リノスの歌、迷宮の踊り、ベティカのガデスの娘の踊り、幻人雑技など

今から約1万5000年ほど前の後期旧石器時代、クロマニヨン人達が残した洞窟壁画が伝える踊る女達の姿を見ただけでも、踊りや歌は、人間の歴史とともにあったと言うことができよう。何万年という長い狩猟や採取の時代を通して、私達の身体は1日約12時間、食糧を求めて歩き回れるように形成されたと言われている。それが、農耕文化に移

行する中で生活のパターンが変わると、12時間労働向きの身体には余りの体力が生じる。活動は多様化し、活発化する。当然踊りや歌はさらに多様化するはずである。もちろん争いなどの体力の無駄使いも含まれるわけであるが、原始農耕社会では一般に、まず豊作と多産が人々の生死を決する最大の問題である。豊穣を祈る祭が呪術的な形で行われ、そのための歌や音楽、踊りが生み出される。これは、あらゆる民族、文化において共通している事象である。

スペイン、アンダルシアでの農耕の起こりはBC3000年以前であるが、農耕をもたらした地中海系ともアフリカ系とも言われるアフリカから侵入してきたイベロ人の場合はどうだったであろうか。あるいはイベロ人として歴史に名を残すタルテッソの場合はどうか。イベリアの内陸部に定住するケルト・イベロ人の風習について、ギリシアの地理学者ストラボンが記述していることは、土地が貧しいので耕作に意欲がなく戦争ばかりしている点や、人質をいけにえにするとか、ギリシアのアルテミス崇拝が行われたり、満月の夜家族中で外に出て踊るということ以上のものではなかった。タルテッソについてもその歌や踊りの記録はない。アルテミス祭礼についてはギリシア文化の伝播を物語る一つの証拠であるが、そのことについてはのちにギリシアの条で述べることにして、次にイベリアの東南海岸部に植民定住したフェニキア人やギリシア人の音楽や踊りについてみてみよう。

アンダルシアに地中海文化圏の民族としては最初に植民都市ガディル（今のカディス）などを築いたフェニキア人の歴史は、実は長い。現在のレバノンあたりにＢＣ３５００年頃から定住をはじめた先住民と、ＢＣ２３００〜２１００年頃にシナイ半島の砂漠地帯から移住侵入してきたセム系遊牧民アモリ人＝カナン人（アモリの主流はメソポタミアまで侵入するが、その途中でシリア、レバノン、パレスティナあたりに定住した一部のこと）の混血を原フェニキア人とし、さらにＢＣ１５００〜１２００年頃のクレタ人やヘラス人（ギリシア本土に流入したアーリア人）などの海島民族の流入による混血の結果、フェニキア人が形成されるのである。

長いあいだエジプトの影響下、沿岸ルートでの交易商人であったフェニキア人は、「海の民」の取り込みによって、ＢＣ11世紀以降急速に遠洋航海の技術を高め、ギリシア、イタリア、スペインに向かう西ルートを切り開き、多くの植民都市を形成しながら交易を重ねて巨大な富を蓄積していった。ティロやシドンの町が新ルートの出発点となり、とくにティロはもっとも重要な町として繁栄する。ＢＣ９世紀がその黄金期であったと言われている。すでに述べたティロ王ヒラムはティロを人工の島として造り変えた。それは古代世界でももっとも風変りだがもっとも美しい首都の一つと讃えられた[6]。ストラボン[7]によれば、海を見下ろすように21m以上の家々が立ち並んでいたということである。倉庫には富があふれ、港には発着する船の絶えることがない。夜の街路には、酔った水夫らの声や、酒宴を開く商人の豪邸から聞こえる楽器の音が響く。「おお世界から重んじられ、地や天の原像である町よ。私はこれほど美しいものを見たことがない。いかなる神が造られたのか」――ギリシアの詩人ノンノス（5世紀）はこのように歌っている。

また、旧約聖書エゼキエル書でも次のように呪いつつ讃えられている。「あなた（ティロ）は神の国エデンにあって、トパーズ、オニックス、ルビー、サファイヤ、エメラルド……などあらゆる宝石に覆われていた。あなたのタンバリンとあなたのフルートは金で細工され……あなたの美しさは完全であった[8]」。光り輝く都の様子が十分にうかがえるものである。このエゼキエル書で金のタンバリンやフルートについて述べられていることからもわかるように、富裕なフェニキア人は当然音楽や踊りを持っていた。のちのBC589年のネブカドネザル2世によるティロへの攻撃を予見するエゼキエルの言葉には、次のようなものがある。

「よいかティロよ、……私は北方から、王の中の王、バベルの王ネブカドネザルに、馬、戦車、騎兵および強力な軍勢を率いてティロを侵させる。大陸にあるあなたの娘にあたる諸都市を、彼は剣で打ち殺し……、あなたの城壁を打ち壊し、あなたの塔を引き倒すであろう。彼は馬のひづめで街路を踏みにじり、剣であなたの民を殺し、あなたの財産を略奪し、商品を奪い去り、あなたの壮麗な家を壊すであろう。……そして私は、あなたの歌のざわめきを止め、あなたのキタラの響きは、これからはもはや聞かれなくなる[9]」

その歌のざわめきや、キタラ（ギターの古形）の響きとはどのようなものであったか、またタンバリンやフルートで奏でられた音楽とはどんなものだったのだろうか。イポリット・ロッシ[10]によると、ギリシアの哲学者プラトンはフェニキアの音楽を次のように評した。「女々しく、官能的、気ままで、メランコリック、また熱狂的」。これをロッシはフラメンコに対する批評と似ていると付記しているが、どうであろうか。音楽によって子ども達の心を調和のとれたものにしようと考えたプラトンは、威厳、勇敢さ、勇気などを想起させるドリア旋法などを推奨し、逆に、フェニキア音楽などにみられる、だらしなさ、女々しさ、官能性を持つリュディア旋法を禁止させようと考えていた[11]。この点は理解しておく必要がある。

さてプラトンが聞いたフェニキアの音楽というのは、ＢＣ８００年頃の最盛期よりは衰えていたが、あいかわらず地中海世界の有能な商人としてギリシア人を脅かしながら生き続けてきたティロ、あるいはキュプロス（おそらく後者）あたりのフェニキア人のものと考えられる。フェニキアの音楽というと官能的とイメージされるのは、そのアフロディテ崇拝のせいであるが、古くからフェニキアの植民地（半分はギリシア）となったキュプロスは、アフロディテ崇拝の本拠地であり、パポス市にはその聖殿が建てられ祭礼がとり行われていた。東方のセム系大母神イシュタル＝アスタルテが起源と考えられるアフロディテの祭礼は、その出自を示すかのように東洋的な官能さ、猥雑《わいざつ》さで彩られていたのである。たとえばもう一つのアフロディテ信仰の中心地コリントスの神殿では、神婢《しんぴ》ヒェロドゥーロイという神殿に仕える女奴隷（男子もいた）がヘタイラー（女友）と呼ばれ、遊女の役割を果たしていた。プラトンの時代（BC5～4世紀）には、ラーイスという名妓も出現し、プラトン自身、

ギリシア中を　誇らかに嘲《あざ》み笑うた女、慕い寄る
若殿ばらを　そのかみは門口に集めたラーイスこそ、
パポスの女神にこの手鏡をささげまする、…………

と歌っている（訳／呉茂一）。

ローマでは、アフロディテの月と言われる4月のはじめの三日三晩、女神像を花々で飾り、男女が群れをなして舞い踊り、夜半まで歓楽の限りを尽くしたということである。この祭りの雰囲気は「ヴィーナス宵祭の歌」によくとどめられている。その返し歌はこのようである。

明日は恋せよ、恋をまだしらない者も、
また恋したことのある者も、明日は恋せよ

官能的で投げやりな、乱れた趣きの一端が垣間みられる歌である。

そもそも初代王ゴルディオスの父で、一族を率いてパポス市とアフロディテの聖殿を建て、その祭司かつ愛人ともなったというキュニーラスについても、その美しさは東洋的なたおやかさと豊満さにつつまれ、むせ返るような南国の甘い薫りと官能的な音楽に浸されていた、と、ルキアノス[12]などに表現されている。音楽家でもあったという伝説に依拠したこの表現から、一つのフェニキアの音楽のイメージが浮かび上がってくる。「むせ返るような甘い薫りと官能的な音楽」とは、さしずめ画家アングルの描く「オダリスク」が醸し出すような情趣でもあっただろうか。

おそらく前述のロッシは、このようなイメージでフェニキアの音楽をとらえていたと思われる。しかし、当時行われていたアフロディテ祭礼の本質に目を向ければ、私達「文明人」のそのような甘い幻想など粉々に打ち砕かれてしまうことがすぐにわかるのであるが、この点についてはのちに述べる。

ガディルにやってきたフェニキア人達は、ほとんどがそこに住みついた[13]というのであるから、アンダルシアに対する彼らの文化的・音楽的影響は、はかり知れないものがあると考えるのが当然であろう。

他方、ギリシア人の都市国家フォーチャがペルシアに降伏したBC545年、フォーチャのギリシア人は奴隷になることを拒み、ありったけの船に老人や女、子どもまで詰め込んで、みんなで近くのキオス島やコルシカ島などに出向いたが、どこでも受け入れられず、長い苦しみの漂泊の船旅を続けたということである[14]。

一方タルテッソでは、当時、ヘロドトスが記述したあのフォーチャ人好きのアルガントニオ王はすでに亡く、国も乱れていたとはいえ、当然、フォーチャ人はタルテッソをめざしただろうと考えられる。

スペイン、アンダルシアにとって、フェニキアもギリシアも武力による征服者ではなく、単なる友好的な交易相手であり、経済的足がかりとしてのみいくつかの植民地都市を造ったにすぎないのであるから、むしろ、最新のオリエント文化や情報をもたらす、憧れの対象というような存在であったはずである。そしてオリエントの諸国家、諸都市同士も、文化的には緊密に影響しあい、いわば一つの地中海文化圏のようなものを形作っていた。

そうした事情をよく物語るのが、ギリシアの「リノスの歌」である。

リノスというのは、ギリシア神話ではミューズの一人、ウーラニアが産んだ息子で、父はアポロンである。歌に天賦の才を持つ彼は、歌の師と呼ばれたが、花の盛りに非業《ひごう》の死を遂げる。

ギリシアの叙事詩人ヘシオドス[15]は言う。「ウーラニアの産んだのが、多くの人に惜しまれた息子リノスであって、歌う者、竪琴を奏でる者のすべてが、シュンポシオン（饗宴）で、また群舞で、はじめと終わりにリノスの名を呼びつつ、この子の死を悼んでいる」。墓はテーバイにあるという。

このリノス神話は、アルゴスでは、幼児リノスの犬に引きちぎられての死として、もっと風変りで悲惨な物語に変化している。こうした説話を持つリノスへの哀悼《あいとう》の歌は、ギリシア全土にとどまらず、国境を越えて広く知れわたっていた。小アジア出身とも言われるホメーロス[16]も、このリノスの受難を歌うギリシアの歌を知っていた。不時にみまかれる子の宿命の歌としてである。

ギリシアでは、「麗しのリノス」として時代を通してずっと歌い続けられていた。それは、ブドウ収穫の祝祭のときに慣例として歌われる有名な民謡である。その祝祭の光景は、アキレウスの楯に描かれた図に見られ、ブドウを摘む少年少女の真中で、竪琴を奏でながらその歌を歌う一人の少年と、そのまわりで歌い踊る少年少女の姿が描かれている。

ギリシアの抒情詩人ピンダロス[17]によると、その旋律はもの悲しげな響きを持ち、それこそ挽歌の響きさえ帯びていた。

この歌の本質をよく示しているのは、ギリシアのアルゴスという都市の歌である。それは奇怪な内容の説話にもとづいている。アフリカのキレネ出身で、苦学してアレキサンドリアの学者・詩人になったカリマコス[18]（ＢＣ３１０〜２４０）が『縁起の書』第１巻でその説話を物語っている。

アルゴスのクロトポス王の娘プサマテーは、アポロンにより幼な子の母親とされたが、父を恐れるあまりこの子を一人の牧童に預けた。子どもは仔羊達のあいだで成長するが、ある日羊の番犬の群れにずたずたに引き裂かれてしまう。子リノスの死を嘆き悲しむ母の姿から、ことの次第が父王に知られて、怒った王はリノスの母すなわち自分の娘を殺害する。憤慨したアポロンは復讐の幽鬼をつかわして、アルゴスの生まれたばかりの嬰児《えいじ》らをその母親達から剥《は》ぎとっていく――。殺された母と子リノスの墓が建てられ、その近辺には道祖神アポロンの石柱と、「雨恵の神」ゼウスの祭壇が建てられた。女や少女達は毎年、挽歌を歌ってその母子を追悼している。この追憶の日々が「仔羊の日」ならびに「犬殺し」と呼ばれ、姿を見せた犬はすべて叩き殺されるという習慣があった。この祭礼の時期に当たる月は「仔羊の月」という名の月であった。それは牡羊星が天上に昇る月つまり春であり、犬の名を持つ天狼星（シリウス）が天に昇る月は、すべてのものをうだるような炎暑で焼き尽くす夏のことである。春に仔羊の群れの中で育つ幼児リノスは、夏にはシリウスの炎熱によって殺害されてしまう。短い命を悼んで、胸も張り裂けるような哀歌、挽歌がこうして生じるのである。

春に生まれ夏には炎暑で焼き殺されて死を迎える。こうしたリノスへの挽歌が歌われる祭礼が、雨恵みの神ゼウスの祭壇の近くで行われるところに事態の本質をみてとることができる。リノスは春に芽生え育ち、夏に穫られる穀物、植物の化身した神であり、その死は悼まれ、また復活を待ち望まれる。とり行われるのは豊穣の祭礼であり、悲痛なリノスの挽歌はその祭礼の歌にほかならない。

このリノスの歌の悲痛な旋律は、実は古い時代から地中海沿岸全域にわたって歌われていた。ヘロドトスがそのことを伝えている[19]。フェニキアやキュプロス、エジプトその他で同じリノスの歌が歌われているが、エジプトでは古代からこの歌だけが歌われ続けている。しかもそれぞれの民族が、このリノスの歌にそれぞれ別の固有の名前をつけていたというのである。

エジプトではマネロースと呼ばれた。メソポタミア、シリア、バビロニア、アッシリアなどでは、タムズあるいはタンムズと称され、フェニキア、キュプロスではアドニス、フリギアではアッティス、リュディアではアッティスあるいはコリュバースと言われていた。さらにローマでも、タンムズあるいはアドニスとして受け継がれていた。

エジプトのマネロースというのは、ヘロドトスによると、エジプト初代王の一人息子の名で、成人を待たずに夭折《ようせつ》した王子の死を悼み、人々は挽歌を歌うことで偲んだということである。最初で唯一の歌だったと歴史家に言わせるほど、その歌は古くからエジプトでは歌われ続けていた。そして最初で唯一の歌が挽歌である点は、大変興味深いことである。

サッカラ第5王朝（BC2480〜2350）のアクト・ヘテプ墳墓を飾る壁画レリー

フには、ハープ、横笛のような楽器を奏でる男達の横に向かいあう形で座して手を差しのべる形姿の男達が描かれている。おそらく歌い手のように見える彼らが歌っていたのも、このマネロースであったと考えると感慨深いものがある。さらに中王国（BC2133〜1786）テーベ時代のアンテフ・オケル墳墓の壁画には、踊る女達の姿が描かれているが、これもマネロースの歌の旋律に合わせて踊る姿でもあろうかとみると、格別な想いがするのである。

このエジプトのマネロースを除いて、タムズも、アドニスも、アッティスも、コリュバースとも呼ばれるアッティスも、すべてがそれぞれの国、民族によって崇拝されている植物神、穀物神、植物の精霊の名前である。それらは固有の配偶神を持ち、彼女らはすべてその民族の大母神（大地母神）である。またアドニスなどのすべてが、固有の祭礼と説話を持っている。

もっとも古いメソポタミアのタムズからはじめよう。それは古代メソポタミアの先史以来崇拝され続けている穀物神で、死と復活の神である。説話は次のようなものである。

タムズは農業と牧畜を司る神であったが、あるとき猪《いのしし》に殺されてしまう。彼が冥界に去ると、彼の妻イシュタル（愛の女神で農作と多産の女神）もあとを慕って地下に下ってしまう。そのため地上では植物も育たず、家畜も子を産まなくなったので、神々が協力して彼らを救い出した。
　メソポタミア地方では炎暑のために万物が枯死する6～7月をタムズの月と呼び、哀哭の儀式が行われる。そして彼らの復活を祝う祭が初春に行われるバビロニアの新年祭Akituである。
　タムズ―イシュタル崇拝はエジプトのオシリス―イシス崇拝に通ずると考えるギリシアのルキアノスの説もある。その点から考えるとエジプトの王子マネロースも、弟に殺害され冥界へと去るオシリス神と同一視され、その神話と大母神イシス信仰に結びついて、エジプト全土で、かつまた長いその歴史を通じて歌い続けられたと考えるべきであるかもしれない。女神イシス崇拝は、シリア、クレタ、ギリシア、ローマにも伝わっている。とりわけ帝政ローマ時代にはイシス神殿が栄え、幼児ホールスを抱くイシスの像は、イエスを抱く聖母マリアの原型であると言われている。アンダルシアのカディスの先にあるバエロ・クラウディアのイシス神殿は、帝政ローマ期の崇拝の伝播とその名残である。
　メソポタミアのタムズ―イシュタル崇拝は、シリア、バビロニア、アッシリア、さらにフェニキア、キュプロスを通じてギリシア世界へと伝わっていくのである。フェニキア、キュプロス、ギリシアではタムズはアドニスと名を変える。配偶神である大母神もイシュタルからアフロディテとなるのである。アドニス崇拝のもっとも盛んな地の一つがキュプロスのアマトゥース市で、そこはまたアフロディテ祭礼の中心でもあった。説話には各種のバリエーションがあるが、アポロドロス[20]のものによると、アドニスは曙《あけぼの》の女神エオスの末裔《まつえい》でキュプロス島パポス市を建てたキュニーラスの子で、まだ少年の時分に女神アルテミスの怒りに触れ、狩りに出たとき野猪に殺されたということである。叙事詩人パニュアシスによると、アッシリア王ティアスとその娘スミュルナの不義の子となる。

　アフロディテに対する祭礼を怠ったために罰せられたスミュルナは、父に対して激しい恋心を抱かせられる。乳母の手引で父をあざむき十二夜ともに臥《ふ》したのち露見して、父に刃《やいば》で追われ、捕まる寸前に神に祈り、没薬《もつやく》スミュルナの木に変身する。すでに懐胎していた彼女の木の幹から生まれたのがアドニスである。

　アポロドロス伝によると、アドニスはとても可愛い子だったので、アフロディテは箱に収めて冥界の女王ペルセフォーネに預けた。ひそかにのぞき見たペルセフォーネは可愛さに心打たれアフロディテに返そうとせず争いとなり、結局ゼウスの裁きで、１年の３分の１を冥界にとどまり、３分の１は地上のアフロディテと居て、残り３分の１を自分の自由にすることとなったが、自分の分もアフロディテに献じた。その後、野猪の牙にかかり死んでしまう。

ローマの詩人オウィディウス[21]は、この説話をさらに美しく悲しい物語に仕上げる。アドニスの死を悲しんだ女神が血に濡れた大地に香《かぐわ》しいネクタル（神酒）を注ぐと、そこから真紅な花のアネモネが萌え出る。しかしその名の示す通り、風・アネモスの一吹きでたちまちはかなく散ってゆく。

アフロディテは、東方あるいはセム系出自の大女神で大母神である。アドニスはその若い愛人で作物の精霊、植物神にほかならず、収穫の秋に死んで、再び春に蘇ってくる。春と夏をアフロディテと過ごし、冬は枯死にしてペルセフォーネと冥界で暮らす。死すべきアドニスつまり植物の精霊を悼みまた慰め、来年の春の発芽を祈って農民は毎年祭礼を行うのである。アドニスの受難と復活の祭礼がアドニス祭である。ＢＣ５世紀のアテナイでは４月に行われ、アレキサンドリアでは８～９月頃、ＡＤ１世紀以降のローマ帝政期には７月19日であった。

シリアのビブロス市（フェニキア人の町であった）もアドニス信仰の中心地であった。ギリシアの旅行作家ルキアノス[22]によると、毎年、海に注ぐ直前に川は血に染まり、海の広い部分を赤く染めて、アドニスの喪の期間が到来したことを告げる。人々は数日にわたって死を悼む儀式を行い、またその復活を祈願した。アドニスとは、セム語（フェニキア語）で殿や主、君を意味するアドンが語源である。

ルキアノスが伝えるビブロスのアドニス祭礼は異様である。女達は胸を打ち、泣き、悲しみ、嘆きわめいたあと、アドニスにいけにえを捧げる。その後彼の復活を確認して野外にその似姿を立て、頭をつるつるに剃りはじめる。拒否すると売淫の罰を受ける。外国人との交渉で得た金で、アフロディテへの供物《くもつ》を買い川に投げ込む。祭りのクライマックスは狂乱であり、さまざまの楽器に伴われた慟哭《どうこく》の歌と叫びである。レバノンの農家の主婦達は、こんにちなおルキアノスの説話を信じ、川の水で清めた蝋燭《ろうそく》をアドニスに捧げているということである。ただし今はキリスト教徒ならば聖ゲオルギウス、イスラム教徒であればハドルと呼び、アドニスとは言わないそうである。

フリギアやリュディアのアッティスの説話は、もっとも面妖かつ怪異である。オウィディウスも『祭暦』4—179に記しているが、パウサニアス[23]のものを選ぶことにする。

フリギアの天神（パウサニアスはギリシア化してゼウスと呼ぶ）と地神の子アグディスティスすなわちのちのキュベレは、生まれたとき両性具有だったが、神々が寄り集まり男根《ファロス》を切り取り、女性とした。そのファロスを埋めた場所から1本のアマンドの木が生え、実をつけた。河の神の娘ナナが通りかかり、その実を一つ懐に入れると、その実は消え彼女は身重となりやがて一人の男児を産んだ。それがアッティスである。彼は世にも美しい少年に育ったが、アグディスティスが見つけ深く愛するようになった。永遠の愛を誓ったにもかかわらず彼は王女と結婚しようとする。歌が歌われ楽器の音もにぎやかなその宴の最中に女神が現れると、アッティスは物狂わしく狂乱に陥り刃物をとってみずからのファロスを断ち、我と我が身を手当たりしだいに傷つけて死んでしまった。

この話は、キュベレ―アッティス信仰の中心ペッシーヌ地方の人々の伝えるものと言われている。

アッティスもアドニスと同じ植物の精霊で、一度死に春に再び復活する。しかしアッティス―キュベレ祭は、ディオニソス的な熱狂の要素を持つ。祭司や信徒は激烈なかけ声や叫び声を上げて群れをなして踊り狂い、手には笛、角笛、太鼓、にょう鉢などを叩き、夜はたいまつをかざして熱狂と狂乱のうちに手当たりしだいの刃物などで身体を傷つけ、ファロスを切断した者が祭司となる。平安時代に日本で流行した田楽に似ているが、身を傷つけ血まみれの狂乱に陥るなど想像を絶する奇怪な祭礼である。

リュディアの場合は、大母神はキュベベと呼ばれ、アッティスはコリュバースすなわちコリュバンテス（キュベベ祭司信徒）の第一の者と呼ばれた。大母神がアッティス（コリュバース）を可愛がりすぎたので、ゼウスが嫉妬し、リュディアの畑で大猪に彼を殺させたという形になる。この点はアドニスと類似しており、アドニスと同源であることをうかがわせるものである。アッティスは植物の精霊として一度死に春に蘇ってくる。神名はパパス（父、主）となる。リュディアへは、フリギアから伝わったと言われている。

こうした特異で秘儀的なキュベレ―アッティス信仰は、やがてＢＣ４世紀末頃からギリシア世界に流行しはじめ、とくに庶民のあいだに急速に広まって、アテナイでは、古くから祭られていた母神デーメテールの祭礼に、キュベレを包含させるようになった。ローマでも大流行し、ＢＣ２０４年にはローマ元老院がキュベレをローマに迎える決議を下した。ローマはペッシーヌからキュベレを象徴する黒い石（隕石らしい）を運んできてその神殿を造ったほどである。アンダルシアのセビージャ近くの町カルモナに残るキュベレの聖殿（社《やしろ》のようなもの）も、ローマがもたらしたものである。なおキュベレの祭司であると同時に神がかりな者でもあるコリュバンテスは、祭礼にあたり踊りにもたずさわっていた。

以上みてきたように、マネロースを除いて、タムズもアドニスもアッティスも、すべてが豊穣の大母神に伴われた植物神であり、しかも若くして死ぬが、その復活を熱望される神であった。そのためその名を冠する祭礼が毎年とり行われていた。その祭礼の本質的意味は、植物神の死を悼み偲んで、復活を願うということである。そしてその祭礼においては、その名で呼ばれる挽歌が歌われたはずである。そのことについては、マネロースの挽歌を歌うことで王子の死を悼み偲んだというヘロドトスの記述が、よく証明している。歌われなければならなかったのだ。歌うことが偲ぶことだったのである。したがって、彼らの祭礼においては、歌われたと断ずることができる。しかもその歌は、挽歌でなければならなかった。

ところで彼らの祭礼においては、その歌の調子は、哀哭のものから、慟哭、あるいは絶叫などさまざまなものであった。だがしかし、ヘロドトスは、同じ歌が歌われていたと言っている。つまり同じ歌とは、名前も異なり、歌われ方も違うにもかかわらず、同じ一つの旋律の挽歌ということである。逆に、同じ歌であったということが、彼らの名前の異なる祭礼の同一性を証明するものとも言えるわけである。さらにまた、古くから歌っていたというヘロドトスの記述が、そうした祭礼や、あるいは歌が歴史的に伝播していった事実を物語っている。

さて、マネロースである。マネロースだけは植物神ではないというアポリア（難点）がある。しかしマネロースは、前述のようにエジプトのオシリス神と同じく若くして死を悼まれる者であったことから、オシリス―イシス（妻であり大母神でもある）の祭礼においては、オシリスと二重映しされ、したがってその歌もオシリス神の死を悼み偲ぶ挽歌の役割を担って、歌い捧げられていたものと考えられる。なにしろ、ヘロドトスによれば、エジプトでは、最初でたった一つの存在の歌なのであるから、マネロースの歌でしか悼み偲ぶことができなかったのである。そこで、マネロースもタムズ、アドニスなどと同質の歌、つまり死と復活、そして豊穣祈願の祭礼における挽歌であったと結論することができる。

エジプトのオシリス―イシス、メソポタミアのタムズ―イシュタルから発して、バビロニア、アッシリア、シリア、カナンのタムズ―イシュタルを経て、フリギア、リュディアのアッティス―キュベレやフェニキア、キュプロスのアドニス―アフロディテへと派生してゆき、やがてギリシア、ローマのアドニス―アフロディテや、アッティス―キュベレ、そしてリノスへと伝播してゆく、名前だけが異なるものの本質的には同一の祭礼と、そこで歌われる名のみ異なる同じ挽歌が、確かに存在していたのである。アンダルシアにも伝播の証拠があることはすでに述べた。ローマ期については確証がある。フェニキアやギリシアの交易事情から考えても、その可能性は十分考えられる。少なくともカルタゴ（フェニキア人）のヴィーナス（ギリシアではアフロディテ）である女神サランボーがセビージャで流行していた事実からも、フェニキア・カルタゴからの流入は十分可能である。シリア・カナンの地は原フェニキア人の故郷であり、そこではアドニス崇拝が、いけにえをもって行われていたと言われている。しかもカルタゴでは、焼いた子どもの骨がいっぱい詰まった何千という骨壺と、これを埋めた場所を示す何十本もの石柱が発掘されている。

その歌が、哀哭とか慟哭、あるいは激烈、劇越などと表現されるところに、その歌のはかり知れない重さがみてとれる。私達が目にしたり想像したりするような農民の豊作祭りをイメージしてはならない。農耕をはじめたばかりの古代の人々にとって、作物を育てるということ、家畜を繁殖させるということ、さらに人間（子孫）を繁殖させるということは、私達の想像を絶する最大難事であったことがその重みのままに理解される必要があるのである。文明の高度化した社会に生きる私達でさえ、台風に泣き、大雨や日照りに困り果て、雨乞いの儀式さえするではないか。ほんのわずかな技術しか持たなかった古代の人々の困惑と不安と恐怖ははかり知れないものだったはずである。彼らにとって、自然は恵みをもたらす神であると同時に、人々を打ちのめす大いなる恐るべき、畏怖《いふ》されるべき神、デーモンでもあった。秋に恵み（豊作）をもたらした神が死ぬとき、人々の悲しみと不安は絶大であった。これで最後なら次の年には死が待っている。ともかく植物の神の来年の春における復活は、存在の存亡をかけた激烈な願い、希求であったと考えられる。だから人々は、自分達の生と死をかけて、歌い踊り祈った。命がけの祭礼となったはずである。全存在をかけて祭る。したがって、狂乱に陥るのは必定《ひつじょう》である。その身を傷つけ、血を流して、死んだ神、デーモンと同化しようとするのも当然である。狂う寸前までの祈りが、古代の人々には必要だったのである。そうすることで彼らはまた過酷な冬を耐えて生きることもでき、春を待つこともできたのである。私達がすでに失った感覚である。

したがって、そこで歌われる歌も、哀切きわまりない調子ではじまり、狂気の沙汰のような絶叫に終わるのは当然である。生と死を分かつ切迫した事態を前に、全存在をかけて、歌われ踊られなければならなかった。そして全存在をかけて歌うためには、たった一つのあの歌が、もっとも人々に適していたのである。神に対して、自分の気持をもっともよく伝えられるのは、あの「一つの」歌だったのである。

太古の歌、原初の歌とは、それほどに厳しく激しいものだった。現実がそうであったためである。自然が恵み深くありがたくもあり、また徹底的に恐ろしいもの、デーモンでもあったからである。この感覚は、私達が歌い踊るときに、すでに忘れてしまったものである。しかし、彼らと同じような旋律で歌い踊るとき、私達もまたその喪《な》くしたもの、失った感覚を一瞬取り戻すことができる。何人かの歌い手や踊り手は、すでに名状しがたいその感覚の体験をしているはずである。神の現出、突出とでも言おうか。あるいはデーモンのそれか。ドゥエンデである。それは、その歌や踊りの本質から言って、当然の事態である。ドゥエンデが立ち現れるのは、当たり前なのだ。

さて、ギリシアにおいてはリノスと呼ばれた歌に、話を戻そう。

リノスの祭礼は、ギリシアにおいてもきわめて古くから行われ、したがってリノスの歌も大変古い時代から歌われていたようである。祭礼の古式さがみてとれるのは先述のアルゴスのものである。リノスがバラバラにされたという点は、エジプトのオシリス説話を想起させるし、母子の墓のそばに立つアポロンの石柱も、神像として石柱を建てた原フェニキア人のシリア、レバノン、パレスチナとの類似性を示し、羊の中で育ったということも牧神としてのメソポタミア、バビロニア、アッシリアのタムズを思わせる。また、オリュンポスとともにミューズゆかりの地へリコーン山の岩窟にあるリノス像とその祭礼にもその古さが現されている。そこでも神格の幼児リノスの死に対して悼み偲ぶ歌が、胸も張り裂けそうな哀歌、挽歌として歌われていたことは想像にかたくない。

さらにギリシアでは、「アイリノン Ailinon」という悲痛なかけ声が一般に使われていた。それは苦痛を示す「アイ ai!（禍《わざわい》あれ！）」と、哀哭のリノスという名前の合成である。「アイリノン！」というかけ声がどのようなものであったかということは、ギリシア悲劇の中に取り込まれたその歌われ方をみれば、十分に理解される。

アイスキュロスの『アガメムノン』[24]のはじめにコロス（歌い踊る仮面をつけた合唱隊）が繰り返すかけ声が、まさしくこのアイリノンで、「あわれや、あわれと言え！」という意味をもって、慟哭の調子で歌われる。ソフォクレスの『アイアース』[25]では、アイリノンはさらに激烈とも言える悲痛な叫びの調子の歌い方となる。古典文献学者のワルター・F・オットー[26]によると、「激烈極まる嘆きの爆発」ということになるのである。胸も張り裂けんばかりの痛哭の感情の叫びの中に神格のリノスという名が内包されているという事実が、リノスの歌の古さと悲痛の激しさを示している。学者達のあいだでは、リノスが先かアイリノンが先かの論争があるようであるが、私のテーマからすれば、さし当たって関係のないことで、それこそ「余計なお世話」（ワルター・F・オットー）と言っておく。

リノスの挽歌は、ＢＣ８００年頃の人ホメーロスも知っており、さらに彼以前の時代の詩人パンポス[27]も、リノスをめぐる追悼が最高潮に達したとき、リノスをオイトリノス（オイトスは運命の意味）と言ったということであるし、ＢＣ６世紀頃の女流詩人サッフォー[28]がそういう歌い方をしたと言われていることから、本当に古式ゆかしい歌なのだということは明白である。

地中海圏全域、いやさらに東方でも歌われている別名の、しかし同じ悲痛な旋律の挽歌と同じく、リノスの歌は祭礼での哀哭の挽歌として歌われる中で、その情趣のままにかけ声として神格の名を取り込み、さらに悲痛の果ての激烈な叫びとしてギリシア悲劇においても使われていった。また他方で農民達のあいだでは、ブドウ収穫時の祭礼、祝祭における歌「麗しのリノス」が地中海全域共有の悲痛な挽歌の旋律で、１０００年にもわたるギリシアの時代を通して歌われていったのである。

前節にも触れたが、ローマ人はイベリア半島にローマ文化とともに葬式をもたらした。そのローマ人は、ギリシア風のヘレニズム文化も東洋的な信仰も区別なく多様に取り込んでいる。リノスの歌の途絶えることなど考えられない。その歌はイベリア半島にも及んでいたはずである。セビージャ近郊のカルモナに残るキュベレ崇拝跡の「象の墓」が、アッティス―リノスの歌の伝播を証拠づける。またローマ時代にはワインが貴金属とともに盛んにローマに輸出されていた。ブドウ収穫時にはギリシア・ローマと同じく祝祭も行われあの「麗しのリノス」が歌われていたと想像もできる。サグントのギリシア劇場跡やイタリカ、メリダ、トレドに残るローマ時代のオーケストラボックスを備えた円形劇場跡が、ギリシア悲劇の演じられたであろうことを物語る。

こうした諸点から次のように考えることができる。まずフェニキア人やギリシア人が、あるいはより古い時代のイベロ人かもしれないのだが、おそらくアンダルシア、スペインに、マネロース、タムズ、アドニス、アッティスなどの祭礼の挽歌として、またよりソフィスティケートされたブドウ収穫祭の民謡などの形で「リノスの歌」の悲痛な旋律を伝え、哀哭の挽歌、ときには慟哭の挽歌として歌われた。次にそれを下地として、ギリシア人やローマ人が伝えたギリシア悲劇の痛哭の挽歌と、葬式の風習の導入とが相まって、悲嘆、慟哭の挽歌としてさらに広まっていった。アンダルシア、スペインの人々のあいだに広がっていったローマ人のもたらした葬式の行事、祭礼では、痛哭の響きのあの「リノスの歌」が歌われていたに違いない。のちに西ゴート時代のセビージャの大司教聖イシドロが宗教会議を開いた際、当時葬式時に盛んに歌い踊られていた嘆き歌、プライエーラスを禁止したが、西ゴートは、ギリシア・ローマの文化をそのまま温存していたのであるから、禁止されなければならないほど人々に広く歌い踊られていた葬式での嘆き歌というのは、こうした「リノスの歌」の流れであったとみることができるのではないだろうか。

悲痛な挽歌の響きを持つ「リノスの歌」、そして、苦しみの「アイ！（禍あれ！）」、あるいは悲しみの「アイリノン！（あわれや、あわれと言え！）」というかけ声、あるいは歌そのものと言ってもいいような声明《しょうみょう》、これらのことを、フラメンコのカンテ・ホンド（深い歌）中のカンテ・ホンドであるシギリージャや、そもそもカンテ・ホンドの曲すべてが昔はプライエーラスと言われていたということや、それが「アイ」という慟哭のサリーダを持っていることと重ね合わせてみると、古代から地中海沿岸諸国、エジプトから発し、フェニキア、キュプロスなど一円に広がり、ギリシア時代を通じて歌われてきた「リノスの歌」が、カンテ・ホンド、シギリージャの根かもしれないと思わせて、興味は尽きない。

ところで、ストラボン[29]やシシリーのディオドロス[30]は、ルシタニア（今のポルトガル）には、人々が集まり、酒を飲んで、フルート、トランペットで歌い踊ったことや、足の動きの大変速い踊りがあったと伝えている。

またスペイン東北部には、カタルーニャの「サルダール」に似た踊りがあり、スペイン西北部には、アストゥリアスの「ダンサ・プリマ」に似た踊りがあったと、ストラボンやシリウス・イタリクス[31]が伝えている。

また、ヒスパニア出身で、ローマの有名な諷刺詩人となった1世紀頃の人、マルティアリス[32]や古くはギリシアの歴史家ポリビウス[33]、ずっとのちの聖イシドロなどが伝えるベティカのガデス（ローマ時代のカディスの呼び名）の娘達の踊りもあった。マルティアリスは、彼好みのテレトゥサという魅力的な奴隷女について書いている。彼女を奴隷として買った男はその魅力に惹かれて妻としたというのだが、彼女は市場で踊っている姿を見初められた。どんな様子で踊っていたのか。彼女はベティカのカスタネットを鳴らしながら習い覚えたガデス女のやり方で、みだらな身振りで踊っていたというのである。また恋の歌もささやく、と述べられていることから、カスタネットを鳴らし、扇情的な歌を歌い、みだらに踊っていた、ということであろう。

こうしたガデスの娘の踊りの起源は、フェニキアかクレタだと、エスター・ヴァン・ルー[34]は考えている。さらにヴァン・ルーは、ベティカのカスタネットも、はじめのうちはスペインでは、エジプトの最高位をなす母なる豊穣の女神イシスと、ギリシアの大地の女神キュベレを祭るシリアの豊穣の祭礼に使われていたものに由来していると結論づけている。

農耕文化圏では、こうした豊穣の祭礼の行事が、一般に広く行われている。その形もすべて同じで、大地が実りをもたらす現象と人間の生殖行為との類似から、それを意味する踊りや歌を祭礼の中で行うことによって、豊穣を祈願するものである。[35] 礼拝される神はすべて、それぞれの地の豊穣を司る母なる女神、すなわち、ミリッタ、イシス、アシュトレス、アスタルテ、イシュタル、デーメテール、アテナ、アフロディテ、ヴィーナス、バーグバーティ、パルバーティなどである。そうしたすべての踊りが、一様に、大地に添う裸足で、カスタネットやチンチラ（金属製の小さいシンバル）などを鳴らしながら、腹部を強調し、ふるわせたり、くねらせたりし、また腰を回すなどの扇情的な舞踊の形をとり、さらに、処女の巫女《ふじょ》（みこ）による神殿内での秘儀的風習を伴っている。

ギリシア研究家のリリアン・ローラー[36]は、ギリシアの時代を通してずっと、こうした祭礼の踊りが踊られていたと言う。なお、ギリシアでは、男性神も祭られているし、少年の巫子《ふし》もいた。ストラボンによると、かつてアフロディテの神殿では、少年少女の巫女らが1000人以上もいたということである。ギリシアでは、一般によく知られているディオニソスやバッカスはもちろんのこと、豊穣の女神アルテミスやアテナを祭るスパルタ、エフェソ、アンキラの祭礼、ヘカテやパン（牧羊神）、アフロディテ、デーメテール、ペルセフォーネなどを祭る祭礼などがある。こうしたギリシアの祭儀は、トラキアやシリア、フリギア、小アジアの祭儀の借用であるということである。トラキアなどのそれは、雄叫びを上げる狂乱の夜の舞踊であり、するどい音のフルートやティンパニー、チンチラや、木あるいは金属のカスタネット、角笛やブル・ロワラー（儀式用の楽器）、鳴子などで伴奏されるものであった[37]。

ギリシアでは、早い時代から、そうした祭礼の聖なる踊りのプロフェッショナル化による堕落が嘆かれていた。すなわち、多くの下層の貧民階級の者が報酬目当てに、シュンポシア・饗宴やディナーパーティで、踊ったり歌ったりしたのである。それらはイオニアの踊りと呼ばれ、ソフトでみだらな舞踊だったと言われている[38]。

ガデスの娘の踊りも、おそらくこうした、ギリシアの知識人などからすれば「堕落した」金銭目当てのプロフェッショナル化した、だがふしだらで、エロティックで、男性にはひどく魅力的な下層階級の踊りの流れを汲むものであったに違いない。

ローマが飢饉《ききん》のためすべての外国人を追放したときも、ローマの高官達は、ガデスの娘達、おそらく奴隷として買って来た歌い手や踊り手だけは、手元から離したがらなかったということである。このことからまた、踊り手や楽士、歌い手などの芸能集団が、アンダルシアからローマへと、買われて来ていた事実も知ることができる。

フェニキアの音楽を女々しいなどと評したプラトンの言葉も、聖なる祭礼の踊りの「堕落」「俗化」という事態を嘆く立場から発されたものと言えるかもしれない。

ローマでもてはやされたのは、ガデスの娘達の歌や踊りだけではなかった。もっぱら貴族や富裕な男達にはもてはやされていたというただし書きを、ガデスの娘の踊りには付けるべきである。その他の多くの人々、知識人や民衆は、何を好んでいたか。ローマではパンと見せ物と言われるが、ギリシア悲劇もまた、ギリシアに限らずローマでも、そしておそらくアンダルシアの地でも、民衆らの好むものであった。メリダの円形劇場については先にも触れた通りである。

プラトンの時代のギリシアでは、ソフォクレスによる「エレクトラ」「オイデップス」などのギリシア悲劇の上演が盛んであった。歌と踊りを担当する仮面をつけた合唱隊コロスが、「笛吹き」を指揮者としてドラマを説明し、役者は一人か多くて3人で進行していく形をとった。中心はコロスの歌や踊りだと言われている。コロスは、もともと雄山羊トラゴイ tragoiと呼ばれ、悲劇トラゴーディア（英語でトラジェディ）もそこから来ている。

そして本来は、ディオニソス大祭の行事の一つとして行われていたものである。

こうした荘厳で、格調高いギリシア悲劇に相対するものがギリシア喜劇であるが、こちらのほうは、農村の豊穣の祭礼に行われた身振りを伴う卑俗な歌と踊りの応酬に起源を持つ、抱腹絶倒の、猥雑きわまりないナンセンス不条理劇で、民衆のこれまた大いに好むものであった。

これらに対して、民衆の日常生活に大きな影響を及ぼす別の踊りもあった。ギリシアやローマ本国では、迷宮舞踊と呼ばれる踊りである。叙事詩『イリアス』を書いたホメーロスによると、鍛冶の神ヘファイストスが英雄アキレウスの楯の上でこれを踊ったという。

迷宮とは、発明家ダイダロスがクレタ島のミノス王のために造った最古の人工迷宮のことで、その中心には、王妃パシファイが産んだ怪物ミノタウロスが住み、年々アテナイから貢ぎ物として贈られる7人ずつの少年、少女達を食って生きていた。入ったら最後、誰一人出てきた者のないこの迷宮に入って、ミノタウロスを倒したのは英雄テセウスである。アポロン神への祈願とミノス王の娘アリアドネが贈った1本の糸のおかげであった。このアリアドネの糸を考案したのはダイダロスで、彼は、アリアドネに迷宮からの脱出方法を教えただけでなく、一つの舞踊も伝授した。ダイダロスは舞踊振付師の才もあったのだ。

その踊りは、夕暮れ時に少年少女達によって踊られ、迷宮の中の迷路を模した輪舞《ロンド》であったという。

ちなみにダイダロスは伝説上の名工で、造れなかったのは人間を産む機械だけだったというから驚異である。哲学者ソクラテスが「わが祖先ダイダロス」と言うのを、プラトンが『エウテュプロン』で書きとめているのは愉快である。またソクラテスの死刑執行を押しとどめ先送りしたのも、先のアポロン神の祭礼と迷宮舞踊だった。テセウスらを送り出すときアテナイ人達は、アポロンに誓いを立て、もし彼らが救われたなら、毎年デロス島（アポロンの島）に祭使を送ることを約束した。この約束にもとづいて、毎年デロス島への祭使派遣と、彼らが戻ってくるまでの長い日数のあいだ、死刑の執行は禁止されていたからである。

ギリシア人でローマの奴隷でありながら、知力で人生をくつがえし、ついにローマ最初の詩人となったリビウス・アンドロニクス[39]は、古代ローマのペルセフォーネの祭礼の踊りを伝えている。ペルセフォーネとは、農業の神デーメテールと神々の王ゼウスとのあいだに生まれた一人娘で、野原で花を摘んでいるときに、冥界の王ハデスに連れ去られた。ハデスとゼウスとの密約があったことを知った母は、ゼウスを嫌い、神々の国を去って、悲しみのあまり地上の神殿に閉じこもった。すると地上は草木が枯れ、飢饉が訪れた。困ったゼウスは、ハデスに娘を返すように頼み込む。ハデスは策略をめぐらし、ザクロの実をペルセフォーネに与え、地上に返した。彼女はザクロを四つ食べてしまった。冥界の食べ物を口にすると、地上に戻れない掟があるのも知らず。だから、彼女は4ヶ月を冥界で、残りの8ヶ月を地上で過ごすこととなった。母の悲しみと喜びは、冬と春を作った。こんな神話である。

このペルセフォーネ祭の踊りは、別名「ゲラノスの踊り」[40]と呼ばれ、舞踊者らが1本のなわを握って踊るのを特徴としている。踊り手達は、牛の左の角を置いた祭壇のまわりを、なわを引いたりゆるめたりして回転し、やがて渦巻き形の中心まで来ると、くるりと向きを変える。左は死の方向を意味するので、ここで生へ、再生へと向かうのである。このなわは、あのギリシアのアリアドネの糸のことだとも言われている。しかしこのなわには別の解釈もあり、ゲラノス・鶴の踊りとは、鶴のしぐさをもじった踊りで、鶴の群れ飛ぶ季節、つまりアリアドネの喪の式が営まれる秋の踊りであり、さらに鶴の飛行感覚そのものの擬似体験でもあろうかと言われている。超越世界への上昇運動を地上につなぎとめる命綱としてなわがあった。これについては、自動歩行症患者が、円形歩行の繰り返しの果てに脱魂状態を体験し、恐ろしい勢いで虚空《こくう》に吹き飛ばされる感覚が生じて、この世から振り落とされないように庭の生垣にしがみついたという観察報告があるそうだ。

死と再生というアポロン的迷宮舞踊は、アポロンの故郷デロス島を中心に広がっている。ところが、これとは別の迷宮舞踊もある。それは、迷宮的連鎖、輪の形をしていながら、中心には醜悪な嘲笑を浮かべた道化師が現れて、これがまやかしの中心であることを告げるのである。コミック（喜劇）の起源ギリシア語のコモス komos は、気まぐれに迂回する、という意味である。中心をめがける悲劇性は、絶えず喜劇によって迂回路にそらされる。悲喜劇の原型とも言える反語的な、黒い舞踊というべきものである。[41]

これらにくらべると、ガデスの娘の踊りは何と現世的で楽天的であることか。神話が伝えるデーメテールの悲しみによる冬枯れの光景と、現実にローマでしばしば起こった飢饉との符号、そして死と再生の祈りと踊り、そして挽歌、リノスの歌、また豊穣の祈りと踊り、そしてすべての苦しみや不安を忘れさせる世俗的な享楽の歌や踊り——。ローマでもアンダルシアでも、こうした多様な歌や踊りが入り乱れてなされていたと考えるのが妥当だと思われる。

さらにローマでは、円形競技場があり、剣闘士や戦車競争が市民の人気を博していたのであるが、A・グラバール[42]によれば、それも6、7世紀になるとあまり行われなくなり、代わって、熊やライオンの闘技が好まれるようになる。しかしそれ以上に市民に愛好されたのは、ペルシア服のエキゾティックな衣装を身にまとい、ハープ、フルート、リュート、ラッパ（角笛）を鳴らしながら、さまざまな曲芸や舞踊を見せる旅芸人の〝見せ物〟だったということである。その最古の証拠は、ローマのコロッセウムのテオドシウス帝（347〜395）のオベリスク台座の四面を飾るレリーフで、そこには踊り手や楽士が小さいながらくっきりと刻まれている。このような旅芸人の〝見せ物〟を示す美術品は、10〜14世紀を頂点として、ビザンチン周辺地域に広く伝わっているのである。彼ら旅芸人は、イタリア、フランス、スペインにも進出し、祝祭日や市の立つ日を選んで各地を巡演したであろうと、杉山二郎氏は『遊民の系譜』の中で述べている。そうであるならば、メリダの円形闘技場などでも同じように、ペルシア服の旅芸人の〝見せ物〟が行われたのであろうか。そして彼ら胡服の旅芸人は、インドからペルシアを通り旅してきたジプシー達ではなかったか。ともあれローマ期には、こうした幻人雑技の存在もあったのである。

楽器としては、ベティカのガデスの娘が使った、豊穣祭礼の踊り手の楽器から由来する金属製のベティカのカスタネットを確認することができる。ギリシア悲劇でもデリケートではない感情表現としてユーリピデスなどが使っている真鍮《しんちゅう》のカスタネットがあった。また、プラトンの著作の随所で、リュート・竪琴とキタラ（ギターの前身）についての記述がある。戦いの進軍のときにそれらを使った例もある。スパルタでは、進撃のラッパを吹き鳴らす代わりに、横笛の響き、竪琴、キタラを伴奏として進んでいったことをパウサニアス[43]が伝えている。気持を奮い立たせるよりも、静かな鏡のような心が大切とされたからである。リュクルゴス王は、そのため戦闘の前にミューズにいけにえを献じたとプルータルコス[44]が証言している。いけにえでそんな気持になれるのか理解しがたいところだが、スパルタでは初期の数百年間、テルパンドロス[45]、タレータス[46]らの音楽家や詩人、舞踊家が活躍したのである。彼らのミ音を終音とするドリア旋法は、ギリシア音楽の中心をなしていた。ともかく、キタラ、リュートなどは、ギリシア時代から大いに奏でられていた。キタラは、フェニキアにも存在したことをエゼキエルが伝えている。それらがベティカに伝えられたとしても不思議ではない。またスペイン各地で出土されたレリーフや壺に描かれた絵から、ローマ属領当時のフルート、角笛、トランペットなどの楽器の存在も知られている。

さて、古代の踊りや歌を研究していくと必ずぶつかる一つのアポリア、難問がある。テンプル・プロスティテューションの問題である。日本にもそれは存在していた。柳田國男《やなぎたくにお》、中山太郎の言葉を借用すると、「日本の上代には巫《カンナギ》にして娼《ワザオギ》を兼ねた〝巫娼《ふしょう》〟なるものが存在した」という表現になる。聖なる売淫と訳す人もいるが、私は、巫娼という言葉を使いたい。農耕時代初期に特有の行事であったとみられ、日本などのアジア一帯に限らず、地中海沿岸全域、ギリシア、ローマでも行われていた。

それは、豊穣の神を祭る神殿で行われる儀式の一つで、アジアを初発として、小アジア、シリア、フェニキア、キュプロス、トラキア、フリギア、北アフリカなどの地中海沿岸全域[47]に広がり、やがて、ヘレニズム文化圏内の諸都市やローマにも伝播する。ヘロドトスの『歴史』巻1、199[48]には、バビロンのアッシリアにおけるその風習についての以下のような詳細な記述がある。

アッシリアの女はすべて、一生に一度は、アフロディテ（アッシリアではミリッタと呼ばれる）の神殿に巫女として仕え、女神に対する奉仕を果たさなければならない。頭に女神とのつながりを示すひもを巻いて、神殿内に座り、多くの男達の物色の目にさらされる。男は気に入った女を見つけると、女の膝の上に金を投げる。金額は神聖な神への貢ぎ物であるから、いくらでもよい。「ミリッタ様の御名にかけて、お相手願いたい」と男が言えば、女は拒む権利もなく、最初に金を投げた男と交わる。それが女神への奉仕で、その後、女は家に帰ることができる――。

破廉恥きわまりない風習であるが、狭い同族社会の近親結婚の弊害を避けるための知恵だったのかもしれない。それは、原フェニキア人の町、シリアのビブロス市の同様の密儀が、外国人の男のみを対象としたことに、端的に示されている。

そして、投げ与えられた金が、その女の結婚資金となったと、カロル・ヘンダーソン・ハーディングは言っている。女の中には位の高い金持もいて、たくさんの侍女を従え、天蓋《てんがい》のある馬車で神殿に乗りつける者もいた。容姿に恵まれた女はすぐ帰ることができたが、器量の悪い女は長く待ち続け、3年も4年もいた例があるということである。

まったく悪習以外の何物でもない、と考えるヘロドトスは、すでに文明に毒された人間であった。

他の諸国にはあったが、ギリシアにだけは絶対になかった、と主張する研究家、S・M・バウなどもいるが、古代のいけにえの儀式と同様に、おそらく存在したと思われる。そのことについては、哲学者ソクラテスの証言[49]もある。ギリシアでは、巫女や巫子（男子）は巫娼や巫倡の奉仕も行う一方、別の儀式、つまりアルテミスやアフロディテなどの神々

 リノスの歌、迷宮の踊り、ベティカのガデスの娘の踊り、幻人雑伎など

を讃える合唱や踊りの奉納も行い、神聖だがエクスタシー・ダンスと表現されるような踊りが捧げられたのだが、その起源は、トラキア、シリア、フリギアなどの夜間に行われる狂乱の踊りだと考えられていることについては、すでに言及しておいた。

もちろん、テンプル・プロスティテューションは聖なる奉仕であって、こうした時代にも別に、プロフェッショナルな売春婦は存在していた。ローマでは妻をめとれない男のためのものであった。またストラボンが記述しているコリントスのアフロディテの神殿の奴隷ヒエロドゥーロイ（神婢）やヘタイラー（女友）男女約１０００人については、巫娼ではなく、神殿と市の収入源としてのそれであったという説もある。

豊穣祭礼の聖なる踊りも、貧しさゆえの金銭目当ての世俗の踊りも、踊る女達が背負う時代の闇の重みをずしりと感じさせる。したがって、痛みもなく「こんな踊りがあった」流の報告はしたくないので、おそらくはタブーの領域の事実ではあるが、あえて書きとどめておこうと考え、ここに記した。

4――西ゴート時代

フン族に追われ、西ゴート族が３７５年、ドナウ川を越えてローマ帝国領内に侵入する。これがゲルマン民族移動の発端である。キリスト教アリウス派びいきのローマ皇帝ヴァレリウスが、３７６年、ローマ領内に逃げてきた西ゴート人に対して、アリウス派への改宗とひきかえに土地を与えることにしたので、多くの西ゴート人がアリウス派に改宗した。彼らははじめローマの傭兵であったが、しだいに力をつけ、４１０年にはアラリック王に率いられ、ローマを制圧する。その後、西ローマ帝国と同盟関係を結び、西進を続けてガリア（フランス）に移動する。結局１００年ほどのあいだ、ローマ帝国領内を移動していたため、部族の指導者層はローマ文化になじむ者も多かった。

ローマと西ゴートの一時の緊張関係の隙をついて、東ゲルマン系のヴァンダル族、スエヴィ族、アラン族がライン川を越えてローマ領内に侵入し、ガリアを抜けてヒスパニアに侵入する。ローマ帝国は、彼らを同盟者とすることで事態を打開しようとした。ヴァンダルの一部、アスティング・ヴァンダル族とスエヴィ族はガリシア、アラン族はルシタニア、シリング・ヴァンダルは南のベティカに、ローマ帝国の軍団として定住する。一方西ゴート族は西ローマ皇帝ホノリウスと同盟を結び、蛮族の追討という任務を受ける形で、シリング・ヴァンダルを全滅させる。ローマ軍に追われたアスティング・ヴァンダルが南下しアンダルシアにたどり着くが、住民の反発などで安住の地でないとみるや、海を渡りモロッコへ移動してしまう。アラン族もほぼ駆逐され、スエヴィ族だけが南西部に残るのである。なお「アンダルシア」の語源である「アル・ヴァンダルス」は、のちにスペインを侵略するアラビア人らが、ヴァンダル人の土地と呼んだことに由来する。ヴァンダル族は名うての蛮族だったらしく、占領した土地のすべてを破壊し尽くし、商都として栄えていたセビージャも、カテドラルと教会を残し、焼け野原となったということである。

西ゴートのアタウルフがカタルーニャに王国を建てた414年から、イスラム教徒が侵入する710年頃までを西ゴート時代という。西ゴートは文化面では大きなものは残さなかったと言われているが、どうであろうか。

ゲルマン諸族の中で、フランク族などと違い、もっとも「文明化された」民族とオルテガ・イ・ガゼーが言っているように、西ゴート族は長年にわたり、ローマ帝国領内でローマ人と共存していたので、ラテン文化に触れ、ラテン語を話す者も多くいた。この言葉が、あっという間に西ゴート・スペインの言葉となった。もともとヒスパニア・ローマの住民は、ラテン語を共通語としていたのだから、両者はまず言語のうえで同調する。また、西ゴート王レカレードは、それまでの異端キリスト教アリウス派から、カトリックへと587年に改宗する。司教や貴族らもすぐ同調し、589年のトレドでの第3回教会会議で、内外にその旨を宣言した。当然西ゴート人とヒスパニア・ローマの住人とはさらに歩み寄り、西ゴート人の、最高度にローマ的であったヒスパニアへの同化が進んでいくこととなる。征服者のほうが住民に歩みよっていくのであるから、西ゴート人というのは妙な民族である。かつてローマ属領だったときのヒスパニアの人口は、ローマ帝国初期には1000万人くらいだったものが、ペストの流行や、民族移動の混乱によって減少し、当時は約400万人となっていた。それに対して、女、子どもを交えて約20万と推定される西ゴート人は、あえてヒスパニア住民側に歩みより、自分の王国をローマ的伝統の中で、つまりヒスパニアで実現しようとしたのである。ちなみに当時のアンダルシアの10歳から30歳までの死亡率は33%、中央高原地での15歳以上の人々の生存率は30%にすぎず、イスパニア全土の平均寿命は、有史以前とほぼ同様の20歳前後だったという。生きにくい時代だったことが偲ばれる。

　少数者の支配者である西ゴート人は、以前のヒスパニア・ローマの統治形態に乗っかり、統治の実質は旧ローマ官僚や貴族にゆだね、ただ軍事的実権と王座だけを握っていた。王位も血筋より実力を重んじていたため不安定で、暗殺や廃位がほとんどだった。政治・経済・司法組織で、地方貴族が王に対して優位にふるまっていたため、弱い王権をカバーするために教会組織を利用しようとしたが、かえって教会の力を増大させ、その国家権力への介入を許すこととなった。聖イシドロが主宰したトレドの第4回教会会議では、「同一の信仰、同一の王国により抱かれる私達みなのための同一の戒律、典礼、讃美歌をもって、全スペインの教会が結合される」と宣言されるが、これは教会会議が国内統一を担い、王は飾りだと言っているようなものである。またこの会議で、王の選出は大貴族と聖職者による選挙制とされ、以降、二つの勢力が絶えずぶつかり、政治はさらに不安定化していった。また、大土地所有の貴族と一般人の主従関係が助長され、市民生活は消滅し、社会は大きく封建化していくのである。さらに悪いことに、西ゴートの王殺しによる王位継承という忌《い》まわしい慣習が輪をかける。こうしたことが内的要因となって、やがてモーロ人にあっという間に敗北し去るのである。

ところで、ゲルマン人らいわゆる蛮族の侵入によって、5世紀から9世紀はじめまでのヨーロッパは知的衰退が著しい。教養のないことが貴族の誇りだとさえ言われていたから笑止である。それにくらべスペインでは、いくつかの図書館が多くの図書を蔵していた。トレドの図書館は、西ゴートの法的整備に大きく寄与し、やがて中世スペインに受け継がれることになる西ゴート統一法典が生まれることとなる。とくにセビージャの図書館は、聖イシドロ[50]の膨大な知識の集積を助け、百科辞典とも言うべき『語源誌』として実を結んだ。彼のその本のおかげで、中世にギリシア・ローマの古典文化がごっそりと伝えられることになったのである。文芸作品が一つも見出せないために、文化の闇のように言われる西ゴートであったが、人類の遺産とも言うべきギリシア・ローマの古典文化をのちの世に送ったという意味では、まことに大きなものを文化に残した、と言うべきである。

ところで、大司教で大学者のイシドロは、『語源誌』の中で、当時の結婚式のときの踊りや、楽器伴奏を伴った結婚の歌や、農夫が農作業を楽しくするために歌った恋の歌や、ギリシア時代以来使われていたキタラのこと、さらにあのガデスの娘達の踊りについても書き残している。また、先にも述べたが、５８７年のトレド教会会議の禁止事項にみられる死者を弔う歌と踊りのカディスでの流行という記述からも、ガデスの娘の踊りや、慟哭の挽歌「リノスの歌」が、あるいはその流れを汲むものが、この時代にもしぶとく民衆のものとして生き残り続けていたことを知ることができよう。ローマ時代そのままの民衆の文化の、根づよい活気に満ちた継続の様子が垣間みえる記述である。

また西ゴート族は、移動の中で東ローマ帝国を経て、ビザンチンの典礼とその聖歌をスペインにもたらしている。それはビザンチン的要素やローマ的要素などが複雑に入りまじったスペイン独特の聖歌で、現在一般に「モサラベ聖歌」（モサラベとは中世スペインを支配したイスラム教徒のもとにあったキリスト教徒のこと）として知られている。マヌエル・デ・ファリャなど、このビザンチン聖歌とフラメンコとの関係を重くみる研究家もいるが、それ自身、13世紀頃までに消滅してしまっているので、何とも言えない。声明《しょうみょう》の口伝《でん》であったために、その運命もいたしかたないものだが、その後釜が、ローマ典礼とグレゴリオ聖歌だと言われている。建築技術として、あの馬蹄形アーチも西ゴートからアラブへ伝わったものだという点は、蛇足ながら付け加えておきたい。

西ゴートは文学作品を残さなかったが、皮肉にもその「死」によって、死後に大きな伝説を作品として創り出している。美女フロリンダ、別名ラ・カーバの伝説がそれである。

あるとき、西ゴート最後の王ロドリーゴが、タホ河で水浴びする美女を目にした。それは王の友人で、北アフリカのセウタ総督ユリアヌス（フリアン）伯爵の娘フロリンダで、行儀見習のためトレドの宮殿に来ていたのである。前から彼女に好意をよせていた王は、彼女をもてあそぶ。それを知ったユリアヌスは激怒し、セウタに戻り、その城門をモーロ人に開いた。ムーサとタリクの先導により、ジブラルタル海峡を渡って進軍し、味方の裏切りなども要因となって、王は肩章帯と手袋を残したまま消息を断つ。その夜更け、宝石をちりばめた金色の鞍をつけた白馬が、いななきながらグァダレーテ河のほとりを駆け抜けた——。

アラブ側でも、9世紀のエジプトの歴史家イブン・アブディルハカム[51]（?〜871）から13世紀のモロッコ人イブン・イザーリ[52]まで、少しずつ変形しながらも、この伝説を伝え続けている。これに対してヒスパニア・ローマの人達は、西ゴートへのノスタルジーの視点から創作する。ルイス・デ・レオン師の『タホ河の予言』がその典型で、それらは、失われたスペインとその再生という一種の共同幻想的理念のもととなり、のちにレコンキスタの感覚的指導理念のようなものの下地となっていくのである。

5——モーロの時代

７１１年、北アフリカからイスラム教徒が侵入する。スペインのイスラム教徒のことをモーロ人と呼ぶが、そのモーロ人によるイスラムの時代がはじまる。モーロはもともとモーリタニア人の意味で、彼らがイスラム教徒だったところから流用されるようになった。タリク率いる約７０００人のイスラム軍の中心はベルベル人で、それにシリア人やイェメン人、西ゴートで迫害されたユダヤ人が加わり、それを少数のアラブ人が指導する形をなしていた。青い眼で紅い毛の白人種のベルベル人は、古来から勇猛で、ナイル川から大西洋までの海岸地帯、マグレブ地方とサハラ砂漠に根を下ろすハム語族に混合したセム語系部族だったので、ローマ人は、その話す言葉が理解できず、ちんぷんかんぷん、すなわちベルベルといい、部族名とした。

西ゴートの貴族達も戦いより講和を選ぶ者が多く、タリク軍は一挙にトレドに入城する。マグレブ総督ムーサも、セビージャ、メリダ、サラゴーサ、グラナダ、バルセロナなどの主要都市を制圧し、ピレネー山脈以南を支配下に置いた。

氷川《ながかわ》玲二氏によれば、ムーサは手土産として、膨大な戦利品と数千人の捕虜や奴隷と、西ゴートの王族400人を連れてダマスカスを凱旋《がいせん》行進しているが、謁見式で献上品を見たカリフ（イスラムの正統的指導者）は、戦利品2割の献上義務をごまかし着服したと立腹して、ムーサに死刑を言い渡す。巨額の罰金を払い死刑だけは免れたものの、この気の毒な80歳の老将軍はどこかで野たれ死にしたらしい。タリクも消息不明でおそらく同じ運命をたどったようだ。ムーサの息子アブデルアジズも、西ゴート最後の王ロドリーゴの未亡人と結婚し、アル・アンダルースの王のような存在になっていたので、ダマスカスのカリフは刺客を放ち、彼を殺害させている。権力とは恐ろしいものである。

ともかく最初は、東方のウマイヤ朝のカリフ領として、コルドバに首都を置き、アミール（太守）が統治したが、929年、アブドゥル・ラフマン3世がみずからカリフとなり、東のバグダッド、アッバース朝から離別し、西カリフ王国、後ウマイヤ朝として、イスラム世界を二分する勢力となった。首都コルドバは、当時西ヨーロッパ最大の都市と言われ人口50万を擁し、300ものモスクが建てられ、王立図書館の蔵書60万冊とヨーロッパ最高の大学コルドバ学院を持ち、学問の都としても大いに繁栄した。皇太子ハカム2世の家庭教師となる学者詩人アルカーリなど、多くの学者や文人が遠い国から集まってきた。ビザンチン修道僧ニコラス、ユダヤ人医師ハスダイらも翻訳学校のスタッフとして招かれた。彼らによって、アリストテレスなどのギリシアの古典がアラビア語訳されている。西カリフ王国滅亡後は、そのうち多くがトレドに移された。３００年後、そのアラビア語訳が、トレドの翻訳学派と言われる翻訳家集団によって再びラテン語やカスティージャ語に訳し直され、中世ヨーロッパの知識人に提供されることとなるのである。

ウマイヤ朝下の属州アル・アンダルースで人口の大多数は、西ゴート系キリスト教徒のモサラベとイスラム教に改宗したムワッラドであった。支配者側のアラブ人やベルベル人は少数派で、女性を連れず、軍人、兵士が主だったため、入植すると同時に地元の女性と結婚し、定着していった。その子ども達もムワッラドである。先のモサラベとは、アラブ化された者という意味で、イスラム支配下のキリスト教徒のことをさす言葉である。

モーロ人は、政治的にも、社会・文化的にも、宗教的にも寛容で、イスラム権力に従い人頭税などを支払えば、今までの貴族制の下での土地所有権と自治権、宗教の自由が認められた。ユダヤ人に対しても同様である。西ゴート時代の地方行政機構は継承され、それにモーロが軍事的権力として君臨するような形がとられたが、後ウマイヤ朝になると、大臣《ワジール》と侍従《ハージブ》を頂点とする行政機構が整備され、主要都市には腹心の家臣が配置されるとともに、ベルベル人傭兵やサカーリバを中心に軍事力も再強化されていった。サカーリバというのは、奴隷貿易などで得たスラヴ人をはじめとするヨーロッパ人奴隷のことで、スレーヴ slave という奴隷を意味する英語も、ローマ帝国末期以来珍重されたスラヴ族の奴隷が、そのまま普通名詞化されたものである。またこの奴隷貿易を担ったのがユダヤ人であった。さらに10世紀はじめには、徴税の方法も国家が直接行う貢納制に変更したため、ムワッラドの反乱などもあったが、やがて、ムワッラド貴族からアラブ人貴族への権力の移動が進んでいった。

１０３１年にカリフ家が倒れたあと、20〜30の小君主（タイファ）国に分裂し、抗争を続ける状態が続く中で、コルドバは没落する。代わってセビージャがイスラム文化の中心となり、さまざまな詩人を輩出する。セビージャは、ローマ時代には「ヒスパリス」と呼ばれ、ＢＣ45年カエサルが占領してから「コロニア・ユリア・ロムラ（カエサルの小ローマ）」と称されたが、イスラム語では「イシュビリヤ」で、それがスペイン語の「セビーリヤ」「セビージャ（アンダルシアなまり）」になったものである。この詩人の町セビージャを代表する詩人は、セビージャ王アル・ムタミドとその親友で宰相のベン・アマールである。王妃ルマイキーヤも詩作の力が認められて、女奴隷から身を立てたと言われている。アル・ムタミドは王でありながら優れた抒情詩人で、ウード（リュート）に合わせて歌った。その影響は民衆にも及び、彼がかつて征服したシルベス（今のポルトガルの町）では、市民の誰でも詩作ができるほどであった。詩作の大衆化によって、従来の長詩カスィーダより短詩が好まれ、セヘル（ザジャルとも言う）、ムワシャハが盛んとなった。これらはウードやマンドリンに合わせて歌われ楽しまれた。古典詩は、12世紀以降衰退していった。

詩作が盛んということは、当時においては、詩が創られ、音楽伴奏で歌われるということと同義であったのである。したがって、セビージャは音楽の中心地となるのである。12世紀なかばに、コルドバ出身の哲学者で医学者のイブン・ルシュド（ラテン名アヴェロエス、アリストテレス哲学の注釈書を著す）が、セビージャの師イブン・ズフルと両都市の比較論議をした際に、「コルドバの音楽家が死ぬと、その楽器はセビージャに持っていって売られるが、セビージャの学者が死ねば、本はコルドバに持っていって売られるようである」と論じた。この話をアル・マッカリーが伝えている。[53] この時代、書店もコルドバに出現している。

詩作好きの王らが、ベルベル人の新興改宗勢力（サハラのトゥアレグ族）アルモラビデ朝に倒されるのは時間の問題であった。アル・ムタミドとその妻子が捕虜としてサハラ砂漠に送られるとき、グァダルキビール川から出帆する船に向かって、雲霞《うんか》のごとき無数の住民が岸部に立って別れを惜しんだということである。宮廷詩人の一人だったイブン・ラバーナは、この別れの光景を感動的な詩に残している。アル・ムタミド達は、アフリカの奥地で極度の貧困のうちに病死したと言われている。伝説では、王は生涯足かせをされ、妻子は糸を紡いで生活を支えたというが、実際は、寛大な待遇を受けたとのことである。

アルモラビデ朝もやがて衰退していったとき、モロッコの新興宗団統一派のアルモアーデが、カディスに押し寄せる。また他方で、北方のキリスト教諸王国による国土回復運動（レコンキスタ）も盛んとなり、やがて、13世紀中頃には、アラブ勢力はグラナダ王国のみとなるのである。

先にも触れたが、西カリフ王国時代になってからのイスラム・スペイン文化のすばらしさは言うまでもない。古代ギリシア、ローマ、ペルシア、インド、中国などから優れた学問や知識が集められ、哲学、数学、化学、天文学、医学はては魔術まで含めて、中世ヨーロッパの中心をなすものであった。コルドバ、セビージャ、グラナダが次々と文化の中心地となって栄え、とりわけセビージャは、詩人の町、音楽の町として隆盛をきわめた。

セビージャの市民の日常生活については、12世紀初頭のムハンマド・イブン・アブドゥーンという一市民の記述が、よく伝えている。[54]

それによると、主な農作物は小麦、オリーブ、ブドウなどである。あらゆる商品に、イスラム法にはない商税を課したり、高額な税率をかけて税を取ろうとする役人の存在や、強盗、商品をごまかす商人などの詳細な描写もある。モスクにあふれる人の様子やスーク（市場）のにぎわい、浴場の洗い手いわゆる三助の存在や、民家があふれて墓地にまで進出したという記述にも、当時の町のにぎやかさがみてとれる。まだ橋のかかっていないグァダルキビール川を商品を満載した船の行き交う様子や、キリスト教徒からワインを買うために陶器の容器を持って川を渡る庶民の姿や、礼拝をさぼる銅器職人の姿、オカマ（ヒワー）の存在まで指摘されており、愉快きわまりない。

歌や踊りに関することでは、芸人や占い師が墓地で商売をしていることや、祭礼時や婚礼時には音楽家（ムルヒー）が招かれる点などが述べられている。ここに、歌や踊りが庶民の生活に根づいている様子をうかがい知ることができる。またモスクで子ども達にコーランや算数を教える教師が、食事以外は子ども達から離れることを禁止されているにもかかわらず、結婚の祝宴に出かけたり、遠くの葬式に出ることを理由に休む者が多いなどと非難もしている。怠惰という点で非難しているのか、婚礼や葬式を重んじていることを言いたいのか判断に苦しむところである。

コーランでは、音楽は女々しいもので、真面目な男子にはふさわしくないものとして、はじめは蔑《さげす》まれ規制されていた。しかしやがてそれも緩和され、宮廷の宴でも、都市の富裕階層の私邸や庶民の婚礼時などでも、音楽や歌や踊りは恒例のものとなっていった。東のアッバース朝では、8世紀末から9世紀はじめの3代のカリフ、すなわちハルン・アル・ラシッド、アル・アミン、アル・マムーンの時代に、音楽や踊りは最盛期を迎えている。ハルン・アル・ラシッドは、1000人の奴隷に宮廷の宴で歌わせていた。アル・マムーンは、20人のビザンツの女奴隷にギリシア風の装束を身にまとわせ、彼女らの歌い踊るビザンツの歌や踊りを楽しんだということである。イブン・サダカという当時の歌手がそのように記録している。バグダッドなどの大都市の富裕な市民も同様に芸に秀でた奴隷を所有していた。

アル・アンダルースでも同じである。初期には音楽や踊りは、奴隷や下賤の者の仕事とみなされ軽蔑されていたものが、やがて、女子の情操教育として取り入れられ、位の高い女性の中には、私邸に音楽学校を持つ者も多かった。アブドゥル・ラフマン1世は、オリエントから女性の歌手やリュート奏者をコルドバの宮廷に呼びよせている。アブドゥル・ラフマン2世に至っては、メジナの音楽学校から呼び寄せた3人のオリエントの女歌手にほれ込んで、宮殿に彼女達専用の特別室を造らせたりしているほどである。その中の一人は、かつてのカリフ、ハルン・アル・ラシッドのバグダッド育ちの娘であったそうである。ともかく9世紀中頃のアル・アンダルースでは、オリエントと同じ歌が歌われ、同じ楽器（リュートなど）が奏でられていたのである。

　こうした例にもみられるように、歴代カリフやモーロの貴族達は、競って歌手や楽士を抱えるようになり、彼らを東方から呼び寄せることも多かった。イスラム・スペイン最大の音楽家と称されるシルヤブ[55]も、そのうちの一人である。メソポタミア生まれのペルシア人であった彼は、色黒の肌と甘美な声の持ち主であったところから「黒い鳥（シルヤブ）」と呼ばれた。1万曲もの歌を知っていたと言われ、コルドバにはじめての歌の学校を開き、またリュートの改革をしたなどという記述からみて、彼の音楽がスペインやイスラムの音楽界に影響を及ぼしたことに間違いはないはずであるが、彼の音楽についての記録はない。ただ想像するしかないのが残念である。リュートに関しては、モーロのリュート（アル・

ウード）の影響を受けて、キリスト教スペイン社会でもリュートが大いに流行したと言われている。

先にも触れたセビージャ王ムタミドのように、自分自身も詩人として名を馳せた貴族もいたほどに、音楽は、モーロ人の生活に欠かせないものとなっていた。ムタミドは、戦いの合間にトリアーナ地区へと舟橋を渡り、雑草しげる河原で家臣のベン・アマールと朗々とした声で歌を唱しあったということである。

6――ムワシャハ、セヘル、ハルチャなど

イスラム統治下のアンダルシアの歌については、ムワシャハとセヘル、そしてハルチャの流行が挙げられる。

ムワシャハは、9世紀末、あるいは１０４2年頃の説もあるのだが、コルドバ近くの町カブラ生まれのモーロの詩人、モカダム・デ・カブラ[56]が創り出した詩型である。それは短詩を連ねた長編詩で、古典アラビア語が用いられた。

氷川《ながかわ》玲二[57]氏によると、当時スペインのモーロ人の家庭では、俗ラテン語を話すモサラベの現地女性を何人も雇い、乳母や子守り、奥女中、料理、掃除、洗濯など、家事のすべてをまかせていたということである。彼女達は、みな下層階級の貧しい家の育ちのために、アラビア語を知らないか、また知ってはいても、口ずさむのはやはり、幼い頃覚えた自分達の言葉、俗ラテン語の子守歌や恋歌である。

そういう女達に囲まれて育つうちに、モーロの子ども達の記憶の底にはそうした歌の断片がたまり、いわばすり込みのような作用で、青年になってからふと思い出したときには、ラテン語を勉強していなくても、歌の意味はもちろんのこと、微妙な余韻や情趣までよくわかる。それには独特の味と香りがあって、その味や香りをとどめようと、くだんの詩人がひどく風変りな詩型を発明した。それがムワシャハで、古典アラビア語の長歌のあとに、俗アラビア語か俗ラテン語、いわゆるロマンス語によるハルチャという短詩の折り返し句が付いていた。モカダム後のムワシャハの作者の中には、ユダヤ人もおり、ヘブライ語での詩の例もあるようである。
ハルチャは、先ほどの子守歌や恋歌のような、当時のアンダルシアの民謡そのものの借用か、あるいは詩人がそれを模倣したものらしく、簡素でひなびた歌、とくに恋の歌が多く、10世紀から12世紀にかけて大流行した。

セヘルは、ホセ・ガルシア・ロペス[58]によると本来はカスティージャ語による遍歴芸人（フグラール）の詩型だということであるが、11世紀頃にアンダルシアに現れる。ムワシャハに影響を受けたという人もいるが、ともかくセヘルは、ロマンス語まじりの俗アラビア語を用いたより民衆的な詩型で、作者としてはアベン・グスマンなどの名が残されている。

ムワシャハもセヘルも、ともに人々に歌われるための詩で、とくにセヘルは、リュートやフルート、タンバリン、カスタネットなどの伴奏つきで歌われたり、また踊られたりもしたと言われている。

当時のアンダルシアの民衆の歌を源泉として創り出されたムワシャハやセヘルは、今でもインドや北アフリカのモロッコ、アルジェリアなどで歌い継がれている。それらの歌が持つ非西洋的旋法や、細かいリズムパターンの繰り返し、静と動の歌い分け、東方的な声の感じなど、フラメンコとの類似性が感じられるが、リズム、メロディの一致というまでは至っていないと言われている。また、詩型のうえでフラメンコとはまったく異なっており、のちにその風変りな詩型は、16世紀頃から盛んになるクァルテータやセギディーリャに押されて、やがて消え失せてしまう。しかしハルチャの中には、フラメンコの短詩と同形のセギディーリャ形のものがあり、またその素朴さからも、フラメンコを思わせるものと言えなくもないというのが定説である。

ともあれ、これらの歌、詩型は、モーロ時代のアンダルシアの民衆の歌の豊かさを偲ばせるものである。

中世後期には、スペインの各地でモーロ人の楽士が重宝されたという記録も数多く残されている。たとえば、１２９３年、カスティージャ王サンチョ４世の宮殿で年金をもらっていた楽士、芸人27名のうち13名はモーロ人ないし異教徒だったということだ。あるいは、１３３７年、アラゴン王に名指しで請われるラベル（古いヴァイオリン）弾きのモーロ人、アリ・エシグアの例などもあり、アラゴン王の、ハティバの町に宛てた手紙が残されている。

イスラム側の記録も残されている。１０６４年のものであるが、それには、あるキリスト教徒の王が捕虜のモーロの女の歌に聴きほれて、言葉も知らないのに心を奪われ、身代金をいくら積まれても彼女を返そうとしなかったということが書かれている。――史上最初の本格的な十字軍と言われる1064年のアラゴンの城壁都市バルバストロをめぐる戦いのときのことである。これに参加したフランク勢の総大将アキテーヌ公ギョーム8世は、何ヶ月も続く包囲戦のある日、退屈しのぎに、捕虜として奴隷にしたイスラム女性をかり集め、アル・アンダルースで流行っている歌と踊りをやらせてみた。するとそれはすばらしいものだったので、公は病みつきになってしまった。戦後引きあげるとき、歌や踊りの達者な若い女奴隷ばかり何百人かを選び、戦利品の一部としてアキテーヌまで連れ戻った。その後彼の宮廷では、彼女らの歌声が朝な夕なに響き渡った。彼の息子はそれを聞いて育ったおかげで、のちにフランス最初の吟遊詩人となった[59]。これはポワティエ伯ギョーム9世のことで、恋愛詩ばかり歌ったという。奴隷となった娘達の父親の一人が、娘を返してもらおうと、ユダヤ商人を使者としてアキテーヌ公に高価な織物を贈ろうとしたが、それを受け取ろうとはせず、彼はきっぱりとこう言った。彼女の歌は、私にとって何物にも代えがたい楽しみだから、たとえ全財産を積まれても手放さないと。――バルバストロ時代を回顧する記録の中の一節だそうである。

このアキテーヌ公を魅了してやまなかったモーロの女奴隷の歌は、当時アル・アンダルースで大人気のハルチャだったと思われる。それを聞き育ったギョーム9世が、恋愛詩を得意としたということからも明らかである。

　ハルチャという詩型が文献上で確認されるのは、第二次大戦後のことで、言語学者の偶然が幸いした発見である。

　さて、セヘルの14世紀最高の代表者は、イータの大僧正、ホアン・ルイス[60]である。彼の1700連以上からなる長編詩は、現代になって『よき恋の書』と名づけられたのであるが、セヘルが多く用いられ、きわめて民衆的な語り口となっている。その中に、「それから私は、踊り歌、ちまたの歌を作ったのです。ユダヤ人、モーロ人、また戯《ざ》れ女のために」という一文がある。ちまたの歌というのは、踊りもし、歌いもされたセヘルのことだと解釈されるが、それとは別に「ちまた」を街角や広場と考えると、中世スペインの「カスゥーロ」、つまりアラビア語の「きたないQuadzur」から出て、街角や広場で低級な歌、でたらめな詩を歌い歩く辻音楽士のことをさす言葉だが、そのカスゥーロ達の歌のことなのかもしれない。

　では、モーロの楽士や踊り手を抱えたスペインなどの貴族達や、ちまたで民衆をおもしろがらせたものは何か。

おそらくそれは、古代から地中海沿岸全域に広がりをみせる、ミ音を終音とする「ミの旋法（エル・モード・デ・ミ）」[61〜65]の原初的・野性的な旋律と、メリスマという細かい記譜できない装飾音に飾られた小節《こぶ》しまわしの技法が醸し出す東洋的な響きだったはずである。モーロ人の故郷も、アンダルシアも、いやイベリア半島全体も古代からその地中海圏内にあり、互いに強く影響しあってきた。先にも述べたギリシアの「リノスの歌」も名称は異なるが、同じ一つの嘆きの旋律として、古代から地中海沿岸全域で歌い継がれていたように。また、シルヤブもペルシアからやってきて、1万曲もの歌をアンダルシアの人々に教えた。モーロの芸人達はとりわけそうした古代的な、東洋的な響きの歌が達者だったので、王や民衆に好まれたのだ。それだけではない。王や民衆は、すでにその響きを知っていた。それは、慣れ親しんでいる、彼らにとっても祖先から伝わる民謡の響きにほかならない。耳になじむ。だから抵抗なく受け入れられたのだ。懐かしさとともに。このように考えるのが自然であると、私には思われる。

カンテ・フラメンコの調性、旋法も、技法も同様であることを書き添えておく。

さて、レコンキスタの波の中で、グラナダが、カトリック両王すなわちアラゴン王フェルナンドとカスティージャ女王イサベルの前に陥落した１４９２年、スペインはキリスト教の統一国となる。

しかし、モーロ人の文化の影響はスペイン文化に強く残り続ける。また、一部アラブ人の支配者層を除いて、多くのモーロ人は優れた職人であり、商人であり、農民であったために、当初はかなり寛大に扱われた。そのせいか、モーロ人は大部分がスペインにとどまっている。その呼ばれ方も、ムデハル（在留アラブ人）から、モリスコ（ちびモーロ、洗礼は受けたが同化の困難なモーロ人）へと変わった。

１６０９年になると、モーロ人の徹底的な追放の方針がとられる。そのとき約20万人が国外退去したのだが、それでも彼らモリスコの何割かは、アンダルシアの町々の場末などに隠れ住み、まだ定住して日の浅いジプシー達と、下層階級同士、密接な関わりを持ったと言われている。のちのフラメンコの芽生え時代に、ジプシー達が習い覚えた「アンダルシア民謡」というものの中の一つが、そうしたモーロ人によって歌われる、いにしえ風の、東洋的な響きの歌だったという想像も可能である。

それは、ジプシー達がはじめて聞く歌だったであろうか。やはり、そうではあるまい。ジプシーの長い漂泊の旅の中で、ギリシアにはかなり長期間、おそらく２００年あるいは見方によっては１０００年以上とどまっていたという点について、すでに第二章で述べておいた。彼らの言葉にギリシア語が多く入り込んでしまうほどまで長い期間。言葉だけを彼らが借り入れたわけがない。音楽や、歌や踊りは、もっとすみやかに取り込まれたはずである。あの「リノスの歌」も同様であろう。ただしまだずっと素朴な形で。そして彼らがアンダルシアに定着する中で出会ったものは、王達をも虜《とりこ》にするほど圧倒的に成長した音楽や歌などであった。成長に寄与したのは卓越的な芸人モーロ人である。ジプシーにも、なぜか懐かしい、違和感のない、しかも圧倒的におもしろく味つけされたそれに、音楽や歌や踊りこそが自分達の言葉とさえ言えるジプシーが、触発されないはずがない。懐かしい、自分達も血の中で知っている悲痛な旋律のあの歌。運命を嘆く宿命の歌を、もっともよく歌いうるのは、ミューズのほかにはジプシー以外にありえない。ジプシーの気分にそれこそぴったりの種類の歌が、いわば彼らを待っていた。歌い競い、カンテ・ヒターノ、カンテ・ホンドのシギリージャへと高まっていくのに、さほどの時間は必要としなかったであろう。

おそらく踊りについても、同様のことが考えられるのではないか。聖イシドロの時代に禁止されたあの葬式の嘆き歌が踊られてもいたということを考えると、そのまま廃《すた》れたはずがない。ジプシーの風俗や踊りを禁止したフェリペ４世の１６３３年の布告の頃も、踊り継がれ、味つけされていたであろう。だから踊りもあったと言えるかもしれないと、想像力をかき立てられはするが、踊りほど記録されえないものはないので、言えることはここまでである。

7――ユダヤ人

青銅器時代のことであるが、パレスティナでは、ヘブライ王国のソロモン王がフェニキア人のアンダルシア開拓事業に出資し、大量の銅、錫《すず》、金、銀などを入手していたことは、すでに述べた通りである。

ヘブライは、その後イスラエルとユダに分裂し、前者はＢＣ７２２年にアッシリアに、そして後者はＢＣ５８６年バビロン（ネブカドネザル王）に滅亡させられる。またフェニキアのティロも同年ＢＣ５８６年に衰退してしまう。このとき、亡命するフェニキア人のあとを追って、一部のユダヤ人も北アフリカのマグレブ地方やアンダルシアの港町に亡命先を見出した。さらに、ローマ帝国で迫害されたときには、もっと多くのユダヤ人が先の人々のあとをたどるのである。

西ゴートもユダヤ人を迫害したので、彼らは北アフリカに逃げていった。

8世紀、イスラム軍がジブラルタル海峡を越えてアンダルシアを征服して以降、マグレブ在住のユダヤ人が、機会あるごとに海を渡って移住し、トレド、ブルゴス、コルドバ、セビージャ、グラナダなどの諸都市に、有力なコミュニティ、居住地（フデリーア）を形成する。ＢＣ10世紀以降、このように波状的にアンダルシア、イベリア半島に移住してきた（そしてその後スペインから追放されていく）ユダヤ教のユダヤ人達は、セファルディ・ユダヤ人と呼ばれ、カスピ海地方のカザール王国（７００〜１０１６）のカザール人（白人）を源とするアシュケナージ・ユダヤ人と区別されている。カザール人は、ビザンツ、キリスト教国と、サラセン、イスラム国に圧迫されて、突然、どちらでもない第三の宗教ユダヤ教に改宗する。その時点では、ユダヤ教徒カザール人であるにもかかわらず、なぜかユダヤ人を自称する。その後、チンギス・ハーン軍に追われて、今のロシア、ポーランド、ドイツなどに亡命していく。のちの1948年に今のイスラエルを建国するのは、このアシュケナージ・ユダヤ人のほうである。自分達の国ができたと喜び、セファルディ・ユダヤ人もイスラエルに戻り着く。しかしそこには、自分達とは異なる起源の、自分達が知らない人々がいた、というわけである。セファルディは、イスラエルの下層民だそうである。

それはともかくとして、西ゴートの首都となったトレドは、ユダヤ人が建設したと言われている。一般的には、BC190年頃、ケルト・イベロ人を征服したローマ人が再建し、トレトゥムToletumと命名したのが語源と言われているが、ほかの説によれば、ヘブライ語のTholedoth（世代の複数形）に由来するとも言われる。また、スペイン民謡の中に痕跡を残すグレゴリオ聖歌は、ユダヤ聖歌の影響が大きかったと言われている。

モーロ人は、異教徒に対して寛大だったことはすでに触れたが、コルドバ王国のイスラム政権下では、ユダヤ人は協力者とみなされ、活動領域を大きく広げていた。

しかし、11世紀後半の偏狭なアルモラビデ、アルモアーデ支配下では、一転迫害され、教会も居住地もすべて破壊されてしまう。そこでユダヤ人は、キリスト教徒のレコンキスタに期待し、歴代カスティージャ王のアンダルシア侵入に積極的に協力し、財政をまかせられる者も出たりした。しかしながら、政情不安や、経済不振、悪疫の流行などの不安な時代になると、決まってユダヤ人に民衆の憎悪が向けられる。一カトリック僧のデマに煽られた1391年のセビージャ、サンタクルス街のユダヤ人大虐殺を皮切りに、迫害は、バルセロナ、バレンシアまでに及ぶ。虐殺を免れたユダヤ人の、北アフリカや、バルカン半島のテッサロニキ、コンスタンチノープルなどへの亡命があいついだということである。

こうしたとき、うわべでは改宗に同意しつつも、心の中ではユダヤ教を保持していたコンベルソ（改宗者）もいた。

この迫害のあと改宗者の多くは、貴族との縁組みなどを通して、以前は拒まれていた司法、行政、軍隊、大学、教会などでの職業に進出し、高い社会的地位を得ていったのである。これに対する嫉妬と隠れユダヤ教に対する嫌悪から、ユダヤ人以外の民衆は、改宗者を悪意を込めて「マラーノ」と呼ぶようになる。マラーノとは、カスティージャ語の「豚 marrano」あるいは、アラビア語の「禁じられたmahran」が語源と言われているが、豚野郎といった感じの蔑称である。

1492年、カトリック両王はグラナダを陥落させると同時に、ユダヤ人の改宗さもなければ追放の令を出し、キリスト教に改宗しないユダヤ人は国外追放するという方針を打ち出した。改宗に同意しないユダヤ人は、大半が北アフリカのモロッコなどのイスラム諸国に亡命するが、ベルギーやギリシア、バルカン半島、トルコ方面へ移住していく者もあった。亡命者の数は15万人とも、あるいは10万人を超えなかったとも言い、諸説がある。

この同じ年の夏には、コロンブスが西回りでインドをめざして、3隻の帆船でウェルバの小さな河港パロスをひっそりと出航しているが、セビージャやカディスの大きな港では、3月のユダヤ人追放令で亡命を選んだユダヤ人達を、モロッコやトルコに向けて送り出すあわただしさが続く中、コロンブスなど話題にもされなかったということである。また、そのコロンブスの船のかたわらには、亡命難民ユダヤ人達の小さな船団があったとも言われている。

このときに改宗を選んで残ったマラーノは約5万人であった。以前の虐殺のときのコンベルソ10万人余と合わせて、約15万人のユダヤ人が残ったということになる。その10万余のコンベルソは、すでに社会的地位を得ていたから、この時点での追放の経済的影響は、それほどではなかったとする説、いやそうではないとする説の二つがある。その後、マラーノに対する異端審問は厳しく、絶えず繰り返されている。

ところで、北アフリカ、バルカン半島、ギリシアなどに移っていったスペイン系ユダヤ人、セファルディのうち、バルカン半島に住むものはペテネーラという曲を伝承している。とはいえ、彼らがスペインを追放される１４９２年以前からそれを知っていたのか、18世紀以降スペインの流行歌として逆輸入されたのかは判然としない。

しかし、サライェヴォ（ユーゴスラビア）のセファルディ、Ｅ・アビヌンが歌う「セファルディの歌」の中に、スペイン各地の民謡と対応できるような数々のメロディがあり、とりわけフラメンコそっくりなものもあるとする浜田滋郎氏[66]の指摘は傾聴に値するものがある。もしそうなら、15世紀頃のスペインにフラメンコ風のものが存在した、という物証になるからである。今後の研究を待ちたいものである。

これらとは別にもう一つ、１４９２年から16世紀中頃にかけて行われた新大陸の発見と征服についても、みておく必要がある。コロンブスのアメリカ大陸への到達後、１５３２年から、フランシスコ・ピサロのペルーやブラジルの征服が開始される。国王自身は、臣民とみなすインディオの奴隷化を禁止したのだが、実際には、征服者の苛酷な植民地経営が行われている。そして新大陸との貿易も盛んとなる。輸出は毛織物、輸入は貴金属

が主で、貿易港の経由地としてセビージャやカディスが、大いに栄えていた。したがって、
それらの都市に中南米の音楽も伝えられることになったのである。

8――フグラール、ロマンセについて

ところで、中世のフグラール遍歴芸人についてはもう少し詳しく考えてみる必要がある。本来、彼らが用いたカスティージャ語の詩型が、アンダルシアでは、俗ラテン語、ロマンス語と俗アラビア語の入りまじったもの、セヘルとして現れる、という点については先にみたが、今論ずるのはその詩型や用語のことではない。彼らフグラールの作品の創り方のほうである。

彼らの作品は、作者不詳で、作品の原型も不詳というものが大半である。たとえば、

英雄エル・シッドの死（１０９９年）から40年後つまり、１１４０年頃に書かれたと言われる『わがシッドの歌』[67]という有名な武勲詩でさえ、作者が知られていない。メネンデス・ピダルの推測によると、最初は、サン・エステバン・デ・ゴルマスのあるフグラールがこの作品を創作し、引き続いてメディナセリの別のフグラールがこれを継いだ。この詩は約４０００行の、不規則な詩型による韻文でできており、詩は大ざっぱな旋律に軽く合わせて歌われたらしいということである。[68]

カスティージャのフグラール達は、すでに10世紀頃、いくつかの武勲詩を朗誦《ろうしょう》していた。これらの歌は、町の広場で民衆相手に朗誦され、教養の低い民衆に合わせて、素朴で簡潔な、しかも表現力ある言葉が使われている。しかしその作品の大半は消滅し、作者の名前も不詳のままである。彼らの文芸が純粋に口承的なものだということもあるが、次のような経過をたどる点のほうが、理由としてはより重要である。

ホセ・ガルシア・ロペスによるとこうである。まず、あるフグラールが、民衆の好みの題材をとって、一つの詩を創り上げたとする。そしてそれが完全な成功を収めたとすると、この作品は末長く人々にもてはやされるわけであるが、しかしそのままの原型では残されない。ほかのフグラールらによって、次々と手を加えられ、もっと豊かな型で継承されていく。つまり、改作に改作が重ねられるわけである。こうした改作者達は、原作品を、すべての人々の共有財産とみなしたうえで、新しい言いまわしを取り入れたり、趣向を凝らしたりして、作品を編み直す。その結果、作品の原型とともに原作者の名前も忘れ去られてしまうことになる。

要するに、原作品を人々の共有財産として、より良いものへ作り替え、練り上げていく共同作業という考え方であり、そういう創作方法なのである。

前述のアリ・エシグアがいたバレンシアのハティバのモレリーア（モーロ人の居住地）から、中世後期に、多くのフグラールが出たことも知られており、彼らもまた、改作という共同作業によって創り上げられた作品を、語り歌い、ときに踊って、民衆を大いに喜ばせたことは明らかである。

原作を改作して、もっと良いものにしていくという方法論は、まさしくジプシーのフラメンコの歌や踊りの作り方ではないか。ジプシーの改作のうまさには天才的なものがあることは、誰でも知っていることである。

こうした独特な創り出し方、創作方法論という点で、フグラールが直線的にジプシーとつながる、という点は大変重要なことであり、またこの方法論に対して「盗作」などという見当はずれなことは言わず、結果としての最善の作品を楽しむというカスティージャやアンダルシア流の度量の広さ、人間性の柔らかい豊かさも特筆すべきものと、私は考えるのである。

なお、この改作による共同作業というフグラール流の創造方法は、スペイン文学にも強い影響力を及ぼし、ホセ・ガルシア・ロペス[69]によって、カスティージャ文学の一大特色をなすものと言われるに至っている。そのことは、たとえばセルバンテスのあの有名な趣向に端的にみてとれる。

彼は、ドン・キホーテの原作者であるにもかかわらず、シーデ・アメーテ・ベネンヘリというモーロ人の歴史家が本当の原作者で、自分はその第二の作者、つまり改作者にすぎないというフグラール的虚構を取り入れて、さらに作品に妙味を付加したのである。ちなみにシーデ・アメーテ・ベネンヘリという名前は、「トレドの住民ハミッド殿」という意味だそうだ。なかなかの曲者《くせもの》である。

武勲詩が盛んであったのは、レコンキスタが盛り上がりをみせる10～12世紀のことであった。やがて時が経つにつれて、フグラールの叙事詩は内容的にも詩型的にも変化していく。今、この場所で成し遂げられた武勲という局地的臨在性は薄れ、過去の英雄なども取り上げられ歌われるようになる。また、聴衆はフグラールに対して、自分達の好みの部分だけを何度も繰り返すよう要請し、そのうちに自分達自身で覚え、歌い伝えるようになっていく。従来の叙事詩から切り離された断片が、脈絡なく、個々人の趣向で歌われながら、「ちまたをひとり歩きする」[70]こととなる。武勲詩が変質し、一人歩きしはじめたものがロマンセである。起源は14世紀で、ロマンセという呼称が定着するのは15世紀後半というのが現在の定説である。

ロマンセという言葉の由来は、元来、俗ラテン語のromaniceで、ラテン語から派生した諸言語の総称であった。やがて、ロマンセのうちの初期スペイン語による物語のことも、ロマンセと呼ぶようになったのである。そうした事情を示す記録の一つが、1448年の『ストゥニガ歌謡集』[71]である。詩型は短詩型で、1詩行8音節二つ、偶数行ごとに類音韻を踏む。イベリア半島における最初の抒情詩は11世紀と認められているが、14世紀頃には盛んに創作されるようになる。その影響を受けて、ロマンセも、叙事詩タイプ、抒情詩タイプ、中間のもの、の3種類が歌われている。モーロのロマンセは抒情詩である。

フグラールが絶えたあとも、民衆が口承で歌い続け、やはり改作に改作を重ねる共同作業でロマンセを育て続ける。のちの1840年頃セビージャで催されたジプシー達のフィエスタにおいて、初期フラメンコ時代の名カンタオールと言われるエル・プラネータが歌ったロマンセも、このように民衆が共同で育み残したものにほかならない。

9——ミの旋法と「リノスの歌」

これまでみてきたように、スペイン、アンダルシアには、古代から入り乱れ、複雑に錯綜する民族や文化の歴史があった。こうした歴史に沿って、今までさまざまなフラメンコの起源説が提出されてきている。すなわち、フェニキア人起源説、ペルシアの放浪詩人が東方の歌を伝えたというマリウス・シュナイダー[72]の説、ファリャの提出した西ゴートのビザンチン聖歌説、また、カンテ・フラメンコのカンテ・ホンド（深い歌）のホンドはユダヤ語の「祭日」を意味する「ホン・トム」から来たというユダヤ人起源説——イポリット・ロッシも、ペテネーラの歌詞に"シナゴーグ"という言葉が使われていることを理由にこの説を主張する一人である――や、さらにモーロ人起源説などである。それぞれいくばくかの理は含まれながらも、決定的な説とはされていない。ただモーロ人起源説だけは、かなり最近まで一種の常識のようにみなされていた。モーロの音楽の中に、フラメンコとの明確な類似性をみてとることができたからである。すなわち、非西洋的ミの旋法（エル・モード・デ・ミ＝ミ音を終音とするメロディの調性、音階）、メリスマ（小節《こぶ》しまわし）、母音歌唱（アーイとかレレレ……など）、リズムパターンの複雑で細かい構造、受け手（観客や聴衆）の手拍子やかけ声でムードを高めるやり方などの諸点の同一性である。

確かに、モーロの音楽には、そうした特徴があることは事実である。その点に依拠して、アラビア研究家のフリアン・リベーラ[73]や、音楽学者のマルティネス・トルネール[74]などは、中世にアル・アンダルースを支配したモーロ人が、ミの旋法をアンダルシアにもたらしたと考えた。そしてこの主張は、20世紀前半の研究家に大きな影響を与えたのである。さらにトルネールは、ミの旋法がアンダルシアからスペイン全土に広がったと考えた。

しかしその後、こうしたモーロ説は、ラレーア[75]や、ドノスティーア[76]、ガルシア・マトス[77]などの民俗音楽研究家達によって反駁《はんばく》され、覆《くつがえ》されるのである。彼らはまず、子守歌や農作業歌などの丹念な採譜によって、スペイン民謡を際立たせる特色がまさにミの旋法にあることを実証した。そしてその作業を通じてスペイン全土にミの旋法の民謡が数多く存在することを認めながらも、モーロが起源だという仮説は決定的明証性に欠けていることを明らかにしていった。

たとえばラレーアは『ラ・カンシオン・アンダルーサ（アンダルシアの歌）』の中で、次のように述べている。

「この旋法は、アンダルシアだけのものではなく、またスペインの占有物でもない。まさしく地中海沿岸一帯の共有物なのだ。アラビア人は、このうちただスペインと、若干の間シシリーなど南イタリアの小部分を領有したにすぎない。ギリシアやその他、のちにイスラム教に支配された国々は、アラビアではなく、トルコに征服されたのである。ミの旋法が、そうした国々にまで、アラビア人によって伝えられたことなどありえない」

「ドノスティーア神父（1886～1956、作曲家でミの旋法の研究家、筆者注）によると、ミの旋法は古いロマンセ、子守歌、とくに労働歌に見出されるという。とくに子守歌と労働歌が、民謡の中でもっとも変わらず伝承されることは、すべての音楽研究家が認めている。また注目すべきなのは、アラビア人が、制圧した他の諸国同様、スペインでも労働には従事しなかったという歴史的事実である。彼らは少数の支配層をなす軍人で、農耕はイベリア半島の土着民かベルベル人にまかされた。子守歌や農作業などの仕事と結びつく民謡が、仕事自体と関係ない人々によってもたらされたと考えるのはむずかしいだろう。少なくとも理屈に合わない」

ギリシアなどのアラブ勢力が支配しなかった諸国にもミの旋法が伝播していること、さらにスペインでもモーロは単に軍事面に関わっただけで、農耕などの仕事に従事しておらず、したがって労働歌など伝えるとは思われないことからも、モーロ起源は明らかに否定されるべきものと言うことができる。実際にアル・アンダルースで労働にたずさわったベルベル人の民謡は、ミの旋法とはまったく異なるタイプのものだということである。またモーロの王らが東方やビザンツの音楽家、歌い女を好み、支配層をなすモーロの家の子は、アル・アンダルースの土着民の女らの歌を聞いて育ったという点についてもすでに触れた。

次のラレーアの一文も重要である。あらゆるミの旋法の民謡が、アンダルシアから全スペインに広がったと考えるマルティネス・トルネールに対しても、論拠が稀薄である点を指摘したうえで、ラレーアは次のように続けている。

「マルティネス・トルネールは、スペイン内のミの旋法にのみ注目していた。だが、その世界はもっと広い、スペインのみならず、地中海沿岸全域にわたっている。この旋法はおそらく非常に古い。もしかするとイベロ族以前の文化に発しているのではないだろうか」

ミの旋法は、イベロ族以前の文化かもしれない非常に古い時代を起源として、地中海沿岸全域に広がっている、というのが彼の結論である。

ガルシア・マトスも、インドから北アフリカ全域そしてモロッコ西端までの全域の音楽に、ミの旋法が共通してみられることを指摘している。

ミの旋法は、太古を起源とし、地中海沿岸全域に伝わるものだというこうした仮説は、きわめて実証的な研究に裏打ちされていることから、信頼に足るものと考えられる。

ここで想起されるのは、あの歌、あの異様な歌、ギリシアでは「リノスの歌」と呼ばれていた歌のことである。同じ一つの悲痛な旋律の挽歌が、太古から地中海沿岸全域でさらに東方でも歌い継がれていた。ギリシアでは「リノスの歌」と呼ばれた一つの挽歌が、古代エジプトから、フェニキア、キュプロスなどの地中海沿岸全域で、それぞれ名称は異なるが、一つの同じ悲痛な旋律を共通のものとして歌われていた史実を、ギリシアの歴史家ヘロドトスがBC5世紀に、すでに伝えているのである。その悲痛な挽歌の旋律こそ、ミの旋法ではなかろうか。

ギリシアでは「リノスの歌」として歌われていた歌は、古代エジプトではマネロースと呼ばれた。メソポタミアやバビロニア、アッシリア、シリアではタムズ、フェニキアやキュプロスではアドニス、フリギアとリュディアではアッティスあるいはコリュバースなどと呼ばれていた。それらすべては、春に生まれ、夏や秋に死ぬ植物神、穀物神、植物の精霊を悼み、その再生を熱望する祈りを込めた祭礼の挽歌であった。農耕をはじめたばかりの人々にとって、それは何よりも大切な祭礼であり、全存在をかけて歌われ踊られるものであった。それは哀哭から慟哭へ、そして狂乱のその果てには血みどろにのたうつほど劇越な歌や踊りの様相を呈しもした。

ギリシアにおいては、神話の中に取り込まれ、また苦しみの声「アイ（禍あれ！）」と、悼まれる神格の悲痛な名が結合されて、悲しみ極まる「アイリノン！」というかけ声や悲しいという意味の形容詞「アイリノス ailinos」が形成され、しかもギリシア悲劇の中であたかもその出自を主張するかのように激烈な慟哭、嘆きの爆発の歌となった。このギリシア悲劇ですら、アテナイのディオニソス大祭の演劇であり歌であり踊りであった。こうしたいわば芸術へと高まった形と並行して、ギリシアでは先の諸民族、諸国家同様の激烈な祭礼の歌や踊りが行われていたが、他方でブドウ収穫祭の悲しい挽歌風の民謡としても、農民のあいだでは歌われていた。民謡の中でも、子守歌と労働歌は形を変えず歌い継がれると言われている。おそらく弔いの歌、挽歌もそうであろうが、ともかく「リノスの歌」はそうした形を変えない労働歌でもある。

ギリシア1000年を通じて歌われた歌は、たとえギリシアが滅びても、ローマの文化の中で継承されたはずである。どのような国家が名を変えて君臨しようが、人々の歌というものは国家と関係などあるはずもなく歌い継がれる。レバノンの農家の主婦達が今でもアドニスをキリスト教の名前聖ゲオルギウスやイスラム教の名前ハドルと呼びつつ偲んでいることを見ても、明らかである。アフリカの民はアンダルシアに農耕をもたらし、ギリシア人やフェニキア人は地中海の文化をもたらした。ローマにいたっては、スペイン、イベリア半島全域に影響を及ぼした。歌は生き続ける。また、西ゴートの教会会議が禁止しなければならないほどに民衆のあいだに根深く広がっていた弔いの歌、嘆き歌プライエーラスの存在を、私達はすでに知っている。そしてフラメンコは、カンテ・ヒターノ、カンテ・ホンドからはじまった。その中心をなすシギリージャは、ミの旋法にもとづく、運命を嘆く挽歌の趣をもって、魂をゆるがすように激烈に歌われる——。

こうしたことを考え合わせれば、ギリシアでは「リノスの歌」と呼ばれ、しかもそれよりももっと古い時代からあった一つの汎地中海域的挽歌、いやさらにより東方をも含めてのそれが、スペイン、アンダルシアにも及び、スペインの多くの民謡の根となるとともに、プロトフラメンコ（原フラメンコ）、あるいはそれを生み出す根としてあったはずだと考えるのが当然なことは明らかである。スペイン、アンダルシアの歌や踊りの古層をなすものがそれだと言ってもよい。ただスペイン、アンダルシアは、ギリシアにおけるようなヘロドトスなどを持たなかった。したがって、記録上の確証となると――実に残念である。

しかし、一つの音楽的な事実がその代わりを務める。フラメンコやスペイン民謡の特質を際立たせるミの旋法に関連することである。ミの旋法は、すでに古代ギリシアにおいて存在していたドリア旋法に比定される。古代ギリシアにおいては、詩歌の発達に伴って、九つのテトラコード調弦法と三つの全音階ならびにその調性があったと言われている。研究者によっては七つとする説もあるが、全音階的にはドリア旋法、フリギア旋法、リュディア旋法の3種類があったとするのが一般的である。ドリア旋法がミを主音とし終音とするミの旋法で、フリギア旋法はラの旋法、リュディア旋法はドの旋法である。

ギリシアではそれらはすべて下降的であった。つまりラ↓ソ↓ファ↓ミなどと歌い下げるということである。これらは、叙事詩などを朗唱するための旋律として、ギリシアの音楽が発達したことと深く関連している。3種類のうちドリア旋法がギリシアでは一般的であった。リュディア旋法は、現在の西洋音階のハ長調、ドレミである。それを最初に考えたのが「三平方の定理」でも有名なギリシアの哲学者で数学者のピタゴラスだと言われている。8世紀頃、キリスト教による影響とともにグレゴリオ聖歌が普及する時代になると、旋法は8種類となり、ギリシアのドリア旋法はフリギア旋法と呼称が変わり、同じくギリシアのフリギア旋法がドリア旋法に、リュディア旋法はイオニア旋法に呼び変わっているが、やはりまだ下降的であった。中世ヨーロッパになると、宗教改革後、プロテスタントの会衆の歌として、和声づけの合唱が必要となり、和声の発達が音階に影響を与え、16世紀には12あった旋法のうち和声の展開にもっとも効果的な二つの旋法、すなわち長音階と短音階の二つだけが生き残ってゆくのである。イオニア旋法とエオリア旋法である。

子どもと大人、男性と女性が一緒に歌うための手段として西洋音階が発達していったのに対して、ドリア旋法、ミの旋法などは、一人、あるいは同じような声の人々のための音楽（ホモフォニー）として生き続け、現在でも中国人、インド人、アラビア人、トルコ人などに愛好されている。そしてスペインのアンダルシアのフラメンコもその東洋型が主流である。同じ古代ギリシアから、東洋音階と西洋音階が生まれたという点は大変興味深いものがある。

さてギリシアでは三つの旋法それぞれが、異なる感情を連想させるものとして使われた。ドリア旋法は威厳、勇猛果敢、自己信頼、勇気などを想起させ、フリギア旋法も奮起、勇猛さを意味するものとみなされていた。それにくらべてリュディア旋法は、だらしなさ、女々しさ、官能性を示すものと考えられていた。プラトンが嫌って禁止しようとしたリュディア旋法がプラトンの知っているフェニキア音楽の特性であったことについてはすでに触れた。リュディア旋法こそ、今の私達が学校教育で学ぶ長調の祖であることもすでに述べた。プラトンは、ミの旋法やラの旋法が好みで、西洋音階的なものは女々しくだらしなくて嫌いだというわけである。私も確認のため聴きくらべてみたところ、女々しいという感情は持たなかったが、ミやラの旋法の重さや切なさにくらべて、華やかだが軽いという感じを受けた。それは、私がフラメンコに浸り切っていることによるのか、それともプラトンのささやきに幻惑されてのことなのかは判然としない。なおピタゴラスのほうはミューズ崇拝者であり、自宅をデーメテール女神に捧げて、ムセイオン街と名づけ、最後はメタポントゥムというイタリア半島南部の町のミューズ達の神殿で死んだと、ディオゲネス・ラエルティウス[78]が伝えている。

ところでスパルタ（ドリア人）と音楽は結びつかないように思われる。スパルタは弱そうな乳児を谷底に投げ捨てるほどの軍人優位の国で、ペルシア軍10万に対して300人で戦ったテルモピレーの戦いの戦術は、現在のアメリカ海兵隊が模範として学ぶほど優れたものであったが、実は意外にも初期数百年間は、有名な音楽家、詩人、舞踊家を生み出している。ギリシア最初の音楽家テルパンドロスもスパルタのその時代の人である。

すでに述べたが、スパルタ軍はラッパを吹き鳴らして戦意を高揚するのではなく、リュートやキタラを奏でつつ粛々と進軍した。冷静な鏡のような心が戦いには必要とされたからだと言われているが、私は別の考えを持っている。爆発するまでの沈黙の序奏、つまり助走である。当然詩歌や音楽、踊りが発達し、音楽的にはドリア旋法として民族の名を残すのである。その踊りも粛々としたもの（スパルタのアルテミス神殿の踊りはリノスの歌の条で書いた憑依《ひょうい》のエクスタシー・ダンスではあったが）であったらしく、土地の名前をとってラコニア踊りと呼ばれていた。ヘロドトスの記述の中に、ある婿としての品定めのパーティーで酔いすぎて、テーブルの上でラコニア踊りや、おそらく官能的なアッティカ（アテナイのある地方）踊りをしたうえに、逆立ちして足踊りまでやってひんしゅくを買った男の話[79]が含まれている。

おそらくバルカン地方からギリシアに入ったスパルタ、ドリア人よりも、彼らが征服した土着民のほうが文化的に進んでいたため、それを悟り、ドリア人はその政治や経済、文化、とりわけ音楽を学び吸収し育てていった。その結果の一つがドリア旋法と考えられる。彼らがまず出会い吸収したのが、ギリシアではリノスの歌と呼ばれる古来から地中海沿岸全域に歌われていたあの一つの悲痛な挽歌であり、その旋律と旋法であったに違いない。いわゆる「リノスの歌」が、ミの旋法の原初の曲なのだと考えることが自然である。

アンダルシアのフラメンコ発祥の地の一つヘレスは、ブドウ酒、シェリー酒の名産地である。もし今でもブドウ収穫祭が古式ゆかしく行われているならば、そこで歌われるであろう挽歌風の祭礼の民謡を聞いてみたいと思う。もし歌われていれば、それがミの旋法の「リノスの歌」つまり原初の歌であるからである。

アンダルシアは、地中海沿岸全域とさらに東方にも広がる共通の一つの歌、音楽、旋法を古層として、そのうえにさらに諸人種の影響を吸収、同化しながら、アンダルシアの歌や音楽、踊りを育んでいった。しかも同時に、フグラールに典型的にみられる芸能や芸術の創造の仕方、つまり改作による共同作業という方法論が、承認され定着していった。ジプシーを受け容れるアンダルシア人の反権力的な気質などと同じく、精神的な土壌もまた育まれていたのである。

長いこうした時代は、フラメンコ史観からみれば、フラメンコの土壌になったという意味で、ジプシーが定住をひきかえに基本的人権を得た１７８３年以降にはじまるフラメンコの歴史＝有史に対して、その先史の時代と呼ばれることもある。

第四章

フラメンコの歴史

フラメンコの誕生、発展過程、ならびに現状

1——初期の時代の歌や踊り

フラメンコの音楽や踊りの、こんにちに伝わる形あるいはその原型が創り出されはじめたのは、記録、文献からみて、ほぼ18世紀後半のことである。

1783年が、フラメンコの歴史のいわば特異点である。その年に出されたカルロス3世の布告によって、定住と引き換えに基本的人権を与えられたジプシー達が、すでに存在していた各所のヒタネリア（ジプシー居住地）に定住を求めて流入し、その数を増していったことについては先に述べた通りである。生活スタイルや風習を変えることの少ないうえに、音楽や踊りの才能に恵まれているジプシーであるから、統制の厳しい時代にも、アンダルシアに伝わる諸々の民族の影響下で育まれた音楽や踊りに敏感に反応し、自分達の気質や好みに合うものを取り入れ変化を加え、自分達流の趣きある音楽や踊りを創り出してひそかに楽しんでいたことは、十分に考えられることであった。そして統制の緩和によって一定の自由を得た彼らが、より活達に歌い踊り、またその質を急激に高め、豊かさを加えていったのも当然のことである。

ちなみに1783年というのは、日本では江戸時代も後期にさしかかろうとしていた時期で、俳人与謝蕪村《よさぶそん》が亡くなり、大槻玄沢《おおつきげんたく》が『蘭学階梯《らんがくかいてい》』を出した年である。その4年後には松平定信《さだのぶ》の寛政の改革がはじまっている。ある説によると、日本のジプシーらしき人々、サンカが出はじめる頃である。歌や踊りの面でみると、歌舞伎がすでにその100年前にはじまっている。江戸の荒事《あらごと》が1673年、上方の和事《わごと》が1678年、それぞれ初代市川団十郎と初代坂田藤十郎によって創始され、すでに「仮名手本忠臣蔵《かなでほんちゅうしんぐら》」なども演じられて隆盛をきわめていた。もちろん能は、その400年以上も前に起こり、1418年の世阿弥《ぜあみ》の『風姿花伝《ふうしかでん》』において完成をみていた。また『ヒデスの導師』というスペイン文学書が翻訳されて日本に紹介されたのは1592年のことで、実はそれが日本に紹介された最初の西洋文学だというのも愉快である。こうした日本の事情から考えると、フラメンコという芸能、芸術の歴史は、さほど古いものではないということがわかる。

　フラメンコの歴史に名を残す最古のカンタオール（歌い手）は、ティオ・ルイス・エル・デ・ラ・フリアーナ[1]（フリアーナ母さんの子ルイス小父さん）である。18世紀末の人であるらしいのだが、その名前が文献に登場するのは、彼の死後50年ほど経ってからであった。アントニオ・マチャド・イ・アルバレス〝デモフィロ[2]（民衆を愛する人）〟（1848〜1892）という民俗学者が、アンダルシアの町や村を訪ねて民謡を採集していたときに、土地の古老から、何十年か前にその人物が現れたこと、そしてそれが彼らの仲間うちで記憶されているもっとも古い名前であることを聞き出したのである。

デモフィロはその著書『フラメンコ歌謡集』において、次のようにしるしている。「〝フリアナ母さんの子ルイス小父さん〟は、18世紀末のカンテ・フラメンコの王者で、ポロ、カーニャ、セギディーリャ・ヒターナ（現在のシギリージャのこと）、リビアーナ、トナなどに関する際立った知識を持っていた」。したがって彼が歌ったとされるポロ、カーニャ、シギリージャ、トナなどが、最古のカンテ・フラメンコ（フラメンコの歌は標準語「カント」のアンダルシアなまりで「カンテ」と呼ばれる）である。

18世紀末から19世紀中頃までの初期の時代のカンテ・フラメンコのレパートリーは、次のようなものである。まずカンテ・ヒターノ系列のものとしては、無伴奏のトナ、デブラ、マルティネーテ、おそらくギター伴奏なしのシギリージャ、セラーナ、リビアーナ、諸楽器の伴奏もあった形跡のあるラ・カーニャ、ポロ、ソレア、アレグリア[3]などが挙げられる。カンテ・ヒターノというのは、その形成にジプシーが大きく関与していると考えられる種類のものである。

トナは、ただ歌を意味するトナーダのなまったもので、ミの旋法の素朴で古風な歌であり、カンテ・フラメンコの源流と言われている。かつて33あったと言われているが、現在まで残っているのは3曲のみである。デブラは真打ちのトナとして知られている。ジプシーの言語カロ語で女神の意味を持つデブラは、現在ではトマス・パボンの伝えるもの一つのみで、ほかは消滅してしまった。

マルティネーテは鍛冶屋《かじや》のハンマーの意味を持ち、金床《かなとこ》を打つそのリズムに合わせて歌われたとされている。旋律的にはトナ類の流れを汲んでいるが、旋法はド音に落ち着く長調的なものだとされている。無伴奏のカンテを総称する習慣もあり、マルティネーテと言われていても実質はデブラやトナ・チーカの場合もある。

のちの時代にはギター伴奏付きとなるシギリージャも初期の頃には無伴奏で歌われた可能性が強く、トナの一つの型から発展したと考えられている。リズムのうえでは、トナもマルティネーテも、シギリージャのそれと同じである。シギリージャは、古くは嘆くという意味の動詞プラニェイール prañir から出たプラニデーラ prañidera がなまったとされるプライェーラ Playera、つまり嘆きの歌という名前で呼ばれていた。昔はカンテ・ホンド

（深い歌）をひっくるめてプライェーラと呼んだという説もある。

もとは山歌を起源とする田園風なセラーナと、トナ、シギリージャに似た軽いという意味だが決して趣きは軽くないリビアーナも、シギリージャと同じリズムとミの旋法の歌である。ラ・カーニャは格調高く古いミの旋法の歌であるが、もとは古い流行歌かもしれないとされている。同じく格調高く古い歌であるポロも、流行歌曲をジプシーが取り込んで変形したという説もある。

シギリージャと並んでカンテ・ホンドを代表するソレアは、孤独という意味のソレダーsoledadから名づけられた、悲しみを歌うミの旋法の曲で、フラメンコの歌の母と呼ばれている。アレグリアは、アラゴン地方のホタという舞曲から出た踊り歌で、喜びの意味を持つ長調の歌である。リズムはソレアと同じである。ソレアもアレグリアも、19世紀初頭にヘレスとカディスで大流行した踊り歌ハレオ[4]を共通の根[5]とし、ハレオのうち哀愁をおびた深い曲調のものがソレアとなり、ホタの旋律を取り入れた明るく活発なものがアレグリアへと発展したと一般に考えられている。

こうした、発生や普及の面でジプシーが大きく関与しているカンテ・ヒターノの発生地域は、すべてアンダルシア西部寄りのグァダルキビール河口の平野部に集中している点に注意しなければならない。すなわち、セビージャのトリアーナ地区、カディスのサンタ・マリア地区とその近郊の港町ロス・プエルトス（プエルト・レアルとプエルト・デ・サンタマリア――これらもまとめてカディスと呼ぶ研究家もいる）、そして〝ルイス小父さん〟を生んだヘレスのサンティアゴ地区がそれであり、この三つの町や地区が、フラメンコの故郷、フラメンコの揺籃《ようらん》の地と呼ばれているのである。19世紀の著名なアーティストのほとんどが、この地域出身者であることをみれば、それは当然である。

ところで、フラメンコのレパートリーとしてジプシーが歌っていたカンテ・ヒターノとは別に、アンダルシアにおいてより古くから歌われていた一般民衆の民謡、すなわちカンテ・アンダルースも存在するが、ジプシー達は、こうした民謡をまだ民謡の形のままで、つまりフラメンコ化する前の形で歌っていたことも押さえておかなければならない。その曲目は、ファンダンゴ類、ペテネーラ、サエタ、バンベーラ（カンテ・デ・バンバ、ブランコの歌）、ナーナ（子守歌）、カンテス・デ・トリリャ（麦こき歌）やカンテス・デ・シエガ（刈り入れ歌）などのカンテ・カンペーロ（田園の歌）、さらにセビジャーナスなどである。[6]

セビジャーナスは、セビージャの春祭りやヘレスの馬市の祝祭、ウェルバのエル・ロシオの祭などで歌い踊られる生命力に富んだ曲目である。セギディーリャス・セビジャーナス（セビージャ風のセギディーリャ）の略称がセビジャーナスだというのが定説とされる。セギディーリャという民衆的な詩型による歌詞を伴った踊りが、１６００年前後に生み出され、18世紀までに有力な舞曲となったと言われている。これらの曲は、次の時代になってフラメンコのレパートリーに取り込まれていくことになるのであるが、ここではまだ素朴な民謡のまま演じられていた。

　この初期の時代を代表する偉大なカンタオールとして挙げられなければならないのは、先のティオ・ルイス・エル・デ・ラ・フリアーナ（生没年等不明、ヘレス出身）とディエゴ・エル・フィージョ[7]（１８００頃～１８６０頃、カディス出身）、それにエル・プラネータ[8]（１７８５頃～１８６０頃、セビージャ出身）である。ディエゴ・エル・フィージョは、その声において有名であった。それはフラメンコの理想とされるラホ（しわがれた、ひび割れた）声で、今でもそのような声は、彼の名前にちなんでヴォス・アフィージャつまり「エル・フィージョ風の声」と呼ばれる習慣がある。彼は鍛冶屋であったということであるが、その生涯の詳細は不明である。定住することなく、生まれ故郷のプエルト・レアル（カディス）、トリアーナ（セビージャ）、モロン・デ・ラ・フロンテーラなどを放浪して回ったことがわかっているのみである。ハンマーとその声だけをたずさえての放浪の歌の旅とは、まさしくジプシーらしい生き様である。エル・プラネータはエル・フィージョの師だったということであるが、現代の大御所カンタオール、マノロ・カラコールの曾祖父にあたり、「エル・プラネータのシギリージャ」と言われるものは現代でも歌い継がれているのである。

さてその当時、フラメンコの踊りはそれなりに盛んで、グラナダ出身のラ・ペルラなどの名前が残されているのであるが、「素足」で踊った様子が記されているなど、技術的にはまだ初期段階だったことがうかがえる。もちろんサパトス（シューズ）の記録もある。とはいえ観客を熱狂に導く技量は相当なものであったようである。もう少し詳しく検討してみよう。

記録は二つである。どう探しても、バイレ（踊り）・フラメンコの発生段階を示す文献は二つしかない、とテレサ・マルティネス・デ・ラ・ペーニャ[9]は述べている。一つは、１７９０年のゴンサレス・デ・カスティージョ[10]による一幕ものの通俗喜劇サイネーテ用の台本で、もう一つは、１８４０年頃に書かれたと思われるエステーバネス・カルデロン、”エル・ソリタリオ（孤独な男）“の『アンダルシアの情景[11]』である。

それらによると、当時バイレ・デ・カンディル Bailes de Candil と呼ばれる踊りが、セビージャのトリアーナ地区で流行しはじめていた。カンディルというのは、カンデラ、ランプ、灯火という意味で、灯火の下での踊りというものである。それは、洗礼所からはじまった。洗礼が重要なのではなく、その後に催される酒宴、とくにふるまわれるブドウ酒と歌や踊りが、人々の楽しみでもあり目的でもあったようである。ランプの灯火の下で、ギターや楽器そして鍛冶屋もいたということであるから、マルティネーテ（鍛冶屋の金床を叩くハンマー）も加わって盛り上がっていたことであろうと思われる。喜んだ見物人がチップを渡そうとすると、これは神聖なものだからときっぱり断ったというエピソードも添えられているように、あくまでも同族的で個人的な楽しみのために演じられていた。そしてそれが評判となり各所に広がってゆき、観客の中に上流階級とおぼしき人々もまじるようになる。やがて上流階級の者がお金を支払ってタベルナと呼ばれる居酒屋を借り切って観るという形に変化していった。つまり居酒屋でのショーへと変化していったのである。そこでは歌も踊りも、鍛冶屋や手工芸屋などジプシー特有の職業の人々によって、ギターなどの伴奏もつけて演じられていた。エル・ソリタリオによると、当時としては有名なラ・ペルラというグラナダのサクロモンテ生まれの踊り手や、その恋人へレサーノ、またドロレースあるいは名はしるされていないその他のジプシー達が、その踊りで人々を陶酔に導いていったということである。楽器としては、ギター、ビウエラ（ギターの別名か）、タンバリン、カスタネットなどが用いられていた。テレサ・マルティネスによると、この初期の段階におけるフラメンコとおぼしきバイレのレパートリーは、サパテアード、ポロ、カーニャ、ソロンゴ・ヒターノ、タンゴ・プリミティーボ、ロンデーニャということである。

チャールズ・ダビリェール[12]という研究家によると、サパテアードという曲目は、初期時代においては女性の踊りで、サパトス（シューズ）をはいて踊られていた。それは、躍動する足さばきと足音や、官能的な身体やブラソ（腕）の動きを多用する、なかなか魅力的な踊りであったようである。注目すべき点は、歌に伴われていたということである。短い詩（コプラ）の歌とともに踊られていた点は驚きである。20世紀初頭のテアトロ時代に盛んに演じられたサパテアードという曲目は、踊りの場合、ギター伴奏のみで行われているからである。ギター・ソロの曲目としても演奏されているが、カンテとしては行われていない。初期の時代には踊りに添えられて存在したサパテアードの歌は、いつしか忘れ去られ、滅びてしまったのだろうと推測される。

ポロやカーニャについての詳細な記述はない。それらは自由律的な雰囲気を持つために、踊るのが困難な舞曲だったのではないかと、テレサ・マルティネスは推論している。初期時代にカーニャが踊られたかどうかについては、確かに踊られていたと肯定する意見と、否定する意見が対立的に存在するが、そのことは、カーニャの音楽の持つリズムの不規則性（自由律的であること）による舞踊としての困難さという事情に起因するものと考えられなくもない。

ともかく、サパテアードやソロンゴ・ヒターノ、ロンデーニャなどの踊りによって、ジプシー達がアンダルシアの踊りに影響を与えはじめていたのである。テレサは、ソロンゴを若いジプシー男に伴われて上手に踊るラ・ペルラの様子を活写していて興味は尽きない。

フラメンコギターの領域になると、この初期の時代には、それを弾ける者の数もきわめて少なく、また弾けたとしても未熟、「下手」であった、と言われている。カンタオールのフェルナンド・エル・デ・トリアーナ[13]（１８６７〜１９４０）が、『フラメンコの芸術ならびにアーティスト達』の中で次のように〝証言〟している。

「私の母方の祖父はシルベリオの相弟子で、アンダルシア一円にフェルナンド・ゴメス〝エル・カチネーロ〟の名前で知られたカンタオールだった。この祖父の話によると、19

世紀はじめの3分の1頃まではギタリストの数がごく少数で、わずかばかりいた者達も大変下手であった。またこの時代にはセヒーリャ（カポタスト）が知られていなかったために、カンタオールは全員、ポル・アリーバ、つまりミの調か、ポル・メディオ、ラの調で歌うしかなかった。なにしろ当時のフラメンコギタリスト達は、この二つの調でしか弾くことを知らなかったのだ。このことによって当然次のことが引き起こされた。ほとんどのカンタオール達は、しわがれた声を出そうと努めたのである。しわがれた声は、透明な声にくらべてギターに合わせた音域を出すのがずっと簡単で、ギターにつきあいやすかったからである」

初期の時代には、フラメンコギタリストの数もわずかで、またいても技術的に未熟で、ラスゲアードとプンテアードの技法しかなく、カポタストも知らなかった。そのためカンタオールがしわがれ声を出してギターに合わせようとしたという様子が、ここには明確に描かれている。実際、1850年以前に、フラメンコギタリストの名前は一人も記録されていないのである。

ところで、グラナダのムルシアーノ[14]（1795～1848）を、フラメンコギタリストの始祖と呼ぶ説もある。ギターの名手として名高い彼は、歌の伴奏にも踊りの伴奏にも秀いでていたと伝えられている。しかし彼のレパートリーは、マラゲーニャ、ファンダンゴ、ロンデーニャ、ホタなどに限られていて、シギリージャやソレアなどのジプシー本来の重要なレパートリーを弾いた形跡のないことなどから、厳密な意味ではフラメンコギターの祖とは言えないというのが一般論である。ソレアやシギリージャを弾いたと確認される別のギターの名手、カディスのパティーニョが現れるのは、もう少しあとのことで、ふつうパティーニョこそフラメンコギターの祖とみなされている。なおスペイン音楽一般においては、16世紀はビウエラ、17世紀はギターとハープ、18世紀はヴァイオリンが大発展したということである[15]。

ともかく、この初期の時代においては、フラメンコのカンテもバイレも、主としてパルマ（手拍子）で演じられるのが普通であり、たまにマルティネーテ（ハンマー）やバストン（杖）が加えられることもあった。歌と踊りとパルマは、無一物の人間にもできる技であるし、鍛冶もジプシーの正統な職業であるから、マルティネーテも含めて、そうした素朴な形態での芸能からはじまったということはごく当たり前のことである。

楽器については、ラスゲアードとゴルペの手法とカポタストなしという未熟な技術レベルではあれ、ギターは各種存在していたが、ギター一つで歌や踊りを支えるという今のスタイルとは違って、リュートやマンドリンを交える形であったとみられる。それをオーケストラと呼んでいる例が、カサノバ伯やエル・ソリタリオなどの文人の記述にいくつか確認することができるのである。カサノバ伯は、1767年にマドリッドで見たファンダンゴの印象を興奮ぎみに次のように書いている。

「男と女のそれぞれのカップルは、オーケストラの音楽に合わせてカスタネットを打ち鳴らしながら、三歩と動こうとしない。彼らはさまざまな姿態をとり、さまざまな身振りを行う。それはあまりにも挑発的で何ものともくらべようがないほどである。この踊りは、愛のはじまりから終わりまでを、欲望の溜息から歓喜の恍惚《こうこつ》までを描く。そのような踊りのあとでは、少女はそのパートナーの求めに対して何事も拒むことはできないのではないかと、私には見えた」

恋の狩人らしい感想である。それほどに踊られた男女のパレハ（ペアのこと）の古形のファンダンゴは官能的であったことがうかがえる。みだらすぎて、この形のファンダンゴはやがて禁止されるに至ったことも書き添えておく。

1767年という年代は、まだ例のジプシー解放の布告の出される前であり、またその布告の内容にしても、マドリッドでジプシーが許された職業はごく限られていたわけであるから、カサノバの見たものがジプシーの歌や踊りであったかどうかは定かではない。しかし、マドリー市内にも馬市場近くのコマドレ街やラバピエス通りはヒタネリアとして有名で、すでにジプシーが歌や踊りの楽団を形成していたことは十分考えられるし、また彼らがアンダルシア一般の民謡や舞曲をセクシーに踊っていたということであるかもしれない。劇場なのか、カサ（個人の家）でのフィエスタなのかもはっきりしないが、少なくともマドリッドでさえ、それほどにも音楽や踊りの熱が高かったということが感じとれる一文ではある。

さてこの初期の時代は、いわばフラメンコの草創期、草分けの時代とでも呼ばれるべきものである。この時代のフラメンコは、ジプシー達の狭い社会の内でのみ、また自分達の楽しみのためにのみ行われていたのであって、一般のスペイン人（ジプシーはパージョと呼ぶ）などがそれを鑑賞するためには、わざわざその場所に行かなければならなかった。

当時の文人、筆名エル・ソリタリオ（孤独な男）つまり、エステーバネス・カルデロン（1799~1867）は『アンダルシアの情景』の1章「トリアーナの踊りの集い[16]」の中に、その体験を詳細かつ興奮気味に書きしるしている。これについては現在何人かの訳者が散見されるが、最初に訳出したと言われる浜田氏のものを紹介しておくことにする。

「……セビージャに滞在中、何人かの歌い手たちの技量や踊り手たちの見事さをたたえる声が一方ならずとも入って来るもので……私はこれらのフィエスタの一つを見聞してみようと決めた。この一夕には、エル・プラネータ、エル・フィージョ、ホアン・デ・ディオス、マリア・デ・ラス・ニエベス、ラ・ペルラ他の有名な歌い手、踊り手が顔を連ねていた。さわやかな、花開く五月の夕べだった。私は愛好家仲間と一緒に、舟をつないでかけた有名な橋を渡り、トリアーナ地区へ入った。すぐにわれわれは、セビージャが聖王フェルナンドに再征服された（1248年）時代を思い起こさせる一軒の家の前に着いた。……フィエスタはこの中庭に面した玄関のようなところで行われるのだった。……」

「……歌はやはり、"吐息"に始まり、ギターまたはティオルバは、まず柔らかでメランコリックなミ・メノール（「ミの旋法」のことであろう――筆者）で奏ではじめ、左手ひとつのポジションから他のポジションへ交互に一律に移動させる。その間右手は"ラスガード"（ラスゲアード、爪でのかき鳴らし奏法）で弦を鳴らす。――最初は懐かしげに柔らかく次いで怒ったように激しく、歌の意味と気分を追いながら、歌い手（男か女）は、気の向いた時に歌に入る。バイラオーラ（女の踊り手）は、紫檀《したん》か象牙のカスタネットをあやつりながら、どんな踊りでも決まっている"入り"のところで動作をおこす。この"入り"は〈パセオ〉と呼ばれる。……歌い手が歌に入ると踊り手の女もまた動きに入る。……そして弾き手は、その良い趣味と感受性を発揮できるような調べを弦上にしるしはじめる。この時、踊る者、歌う者、弾く者は同じひとつの感情にとらえられ、陶酔のうちに無我の境に入る。……一同（見る人々のこと）は活気づき、熱を帯び、ついには夢中になった。一人はタンバリンをとり、一人は手の平を打ち合わせて拍子を取り……皆が喝采し、うわ言のように叫び続けた。――オルサ！　オルサ！　と……」

これは、１８４０年頃、すなわちまだフラメンコという名称を得ていないフラメンコの草創期の頃の光景である。エル・ソリタリオのひたすら邪気のない、文人らしい好奇心のあふれた心が偲ばれる文章で、フラメンコ関係の文章中もっとも好ましく思われるものの一つであるが、ここにはすでに、こんにちの形のフラメンコの原型、演じられ方、鑑賞のされ方などが端的に描かれており、演目や伴奏楽器の種類、ギター技術や踊り手が素足であるなどの技術の過渡的、未成熟さなどの諸点を除けば、現在とあまり変わらないことに驚かされる。

2――カフェ・カンタンテの時代

カンテ、ギター、踊りが飛躍的に発展するのは、次の1860年から1910年頃までのいわゆるカフェ・カンタンテの時代になってからである。[c] カフェ・カンタンテというのは、歌や踊りのある酒付きのカフェ、今のライブハウス、タブラオ tablao のような店のことで、同じ頃フランスのパリで流行したカフェ・シャンタン（歌のあるカフェ）にヒントを得たという説もあるが、すでにみてきたように、セビージャのトリアーナから発したバイレ・デ・カンディルのタベルナ（居酒屋）でのショー化という流れが土台となっていることは明らかである。このカフェ・カンタンテを舞台にして、ジプシー達はその芸を、パージョの前で職業的に演じるようになったのである。

ホセ・ブラス・ベガ[17]によると、最初のカフェ・カンタンテは、1847年にセビージャのロンバルドス通りに開店したエル・カフェ・デ・ロス・ロンバルドスである。しかし、カンタオールのフェルナンド・エル・デ・トリアーナの1935年に書かれた『フラメンコの芸術とアーティスト達』の中に登場する言い伝えを引いて、この店の開店時期を１８４２年とする説もある。ただ、ベガ氏は、近著「フラメンコ・エン・マドリッド」で、セヴィージャの店はオープン当時ショーを入れたという記録がなく、記録に残る最初のカフェ・カンタンテは１８４６年、マドリッドのアルカラ通りの「カフェ・セルバンテス」である。と訂正している。いずれにしても、１８４０年代になって、このセビージャのカフェ・カンタンテが開店するとすぐに、そのあとを追うように、ヘレス、カディス、マラガ、コルドバ、マドリード、バルセローナなどの大都市のみならず、小さな町々にも多くの店が開かれ、繁盛して一時代を築いていくのである。中でもセビージャのカフェ・デ・シルベリオは有名であった。最盛期の19世紀末には、アンダルシアのすべての町にカフェ・カンタンテが見出せたということである。

はじめは名なしのジプシー達の音楽や踊りの集団は、やがて時代に見合った新しく魅力的な名前、簡単な愛称で呼ばれるようになる。いわゆる「フラメンコ」の登場である。

当時の写真で見ると、カフェ・カンタンテの舞台では、たいてい一人のギタリストと、一人の場合もあるが主として数人の男女のカンタオール達、さらに3～4人のバイラオーラと二人のバイラオール（男の踊り手）が、舞台狭しとずらり並んで演じている。もはや

カフェ・カンタンテ（"El Arte del Baile Flamenco"より）

ほかの楽器をまじえず、一つのギターだけで現在のタブラオのように演じられていた様子がうかがえるのである。そして観客は、スペインや諸外国のあらゆる階層の人々で、演目がはじまる何時間も前からつめかけていた。そして、客の中には女性は一人もおらず、ただ男性ばかりだった（！）そうである。

そして、この時代になってようやく、今日に伝わるフラメンコの大半のリズム形式が完成されてゆくのである。ジプシー固有のレパートリーであった「カンテ・ヒターノ」そのものも、この時代を通じて大きく変容し、多くの新型の曲種を生み出していった。たとえば、ソレアの終末部から発展したジプシー気質の権化《ごんげ》と言われるブレリア、あるいは、19

世紀前半に中南米のキューバから持ち込まれたにもかかわらず、徹底的にカンテ・ヒターノ化するタンゴ、タンギージョ、ティエント、さらにアレグリアに代表されるカンティーニャス（カディスあたりから発する主として長調の軽く快活な踊り歌）系のロメーラ、カラコレス、ミラブラスなどがそれである。またシギリージャやソレアなどにしてもこの時期を通じてこんにちに伝わる多くのスタイルが生み出されたのである。

他方、一般のアンダルシア民謡、カンテ・アンダルースのうちのジプシー好みのもののフラメンコへの取り込み、レパートリー化も顕著となる。マラゲーニャ、タランタ、タラント、カルタヘネーラ、ムルシアーナ、ミネーラ、グラナイーナ、ベルディアレス、ロンデーニャ、ハベーラなどがそれである。こうしたカンテ・アンダルースを、カンテ・ヒターノとならぶフラメンコのもう一つの流れとして吸収、変容、再構築したことは、この時代の大きな特色の一つである。さらに、北スペイン起源のファルーカ、ガロティンなども新しくレパートリーに加えられていった。中南米起源のグワヒーラ、ミロンガ、ルンバなども同様である。ただしルンバについては、スペインへの移入が１９１０年代とはいえ大流行するのは20世紀なかばであることを考慮すれば、この時代のレパートリーに入れるべきかどうか微妙なところである。

ジプシー気質の粋な結晶とも言えるブレリアは、19世紀後半にヘレスに起こったとされている。ヘレスの名カンタオール、エル・ロコ・マテオ（1832頃〜1890頃）が、ソレアの終末部でテンポ・アップして歌う新しいスタイルを創り出し、そこからその部分だけを独立発展させてブレリアが成立したというのが定説である。初期のブレリアは、ゆっくりしたテンポで、もっぱら歌うためのものであったが、のちにしだいに速いテンポで歌われかつ踊られるようになった。その名の起源は、嘲笑の意味の「ブルレリア Burlería」が短縮されたものとか、民俗舞曲「ボレーラ Bolera」に由来するとか、ソレア・ポル・ボレリアつまりボレロ風に踊られたソレアから来たなどの諸説がある。活気と情熱にあふれながら、粋で洒落たユーモアとエスプリを持つ味のある曲目である。

タンゴはブレリアに匹敵する活力を持つ二拍子系の舞曲である。リカルド・モリーナやアントニオ・マイレーナは、それをシギリージャ、トナ、ソレアと並ぶフラメンコのもっとも基本的な形式の一つと考えた。セビージャのトリアーナとカディスのロス・プエルトスから起こったとされている。キューバを起源とし、19世紀前半に徹底的にフラメンコ化されたものである。タンゴ・フラメンコのうち、テンポが速くユーモラスで少し軽い感じのものがタンギージョと呼ばれる型となり、反対にゆっくりしたテンポでジプシー的な神秘性と重さを内包するものがティエントという形式になったのである。「手さぐり」という意味を持つこの曲は、その言葉を含む歌詞を持つタンゴがタンゴ・デ・ティエントと呼ばれ、のちにティエントという形式名になったと言われている。

ロメーラはカディスの歌で、「ロメーラ、アイ、ミ・ロメーラ（私の巡礼女よ！）」という歌い出しの文句からその名称が成立した。カラコレスも、カディスで生まれ、サビのようにリフレインされる「カラコーレス！」というかけ声から派生した曲目である。「カラコーレス」はかたつむり売りのふれ声だとする説と、「おやまあ！」という間投詞だとする説がある。ミラブラスもカディスで生まれた一曲一形式（＝曲目）のカンテで、「見て、ブラス！ Mira Blas!」あるいは「見て、そうすればわかるMira y verás」からという説がある。カラコレスもミラブラスも、カフェに一般客を引き寄せるための歌の感じで、颯爽《さっそう》とした男伊達風のきっぷのよさを伴い、一時マドリードで大流行している。

カンテ・アンダルース系のマラゲーニャは、甘美な地方的ファンダンゴに、シギリージャ風の気分を入れて創られた自由リズムの形式である。アントニオ・チャコン得意の曲目であった。タランタは、俗語でアルメリア人、または出身者の意味を持つアンダルシア東部のレバンテ地方の鉱夫の嘆き節で自由律である。それが二拍子に整えられたものをタラントと呼ぶ。カルタヘネーラは気品あるマラゲーニャの一種で、ムルシアーナはムルシア地方の民謡をもとにするものである。ミネーラは鉱山の歌のことである。タランタからミネーラまでは、カンテ・デ・レバンテと呼ばれ、アンダルシア東部とムルシア地方の鉱山に生きる人々と深く結びついたこうした地方のファンダンゴの変形である。その原型は、昔の鉱夫が歌ったマドゥルーガ（夜明けの歌）だとするホセ・ブラス・ベガなどもいる。

グラナイーナはグラナダの自由律ファンダンゴで、叙情的で繊細な曲趣を持っている。マラガの山岳地方で歌い踊られるファンダンゴがベルディアーレスで、その語源は「ベルデ（緑）」から出た地方名ベルディアールに由来し、緑色のオリーブの実の一種のことでもあるとされている。ロンダの粋なファンダンゴがロンデーニャであるという説や、窓越しのセレナードによる愛の語らいだとする説もある。ハベーラはマラガ地方の歌で、ファンダンゴのリズムとも自由律の歌とも言われている。語源は「豆売り女Habera」とも「地びき網《あみ》をひく漁師の歌Jabeguera」とも言われている。

このカフェ・カンタンテの時代になって、ジプシー達がパージョの前にプロフェッショナルな形で出てきたこと、またあとでみるようにパージョの実力あるカンタオールも出現したことが、アンダルシアの一般民衆（つまりパージョ）に親しまれている歌の取り込みを図り、誰もが知っているという親しみやすさや新鮮さをもって、フラメンコを大衆化してゆく必要性と必然性をもたらしたのである。

このような歌の、いわば別次元への発展と同時に、ギターと踊りも著しい発展を遂げてゆく。とりわけギターの分野での発展はめざましく、この時代になってはじめてギターがフラメンコに欠かせない楽器となり、それ一つだけで歌や踊りの伴奏を務めるスタイルが確立した。同時にまたその技術も格段の進歩を遂げるのである。

ここで、この時代の著名なアーティストの名前を若干挙げておこう。

カンタオール　前期――シルベリオ・フランコネッティ（パージョ、ローマ出身のイタリア人）、マヌエル・モリーナ、トーマス・エル・ニトリ、以上はシギリージャでとくに有名である。エル・ロコ・マテオはシギリージャ、ソレアなどで有名で、ブレリアの創始者とも言われる。メルセ・ラ・サルネータ、ドローレス・"ラ・パララ"（パージョ）、エンリケ・ヒメネス・"エル・メジソ"など。

カンタオール　後期――アントニオ・チャコン（１８６５～１９２９、パージョ、カンテの皇帝と言われる。人前ではカンテ・アンダルースしか歌わなかった。叙情性に富んだ裏声の美声の持ち主）、フランシスコ・ジェマ・"フォスフォリート"、マヌエル・トーレ（1878～1933、心の昂まりにのみ従って歌った彼は「マハレータ（変人）」の愛称を持つが、チャコンによって「カンテ・ホンドの最高の歌い手」と呼ばれた。ジプシー気質のままに気高く生きた。セビージャのみすぼらしい家で妻子と犬、ニワトリ、「エスプレッソ（特急）」と名づけたロバと暮らし、どこに行くにもそのロバにまたがって出かけたというエピソードを持つ）、ホアン・ブレーバ（1845～1916、パージョ、カンテ・アンダルースをカフェ・カンタンテに持ち込みカンテ・ヒターノと並ぶもう一つの流れを打ち立てた）など。

ギタリスト――パティーニョ（1830頃～1900頃、フラメンコ史上に名を残す最古のギタリスト。そのメロディやファルセータは霊感に充ちていたと言われる。ギターはカンタオールの伴奏のためにあるものという考えを持っていた）、パキーリ・エル・グアンテ（カポタストの発明者）、パコ・ルセーナ（歌の伴奏のみをこととした。クラシックギターの技巧を取り入れ現代ギターの礎を築いた）、アントニオ・ペレス（踊りの伴奏を好み、その達人となった。パコ・ルセーナとはライバル同士であった）、ラモン・モントーヤ（1880～1949、マドリード生まれ、ジプシーの名門の出。クラシックギターの技法――複雑なアルペジオ、多様なピカード・親指以外の指による交互弾弦、トレモロの活用、情緒的音色などを取り入れ、完全な形の現代フラメンコギターの基となった。ソロのスタイルを確立したと言われる）など。

さて、バイレはどうか。カフェ・カンタンテの時代に入って、それはかなり進化した形となっている。初期のものにくらべてずっと格調高く踊られるようになり、リズムや諸テクニックも高度化する一方で表現力も格段に増して、足（サパテアード）に力点を置く男性のバイレと、形姿のしなやかさや優美さを強調する女性のバイレの違いが際立つようになり、またカスタネットも使われなくなったのである。

バイレのレパートリーは、テレサ・マルティネスによると、サパテアード、アレグリアやロメーラ、ローサ、さらにファルーカ、ガロティン、タンゴ、ティエント、ソレアであり、ロンデーニャやソロンゴ、ポロなどの初期のレパートリーは踊られなくなったということである。[18] 踊り手としては、ミラシエロ、エル・ラスパオ、ファイコ、ホアキン・エル・フェオ、エスタンピオ、ラ・マカローナ、ラ・マレーナ、ロサリオ・モンヘ・"ラ・メホラーナ"、ラ・クエンカなどが挙げられる。

バイラオール

ミラシエロ——はじめてギター伴奏で踊った人で、こんにちに伝わる男性のバイレの基を築いた。ロメーラやローサを踊った。

エル・ラスパオ——サパテアードの名手。ミラシエロの踊りをタブラオ向きに「改良」した。

ファイコ——トリアーナ出身のヒターノ、男性的なファルーカを創始した。ラモン・モントーヤとコンビを組んでファルーカのバイレとトーケ（ギター）を主に１９００年代に活躍した。

ホアキン・エル・フェオ——マドリード生まれ、醜男と名のる。ファルーカ、ティエントの名手だったと言われている。

エスタンピオ——ヘレスのサンティアゴ地区生まれ。伝統的なスタイルを保った。

バイラオーラ

ラ・マカローナ——ヘレス生まれのヒターナ。幼少時より巷で踊った。ドゥエンデの息吹がみなぎる踊りだったと言われている。

ラ・マレーナ――ヘレス生まれのヒターナ。荘重な奥深さを持つバイレであったと言われている。

ロサリオ・モンヘ・"ラ・メホラーナ"――カディス生まれのヒターナ。ソレアの踊りを確立したとされている。

ラ・クエンカ――ソレアをサパテアード入りで踊った最初の人と伝えられている。

コンチャ・ラ・カルボネーラ――1886年にカフェ・デル・ブレーロで、すばらしいタンゴを踊ったとされる。

ラファエラ・バルベルデ――フェルナンド・エル・デ・トリアーナによって「タンゲーラ」の愛称が与えられた。

その他。

もっとも偉大と言われたカンタオールの中にパージョが含まれている点からも理解されるように、この時代には、ジプシーではない一般のアンダルシア人達のあいだにもジプシー風に歌うことが流行しはじめ、フラメンコがただジプシー達だけのものにとどまらず、一般アンダルシア人、あるいはスペイン人のものへと広がっていくようになったのである。

3——劇場、オーディオ・ビジュアルの時代

1880～1910年をピークとして、カフェ・カンタンテ時代は衰退の道をたどりはじめる。1910年を過ぎる頃から、一軒また一軒とカフェ・カンタンテが店を閉めていくようになるのである。もちろんマラガのカフェ・デ・チニータのように1941年まで続いた例外もあるにはあったのであるが、カフェ・カンタンテの時代は確実に過去のものとなってゆく。

外的要因は、ラジオ、レコード、映画などの新しい娯楽の登場と、クプレという軽いスペイン風流行歌の大流行という事態とその影響などである。

内的要因も深刻であった。カフェ・カンタンテ時代の末期になって、歌、ギター、バイレそれぞれが変質していったのである。まず歌については、19世紀末になってカンテ・ヒターノよりもファンダンゴ類、とりわけマラゲーニャやカルタヘネーラが人気を集め、そうした歌を歌う人々と入れ替わるようにカンテ・ヒターノのカンタオール達がしだいにス

テージから遠ざかっていくようになった。また幅広い客にアピールするために、クプレが演目に加えられてゆく。シルベリオのようにそれを拒否し続けた人もいるが、その彼も、結局時代の波の中で貧困のうちに人知れず亡くなったと言われている。

ギターも、ようやくカフェ・カンタンテ時代の中で、カンテやバイレの伴奏として欠かせない役割を果たすようになり、フラメンコの新しい要素としての地位を確立するようになったと同時に、激しく自己主張しすぎて歌を損なう傾向が出てきたりもする。

客質は悪化し、酔って騒ぎ、ゴロツキまがいにふるまったり、歌や踊りを妨害する者も多くなる。

バイレもまた、低劣な客の好みに媚びるようにスリップ1枚で挑発的な踊りを行う者も出てくる。クリスピンと呼ばれるジプシーダンスや、カチューチャ、マラゲーニャ（カンテ・フラメンコのそれとはまったく関係ない踊り）、ハレオなどというポピュラーダンスがその演目である。これらを挑発的に踊る傾向は、20世紀初頭にフランスから広まったフレンチ・カンカンのスペインでの大流行が、背景の一つとして考えられるものである。バイレは、すでにレパートリーの少なさや、テクニックの不十分さから質の高い観客の要望に応えられなくなっていた。そして質の低下した酔客を前にして意欲を失い、向上への努力を怠るようになっていた。

　こうした傾向に追い打ちをかけるように、”1898年世代“と呼ばれる人々が主導する”アンチフラメンキスモ“現象も巻き起こるのである。ウナムーノなどのインテリ達が論陣を張り、カンテ・アンダルースとコマーシャリズムのせいで、カフェ・カンタンテのフラメンコが観光客好みのスペインのシンボルに堕落し、酔っぱらいや不道徳と結びついた音楽になってしまったと激しく批判したのである。それは現象と本質とを見誤ってはいないかとも思える偏狭な攻撃であるが、有識者にそう言われかねないほどそれはひどい堕落ぶりだったのであろうと推測される。

　しかし、想起されるのはギリシア・ローマ時代の知識人達の言葉である。彼らもその時代の踊りの堕落を批判していた。貧しい家の娘や奴隷の娘が糧《かて》を得るために市場に立って精一杯みだらな踊りを演じていた事態を、堕落と攻撃したのである。彼女らはほかに何ができたであろうか。攻撃するよりも、そのあわれさを救おうとはなぜ考えられないのか。そして再び時を経て同じ議論が繰り返される。カフェ・カンタンテの末期の堕落した踊りは、ローマ期のガデス（今のカディス）の娘の踊りなどと明らかに同質のものである。にもかかわらず、ガデスの娘の踊りに対しては憧れをもってフラメンコとの同質性を語る一方で、現実のセクシー・ダンスは聖人のごとくに否定するというのも不可解な話である。「評論家」になると自分を聖人と思い間違えるようである。いや、ガデスの娘の踊りのことさえ知らない知識人だったのかもしれない。

大衆性は諸刃《もろは》の剣《つるぎ》である。コマーシャリズム、収益、営業性を重視する儲け主義と大衆性とは必ず手をたずさえてやって来る。行きすぎは必ず芸術を堕落へと導く。

さて、カフェ・カンタンテのフラメンコがその末期に、大衆化と収益性に毒されて、初期のプーロさ（純粋さ）を失っていたとはいえ、その時代はすべてただ唾棄《だき》されるだけのものだったのだろうか。いや、そうではあるまい。カフェ・カンタンテの時代になってはじめてカンテ・ヒターノが大衆の前に現れ、ギターも加わってその豊かさを増すと同時に、カンテ・アンダルースやラテン音楽をも取り込むことによってレパートリーを圧倒的に増加させた。そのことによって、深い宿命の歌や悲哀などの感情だけでなく、日常の機微《きび》の諸感情も歌うことができるようになったという意味では、カンテ・フラメンコの多彩で豊かな世界が広がったと言えるのである。そうとらえたほうが、少なくとも楽しいし、度量の広いフラメンコにふさわしい。人は苦しみ泣きもするが、高らかにのびやかに笑いもするのである（またのちに触れるカンテ・ボニートのさえずりでさえ、小さな愛らしさ、ちょっとしたセンチメンタリズムという小鳥のさえずりの楽しさを拾い上げてくれもする）。この時代において、カンテはソロという形では「完熟の時」[19]を、バイレやギターに先んじてすでに迎えていたのである。ホセ・ブラス・ベガ[20]は述べている。「カンテ・アンダルースをジプシーが取り入れるということがなければ、今日のカンテ・フラメンコの（レパートリーの）半分も欠いていただろう」。

末期に堕落の状態に陥ったとはいえ、その歴史的価値が減ずるものではないのである。聖と俗、正系と異端の両極の存在とその間の振れは、エロスに関わる芸能、芸術の宿命である。そこにコマーシャリズムが加われば、俗へと大きく振れていくのも常のことである。そのぶれを修正するのは、アルティスタの本質、芸に対する真摯《しんし》な追求の心と行動以外にありえない。フラメンコが人口に膾炙《かいしゃ》し、つまり人前に現前して隆盛となったがゆえに味わう最初の堕落の経験である。それは乗り越えられなければならないものであり、乗り越えられなければ所詮その程度のものである。フラメンコの試練の時がそこにあった。

ところで、堕落の入口へ人々を誘ったのはアントニオ・チャコンであるというような議論も一般にはある。しかし、カフェ・カンタンテの黄金期の立役者の一人であるチャコンは、その声高な裏声という声質からくる限界に規定されて、あるいはパージョという身のおこがましさの感情を保ちつつ、どこまでもへりくだって新たな別の領域を開拓し、新しいレパートリーを付け加えるという形でカンテ・フラメンコに貢献しただけであって、改革したわけでもなければ、それを堕落に導いたわけでもない。その真情を理解しないうわべだけの模倣者の群れが「改革」と称して、カンテ・ヒターノ、カンテ・ホンドを片隅に追いやっていったのである。そうした時代はふつうカンテ・ボニートの時代、あるいはオペラ・フラメンカの時代と呼ばれる。1915〜1955年までの期間である。

カンテ・ボニートとは、ハイ・トーンで歌われる小ぎれいな口当たりのよい甘い小鳥のさえずりのようなカンテのことで、その歌い手達は、ファンダンゴの深みを切り捨てた上澄みだけを歌うことを得意としたことから、「ファンダンゴ（ファンダンギージョ）の時代」と言う場合もある。またオペラ・フラメンカは、所々にカンテを入れたメロドラマ仕立てのフラメンコ風のオペラで、1920年代に劇場で盛んに演じられたものである。1922年のグラナダのカンテ・ホンド祭りの盛況さも、その背景にあると言われている。そのカンテを歌うのは当然カンテ・ボニート派の歌い手達であった。ペペ・マルチェーナがその代表として挙げられる。彼は、シギリージャなどのカンテ・ヒターノよりも口当たりのよいファンダンギージョや軽いコロンビアーナなどを得意とし、立って歌うスタイルをはじめ、またオーケストラ伴奏で歌った最初の人であった。短小軽薄がメジャーになる条件と言われる現代にはそれなりに見合った人と言えるかもしれない。

なお、20世紀初頭にカンテ・フラメンコのレパートリーに加えられたものは、カンパニジェーロス、マリアーナ、コロンビアーナ、前の時代に取り込みがはじまったが1960年代にピークを迎えるルンバ、サンブラ、エル・ビートなどである。また復活したものとしてはソロンゴなどもある。

カンパニジェーロスは、小さな鐘を鳴らす人々という意味で、復活祭の前に歌われる宗教歌の一節をマヌエル・トーレがフラメンコ風に歌いはじめた。短調の三拍子の曲である。1930年代から、ニーニャ・デ・ラ・プエブラがラモン・モントーヤのギター伴奏で歌い、流行した。ニーニョ・リカルドはのちにギター・ソロとして美しく弾いている。マリアーナは、すでにジプシーの章で述べた旅芸人の歌である。コロンビアーナは、カンテ・ボニート派にあっては甘い歌であったが、カルメン・アマジャとその伴奏者サビカスによって、本格的なフラメンコスタイルが形成された。サンブラはグラナダに伝わる古い歌で、ミの旋法か短調の曲である。アラビア語の「夜の宴」あるいは笛の意味の「サームラ」が語源と言われている。二拍子系の舞曲で東方色が強い曲である。ソロンゴも初期の頃に踊られていたグラナダの曲である。エル・ビートはセビージャ起源の愛すべき民謡である。

オペラ・フラメンカの時期とほぼ同じ頃、カフェ・カンタンテが閉店したり、他の娯楽が登場することによって活動の場を奪われたアーティスト達は、活路を劇場（テアトロ）に見い出した。主に舞踊家が中心になってスペイン国内や諸外国を、舞踊団を率いて巡演するようになったのである。第1期テアトロ時代の到来である。その担い手は、ラ・アルヘンティーナ（1890～1936）、ビセンテ・エスクデーロ（1885～1980）、カルメン・アマジャ（1913～1963）、パストーラ・インペリオ、ラ・アルヘンティニータ（1895～1945）、グラン・アントニオ（1921～1996）、ピラール・ロペス（1912～）、ホセ・グレコ（1918～2000）などである。ただ、はじめてフラメンコをテアトロに導入したのはチャコンだと言う研究家もいる。ブエノス・アイレスでの公演だということである。

演じられ方は、主としてフラメンコとスペイン舞曲の混成で、1曲ずつ独立した形をとっていた。中には、フラメンコのフィエスタや地方の祭りなどの場面を組み合わせた構成もあったが、総じて物語性は少なく、アンダルシア賛歌といった趣き以上の主張は持たなかった。またクワドロ・フラメンコをそのままステージに載せたものもあった。

1889年の、エッフェル塔がそのために造られたことで有名なパリ万博への登場を皮切りに、フラメンコは20世紀初頭の世界の人々の前に颯爽《さっそう》と姿を現わし、大きな衝撃を与え、また支持を獲得していくのである。

1914年、ロンドンの「セビージャの魅惑」公演でフラメンコのアーティストと共演したラ・アルヘンティーナは、ファリャの薦めでグラナダのヒターナの踊りを参考に、「恋は魔術師」のパリ公演（1925年）の振り付けを行ったあと、1929年にスペイン・バレエ（バイレ・エスパニョール）団を創立し、日本、アメリカなど世界を巡演している。

感情が高まるまで舞台上でいつまでもウロウロしていたと言われるビセンテ・エスクデーロは、1920年、パリ国際舞踊コンクールで優勝したのち、1924年にはスペイン古典音楽によるパリ公演を成功させている。

1921年には、ロシアのディアギレフ・バレエ団（天才的ダンサー、ニジンスキーの活躍で有名）と組んだクワドロ・フラメンコのパリ公演もなされている。

1923年には、わずか10歳のカルメン・アマジャがパリ客演公演デビューを果たしている。主役のクプレ歌手より大受けで、彼に憎まれたというエピソードも残っている。アーティストの家系に生まれたカルメン・アマジャは、4歳で踊りと歌を父に習いはじめ、幼い頃は路上で踊っていた。１９２３年から7年間バルセロナのカフェ、フラメンコ・デ・バルセロナで踊ったあと、１９２９年にはバルセロナ万博にも出演している。同年には親族とクワドロ・フラメンコ・チームを組み、１９３３～4年にかけてパリ公演を行ったのち、１９３５年にはマドリッドの劇場にデビューした。１９３６年からは北米に移り住み、１９４7年に帰国するまで、ニューヨークや、南米のブエノス・アイレスなどをサビカスのギター伴奏で巡演し、大反響を巻き起こしている。贈られた花束の数が多すぎて、それらを運ぶためにはトラック１台が必要だったというほどであった。映画にも出演し、「マドリッドで乾杯」では男装姿で踊っている。１９３４年の「ホアン・シモンの娘」にも出演している。晩年、死ぬ間際に収録された「ロス・タラントス（バルセロナ物語）」での存在感はすばらしいものであった。その直後に持病の腎臓病の悪化で亡くなるのであるが、踊ることで汗を出し腎臓の機能を補うことでようやく生きていた彼女が、老いてあまり動けなくなった結果の死は、人々の涙を誘い、後々まで、その映画が再演されるたびにヒターノ達は「かわいそうに！」と泣いていた。詩人、劇作家のジャン・コクトーは、彼女の踊りを「火のような踊り」と絶賛している。「クイーン・オブ・ジプシー」という題のレコードの最初の曲は火を吹くようなブレリアで、私は以前は、練習の前にその曲を

カルメン・アマジャ（"El Arte del Baile Flamenco" より）

聞いてから、猛然とスタジオに飛び出して行くことを日課としていた。マドリード修業時代の私の師マノレーテは、私の踊りの好みをすぐに見抜き、生前のカルメン・アマジャの踊りを知っている古老達を連れて来て彼女の踊りの振りを教授しようとしてくれたり、彼女のフィルムがあるから買わないかと奨めてくれたりした。ありがたい経験であった。

さて、スペイン国内を混乱に陥れた１９３６年にはじまる市民戦争が、期せずして、フラメンコのインターナショナル化をさらに強力に推進することとなる。カルメン・アマジャがサビカスとともにアメリカに活動拠点を移し、南北アメリカで精力的に活動したことは先に述べた。ビセンテ・エスクデーロもまずパリに移動し、その後アメリカに渡り公演活動を精力的に行っている。日本の敬愛すべき古き良き舞踊評論家であった故蘆原英《あしはらえい》了《りょう》氏は、エスクデーロの踊りに共鳴し、日本公演の要請を強く行っていたが、ついに実現しないままになってしまった。

諸外国におけるテアトロでの上演活動の結果、世界の人々のフラメンコに対する熱狂的な共感が生み出される一方で、バイレ自身も飛躍的に発展する。レパートリーは拡充され、新しい技術や方法が創り出され、また高度化されて、より洗練された様式へと整えられていったのである。以前は歌われるだけであったカンテ・ホンドの秘曲中の秘曲、シギリージャやマルティネーテが、１９４０年代になってはじめて振り付けられ踊られるようになったことが、その最たる証明である。

シギリージャのバイレはビセンテ・エスクデーロが創始者であり、マルティネーテはグラン・アントニオがはじめて踊ったと伝えられている。グラン・アントニオはアメリカの興業主が付けた芸名であるが、ニジンスキーばりの跳躍と、正確で見事に音楽的に洗練されたサパテアードはのちの語り草となっている。ビセンテ・エスクデーロのシギリージャもまた伝説を残している。片方のパンタロンの裾をひざ下までまくり上げ、片方の手を両眼の下に差しのべた異様な形姿で踊られるシギリージャには、胸に深く迫るものがあったと言われている。「激しいまでに男性的」であったと言う人もいる。古い映像に残っており、こんにちでも時々テレビで放映されることがあるのは嬉しいことである。ビセンテ・エスクデーロはとりわけ後世のジプシー舞踊家の尊敬を集めている。マノレーテがエスクデーロの話をするとき（実に何回もである）の表情やしぐさには、深い尊敬と憧憬の念が表れていた。生粋のヒターナの踊りをするロシオも、その振り付けの中にあの異様な片腕を眼の下に差しのべる振りを加えて私に伝授してくれたのである。

さて、シギリージャなどのバイレ・グランデ（大きな格調高い踊り）の拡充とともに、すでに以前から盛んに踊られていたアレグリアやブレリア、タンゴなどのバイレ・チーコ（小さな親しみやすい踊り）も、テアトロ時代にさらに新しい手法や表現法を開発していった。

技術的には、とくにサパテアード（足の音技）が男女ともに多用され、精度を高めていった。テアトロでのステージ上の効果を上げるものとして、有効な手段であったからである。以前のカフェ・カンタンテ時代には男性固有の技術であったサパテアードが、この時代になると女性の武器へと変化する。女性も果敢にそれに挑戦し、新しい舞踊スタイルを創り出していったのである。カルメン・アマジャのパンタロン姿による嵐のような圧倒的サパテアードは伝説となっている。またバイレの出（サリーダ、エントラーダ）にサパテアードを使いはじめたのもこの時代になってからである。女性が男性に負けずにその足の技術を取り込んでいくという点は、20世紀のバイレの技術革進上の一大特色である。そしてその技術もしだいに男性のものに迫っていく。女性のコントラ・ティエンポ（裏打ち）の一般的多用は、１９７０年頃からのことである。土佐日記の紀貫之《きのつらゆき》の言葉になぞらえば、男もすなるサパテアードを女もしてみんとて始む時代であった。また身体の動き全体もいっそう複雑に多様化する。

女性のサパテアードがどれほどの衝撃を人々に与え、また舞台上の効果を上げたかとい

ビセンテ・エスクデーロ
(“El Arte del Baile Flamenco” より)

うことについては、ラ・アルヘンティーナの日本公演を鑑賞した先の故蘆原氏の、真情あふれる評論の中にそれをうかがい知ることができる。女はひたすら女らしく優美にというカフェ・カンタンテの時代からの一大技術革新であった。女は女らしくふるまえという意見は考えものである。男性側の実に安っぽい美意識や女性側のないものねだりが、生や死の本源的な事態など無視した次元で語られることが多いからである。「女」を安易に売り物にはしたくないものである。真実を求める気概を持って生き、踊りたいと思うのである。

このテアトロ時代は、ギターの領域でも飛躍の時代であった。クラシック音楽やクラシックギターからの技術の取り込みや、独創的な方法の探究などによって、１９３０年代に入ってから、ギター・ソロ（独奏）のジャンルが切り拓かれ、様式もラモン・モントーヤによって開示されて、めざましい開花の時代に踏み込んでいく。ピークは１９６０年代と言われている。

カンテ・ボニートあるいはオペラ・フラメンカの流行によって、カンテ・ヒターノ、カンテ・ホンドが脇に追いやられるこの１９１５年から１９５５年の時代こそ、活動の場をテアトロに見出したバイレやギターの飛躍の時代であり、一足先にカフェ・カンタンテの時代にソロの分野に限れば完成の時を得ていたカンテのあとを追って、バイレとギターはようやく本格的な発展の道程に足を踏み入れたのであった。もちろんその素材はカフェ・カンタンテの時代にとりそろえられ準備されていた。それだからこそ、それは可能になったのだということも、忘れてはならない点である。

カンテ・ホンドの側からはふつうネガティブに「衰退」の時代と言われ、バイレ、ギターの側からはポジティブにテアトロ時代と呼ばれる１９２０年から１９５０年頃の時代に、カンテ・ホンドの担い手達はどうしていたのだろうか。

一般に、カフェ・カンタンテの場を追われた彼らは、ひっそりと都会の片隅や田舎に不《ふ》如意《にょい》な形で鳴りをひそめていたと言われる。しかし、この点については少々疑問である。人口に膾炙、つまり人前で華々しく活動しなくなったからといって「衰退」「デカダンス」と言えるのか、ということである。カンテ・ヒターノのカンタオール達は、諸々の形でその歌を堅持し続けたのであるから、安易に衰退というのは表面的で上すべりな解釈だと思えてならない。彼らに対しても失礼である。流行する、しないにかかわらず、また「食えるかどうか」の次元を超越して彼らは生き、歌っていたはずである。エル・フィージョにしろ、マヌエル・トーレにしろ、初期や中期のカンテ・ヒターノの主要な担い手達はすべて、その歌う歌に魅入《みい》られたかのように、もてはやされても貧困のうちに亡くなっているのであるから、ただ平常の状態に戻ったということぐらいにしか感じていなかったのではないだろうか。

一度恵まれると後戻りのできない現代人、パージョと二重映しにして考えると、生き生きとした彼らの姿がとらえられなくなる恐れがある。受け取る私達の側の概念化こそ「衰退」であり、「堕落」であり、「デカダンス」なのではないだろうか。常に現存する死に裏打ちされた生の実感に生きる彼らは、安直な現代人の思いを、圧倒的な強靱《きょうじん》さで凌駕《りょうが》しているというのが真実であると思われる。私は、彼らを圧倒的に力強い人々ととらえ、尊敬している。彼らは決してくじけない人々なのだ。その事実は、長いその漂泊の歴史に明らかに物語られている。

それでは次に、彼らのくじけない姿を見てゆくことにする。

テアトロ時代のはじめ頃には、舞踊団を率いる舞踊手達が高い見識を持ち、本格的なフラメンコのカンテやバイレ、あるいはギターを求める場合が多かった。グラン・アントニオやカルメン・アマジャに求められてカンテを務めたアントニオ・マイレーナの例がそれである。またギターにしても、カルメン・アマジャのアメリカ公演に同伴したサビカスの例がある。バイレにしても、カフェ・カンタンテ時代の大スター、ラ・マレーナや、ラ・マカローナなども招かれてテアトロ公演の「看板」として出演したこともあった。しかしラ・マレーナやラ・マカローナを含めて大半の舞踊家達は、個人的なフィエスタの仕事の契約に行くときも衣服を他人に借りなければならないほど、貧困にあえいでいたということである。

彼らが衣服を借りてでも受けたい仕事の一つが、フェルガであった。フェルガは、カフェ・カンタンテの初期の頃から存在していた。ほとんどのバルや宿屋には、エセルバオと呼ばれる個人的なパーティー用の隠し部屋があったが、その部屋を借り切って、4人から10人ぐらいまでの裕福なアフィシオナード（愛好家、ファン）がお金を支払う形で、1～2人のギタリストと、2～3人のカンタオールと、ときどきは踊り手も招いて、フラメンコを楽しんでいた。フェルガはふつう、ナイト・クラブが店を閉めたあとの夜中の2時か3時にはじまり、朝方まで続けられたが、翌日の午後までとか、あるいは数日間も催され続けたこともあったということである。フラメンコアーティスト達の多くは、驚くべきことに、何日も眠らず、飲み続けながら演じることができた。飲み続け疲れ果てたある瞬間に、彼らの芸が常態を超え恍惚《こうこつ》状態に陥る。ドゥエンデが現前し、音楽や歌や踊りが直接心に切り込んでくる時が訪れる。アーティストもファン達もいつもその時を待ち望み、奮闘努力したのである。フェルガはアーティスト達の大きな収入源ではあったが、疲れ果てる厳しい仕事であり、また金持ちの「旦那衆」に生活を依存するという賤しい感情を伴う仕事でもあったので、近年になって姿を消していくことになった。

大半のカンテ・ヒターノの歌い手達は、プライベートなフィエスタやフェルガ、バルやタバーン（居酒屋）、親族の寄り合いや洗礼式後の酒宴、結婚式などでの歌の仕事で生活の糧《かて》を得ていた。もてはやされていた時代にくらべれば乏しいとはいえ、そうした日常の場でカンテ・ヒターノはしっかり保存されていたということができる。

　カンテ・ヒターノが鳴りをひそめたと言われる時代にもかかわらず、大いに活躍し、人気を博した歌い手の例もある。パストーラ・パボン〝ニーニャ・デ・ロス・ペイネス〟とマノロ・カラコール、そしてアントニオ・マイレーナの場合である。彼らはしたたかに生きた。髪に大きな櫛（ペイネタ）をさして元気に歌う少女に付けられたあだ名を芸名とするパストーラは、大衆の要望に応えてファンダンゴやクプレを演目に加えつつ、しかしクプレをブレリアで歌うなど見事にジプシー流を貫く一方で、伝統的なカンテであるソレア、シギリージャ、アレグリアス、ブレリア、タンゴをしっかりと含ませてレコーディングを行ったのである。彼女は１９１０年から１９４０年にかけて多数のレコードを出している。ギター伴奏は、ルイス・モリーナやラモン・モントーヤ、メルチョール・デ・マルチェーナなどの驚くべき達人達が務めている。マノロ・カラコールやアントニオ・マイレーナの努力奮闘も同様である。レコード会社から大衆に人気のファンダンゴとクプレも歌うように要請されたことについてマイレーナは、その自伝書『告白』（１９７６年）で、次のように述懐している。「ファンダンゴ歌手ではなかった私には、それはとてもつらかった。クプレにいたっては、歌詞もメロディも知らなかったので、楽譜スタンドを立てて楽譜を見ながらようやくレコーディングを終えたのだった」。

そんなものは流儀に反するから歌わない、と突っぱねる道もある。しかし、どのような状況の中でも、脂汗を流しながらも、カンテ・ヒターノの灯を絶やすまいといかなるチャンスも逃さず歌い続ける生き方もある。「紛《まが》い物」まじりであっても、レコードにおいて彼らの歌が残されたことは、のちの私達にとっては大変ありがたいものである。その流された脂汗に深く頭《こうべ》をたれ、心からの謝意を示したいと思う。

伝統的なカンテのリバイバルを求める試みも、カンテ・コンテストという形で、市民戦争（1936〜1939年）の最中になされている。しかし、ペペ・デ・ラ・マトローナやフェルナンド・エル・デ・トリアーナが審査員を務めたコンテストでさえ、受賞者はペリコン・デ・カディスを除いて、すべてファンダンゴ歌手らで占められていたのである。しかし、栄枯盛衰は時の運である。本質的なものを除けば、栄えれば衰える。1940年代に入って陰りを見せはじめたカンテ・ボニート、オペラ・フラメンカの時代は1950年代に終末を迎える。第1期テアトロ時代も同様である。

市民戦争によって拍車をかけられたフラメンコの外国への進出つまり国際化という動きの結果、各国の民衆のあいだにフラメンコ人気が高まり、多くの観光客がフラメンコ、とくにバイレを観るためにスペインを訪れるようになる。そこで登場したのが、タブラオである。最初のタブラオは、1950年、セビージャにオープンしたエル・コルテーホ・デル・ガヒーロである。フラメンコ・アーティスト達は、タブラオという新たな活躍の場を得たのだった。タブラオはカフェ・カンタンテと同類のものであるが、カンテを中心としたカフェ・カンタンテに対して、タブラオはバイレを目玉商品としていた。その点が両者の大きな違いである。1954年にはマドリードにラ・サンブラが出現し、やがてタブラオは全国にその数を増していった。ラ・サンブラ自体は、1970年代なかばに経営難から閉店を余儀なくされたが、全体的に見ればタブラオは現在に至るまで観光の中心スポットであり、また社交の一つの場として活況を呈している。

そうした状況の中で、1954年、ペリーコ・エル・デル・ルナールのアントロヒア（選集）として有名な、本格的カンテ・フラメンコのアンソロジーがレコード化されると、それはスペインのみならず、アメリカ、ヨーロッパ、日本、その他の国々でも大評判となった。ほの暗く息づくペリーコのギター伴奏に伴われた古老達のいぶし銀のようなカンテの力はすばらしいものであった。そして、それを契機に、しばらくのあいだ片隅に押しやられていた古老達の伝統的なカンテが次々とレコーディングされていったのである。カンテ・ヒターノの歌は、こうして「突然、復活」するのである。その復活は、それらの歌が、一方ではフィエスタやフェルガ、小さな身内の集いなどの中で堅持されていたからこそ可能となったのであり、また脂汗を流して逆流に抗しながら歌い続けた数人のカンタオール（ラ）達の執念のような活動と、第1期テアトロ時代にバイレやギターが果敢に世界に飛び出し培ってきたフラメンコの国際化という素地があったからこそ可能となったのである。こうした活動の結果、カンテ・フラメンコ・プーロは、飛躍的に拡大したレコードという活躍の場、あるいはタブラオという新しい場を得て、再び人口に膾炙し、隆盛をきわめるようになった。なお国際的な民族芸術の復興運動の機運なども、そのバックグラウンドとなっているとする人もいる。

この1950年代から1960年代は、フラメンコのルネサンス時代と一般に呼ばれている。

タブラオの出現とそこでの活動は、歌とギターに変化をもたらすことになる。カンテとギターにとっては、バイレの伴奏という位置での活動の場を、新たに明確に得たということである。カフェ・カンタンテの時代にすでに確立されていた「前の」歌やギター、つまりカンテ・ソロやギター・ソロという活動分野に加えて、「後の」歌やギター、つまりバイレの伴奏カンテと伴奏ギターという明確な別の活動分野が派生し確立することとなったわけである。「前の」というのは、ステージの前面で主役としてただ一人でということであり、「後の」というのは、ステージのバックに控えての同伴者としての、という意味である。

バイレの伴唱のためのカンテには、コンパス（拍子、リズムの流れとアクセント）が強く要求されることとなった。また曲の形式も整理されていった。バイレも、カンテやギターとの関わり方を整備し、その形式や方法を洗練していくのである。試行錯誤の連続であったことは、堅実な踊りで知られるトマス・デ・マドリーの次の言葉に端的に表現されている。「僕達の若い頃（おそらく１８６０年前後）は、歌が終わると適当に立ち上がって踊り出したものだよ」。

バイレの伴奏ギターも、新しく強いリズムを刻む強いタッチのテクニカルな弾き方が、ホアン・マジャ・”マローテ“やホアキン・アマドールなどによって開発されることともなった。圧倒的な肉の存在感と「狂暴な」足を持つエネルギーの権化のような妻でバイラオーラのマヌエラ・カラスコの伴奏は、ホアキン・アマドールのような太い腕と太った蜜蜂の女王のような指でなければ、おそらく務まらないだろうと思われる。

このような歴史的推移と要望から生み出される変化をしっかり押さえていないと、歌がいつでも中心という点を強調しすぎて、「踊りのほうは見なくてよい。私（この場合、あるカンタオールのこと）だけ見てギターを弾きなさい」などという妄言が飛び出したりするのである。それほど歌が好きで、踊りが嫌いなのであれば、なぜ踊りの伴唱や伴奏をするのか聞いてみたいものである。カンテ、ギター、バイレの三者が共鳴しあい、共振しあうすばらしい人間的な協調の世界もあることを知らないのか、と憐《あわ》れみさえ覚える。またその声音や音色の中に、その偏狭な心がおのずと浮かび上がってくることを知らないのかと言いたくなる。

さて、ギター・ソロもこのルネサンス期に「完熟の」時を迎える。最盛期は１９６０年代と言われている。ニーニョ・リカルド、サビカス、ビクトル・モンヘ〝セラニート〟（三本指のピカードなどで有名）、ディエゴ・デル・ガストール、パコ・デ・ルシアなど、綺羅星のごとき輝きである。

ここで今まで言及しなかった歌い手達の名前も列挙しておく。

ラフェエロ・ロメロ、エル・ボリーコ、ウトレーラ姉妹、テレモート、２００５年に亡くなったエル・チョコラーテ、フォスフォリート、パケーラ・デ・ヘレス……そしてカマロン・デ・ラ・イスラ。私達の宝物である。

カマロンの出現は、フラメンコの層の拡大にとりわけ多大な影響を与えた。カンテ・ホンドから、ブレリア、ルンバまで、独特の声で自由を求めるように歌った〝島《しま》の小海老〟という名の彼は、「カナステーロ」、「ローサ・マリア」、「コモ・エル・アグア」等の数々のヒットレコードを残しているが、私にはそのどれにも、死の予感に怯える若い魂の痛みが感じられ、痛々しい気持が起こってくる。ギター伴奏なしのパルマだけで歌われる「オトラ・ガラークシア（別の銀河）」という曲名のブレリア・ア・パロ・セコ（飾らない、生《き》のままの）がもっとも趣きがあると、私は思う。

1970年代になると、カンテ・フェスティバルが各地で起こり、大ブームとなる。1981年までがその最盛期だと言われているが、現在でも夏の各地方の風物詩として根づいている。ギア・デ・フェスティバレス・フラメンコス（同案内）という冊子も毎年夏近くには出版されている。私もそれを頼りに、ポタヘ・デ・パルプーハと呼ばれるカディスのチクラーナのフェスティバルから、田舎の小さなサッカー場でのそれなどを追いかけて一夏過ごしたことがある。

パルプーハのそれには、レブリハーノ、カマロン、トゥロネロ、ファニート・ビジャール、ディエゴ・クラベール、ランカピーノ、カリスト・サンチェス、パケーラ・デ・ヘレス、ウトレーラ姉妹、スーシーなど信じられないような豪華メンバーに、マヌエラ・カラスコのアトラクションが付いていた。野外に設営されたステージで夜10時すぎから翌日の昼近くまで、一人3曲を30人ぐらいのカンタオール（ラ）達が次々と歌い続けるのであった。カセット・デッキを大事そうにたずさえて、赤ん坊を乳母車に乗せて一家総出で着飾ってやって来たジプシー達の中にまじって、私は明け方近くまで聴いていたのだが、夏というのに（7月31日だった）夜は冬のように気温が下がるアンダルシアの田舎で、震えながら座っているうちに、列車に乗りバスに乗り継いだ昼間の疲れからついウトウトしてしまい、気配を感じてハッと目を覚ますと、あたりの人々が皆で私を振り返って見ていた。というのも私は最後列のほうにしか席が取れなかったからなのだ。「かわいそうに。遠い日本から来たんだもの、疲れるよね」。彼らの温かいウィットに富む慰めに恐縮しながら乳母車のほうに目をやると、ジプシーの赤ん坊はさすがである。カンテが子守歌なのか、泣きもせず、凍えもせずにタフに眠っていたのであった。すべてが新鮮な驚きであった。しかし全体が少々ザワついており、大音量のスピーカーから流れる荒い音や、地元の歌手が登場すると大声援が起こるなど、あまりにも日常的すぎて、ドゥエンデはどうも現れるチャンスがないように私には思われた。しかし、それなりの風情があることも書き添えておく。

フラメンコのルネサンス期には、各地にペーニャ（同好会）も生まれ、またヘレスにはフラメンコ学研究所[21]も設立されるなど、バックアップ体制も整いはじめた。また諸々のフェスティバルやコンクールも盛んに行われるようになってゆくのである。

１９７０年頃から再びカンテやギターのレコーディングラッシュがはじまるが、内容はしだいに大衆的なものが多くなり、若いアーティスト達のフラメンコへの関わり方も変化をみせてくる。消耗の激しいフェルガは行われなくなり、フェスティバルやタブラオ、レコーディングに仕事を求める傾向が強くなるのである。エル・グィト、マリオ・マジャ、マノレーテ、クリスティーナ・オジョスなどのちにマエストロと呼ばれることになる人々も、当時はタブラオで大いに活躍していた。

ところで、１９７5年3月に独裁者フランコが死に、その独裁政治が終わりを告げる頃から、フラメンコの新しい波がうねりはじめる。それは、第2期テアトロならびにオーディオ時代ととらえられる。レブリハーノやマリオ・マジャなどの意識を持ったジプシー・アーティスト達が、その圧迫の歴史を語りはじめるのであった。

きっかけはアントニオ・ガデスである。彼は、バレエ・フラメンコという概念を持って物語性と主張を強めてテアトロに登場する。フラメンコで何事かを物語るという動きである。ガデスの「血の婚礼」は１９７４年、まだフランコが生きているあいだに北部で上演され、人々に衝撃を与えた。洗練され舞踊性に富むその舞台は１９８６年に日本でも上演されている。息を飲むような大胆な舞踊世界であった。彼のその後のステージでは、クリスティーナ・オジョスがプリマを務め、エル・グィトやマノレーテが客演している。マリオ・マジャは、ジプシーの迫害の歴史を題材として、１９７６年「私達は語りたい（カメラモス・ナケラール）」、続いて「アイ・ホンド」などの社会派的作品を生み出したのち、物語性を強めていった。また１９７８年にはバレエ・ナショナル（スペイン国立舞踊団）が創始されている。初代監督はアントニオ・ガデスが務め、「アランフェス協奏曲」でピラール・ロペスの振り付けを再現したり、民俗舞踊を登場させたり、マノレーテをゲストにフラメンコを登場させるなどした。その後ホセ・アントニオが監督となってから、パコ・デ・ルシア音楽担当の「ロス・タラントス」やマノロ・サンルーカル音楽担当による「メディア」など多くの作品を提出した。アイーダ・ゴメスに代わると、マノレーテ、アントニオ・カナーレス、ハビエル・ラトーレなどのフラメンコ舞踊家が振付師として招かれている。こうして創作フラメンコというジャンルが確立されていった。これが第2期テアトロ時代の大きな特色である。なお、2004年7月20日、一つの時代の終わりを告げるかのように、アントニオ・ガデスの訃報がもたらされた。冥福を祈りたい。

1980年代以降、テアトロ、映画、ジャズやロックの取り込みやコラボレーションなどの動きも出てくるようになる。テアトロ作品も盛んに試みられる一方で、タブラオのクワドロ・フラメンコ（数人のアーティストが車座になって行うバイレ、カンテ、ギターの共演）や、フィグーラ（夜半を過ぎてからの大トリを努めるスター）のソロバイレが、そのままの形態を保ってテアトロに登場してくる。

1984年冬に、永続的連続公演と銘打たれてアーティストが倒れるまで行われたマドリードの公演は圧巻であった。当時マドリードにフラメンコ留学中だった私は、すべての土日の、前から2列目の席を予約して見続けたのである。ファイコのグループが前座を務め、スーシーのグループが中盤で、大トリはマヌエラ・カラスコのグループであった。その間にトゥロネロなどのカンテ・ソロが加えられていたが、毎日連続休みなしのテアトロ公演の中で、まずトゥロネロが声をつぶして去り、最後にマヌエラ・カラスコが右足を傷めてついに1ヶ月半で打ち切りとなってしまった。アーティストにとっては以前のフェルガも及ばない過酷な催しではあったが、私にとってはまるで私のスペイン留学を祝福してくれているかのような幸せな日々であった。カラスコのステージを見続けられたのである。演目の最後はいつもソレアであった。1ヶ月半のステージのうち、2度ほどグラッと頭が傾いて気を失いそうになる経験をした。荒ぶる神とでも言えるような別のカラスコが立ち現れたのである。その後日本での彼女のテアトロ公演を何度も鑑賞する機会があったが、デモーニッシュな、それこそ持っていかれそうな感覚を体験したのは、あのマドリードのティルソ・デ・モリーナのテアトロでの2回だけである。2回でも、体験できてよかったと私は思っている。ドゥエンデは、そうやすやすとは出現しないということなのだ。だから一度や二度そのバイレを観たからといって本当に観たことにはならないのだ。ドゥエンデの立ち現れる瞬間まで根気よく立ち会い続けることが必要なのである。在りし日のフェルガではアーティストだけでなくファンである観客も懸命に努力したということが、それを物語っている。もちろん、こうしたことは、その力量があると思われる踊り手に限ってのことである。

さて映像と言えば、カルロス・サウラ監督の映画「フラメンコ」等のヒットも記憶に新しい。ジャズやロックの取り込みやコラボレーションは、若手グループ、ケタマやエストーパ、カメラなどにおいて盛んである。十数年ぐらい前のマノレーテをゲストとしての私の公演時に、「僕達も使って」と言ってきた若者グループが、実はその頃まだ無名のケタマであった。当時日本では「たま」という妙なバンドが活躍していて、「ケタマ」と彼らが名のったとき少し吹き出したことがあり、失礼なことをしたと今は思っている。

レコードはその後のオーディオ機器の進化によって、カセット・テープ、CD、MDなどに代わり、さらに20世紀末頃からビデオ・DVDなども大衆化して、オーディオ、ビジュアルの分野も新たにアーティスト達の活躍の場に加わり、今やオーディオ・ビジュアル時代とも呼ばれるべき時代に入ってきている。

またこんにち、テアトロ・プーロ・フラメンコや、テアトロ創作フラメンコはそれぞれますます盛んとなり、マヌエラ・カラスコ、ホアキン・コルテス、ファナ・アマジャ、アントニオ・カナーレス、マリア・パヘス、サラ・バラスなどが再び世界を席捲している状況である。カラスコやファナ・アマジャらはプーロのやり方で、ホアキンらは創作のやり方で（あるいは行きづまるとプーロに戻ったりしながら）それぞれ世界を駆けめぐり、新しい世代に大きな影響を与えている。懸命な試行錯誤は芸術を涸渇させないための原動力である。現状に満足せず、大いに狂い咲くべきである。いつかたどり着くところにたどり着くのであるから、恐れずにやり通すことである。ただし純粋な心を失わず、コマーシャリズムに流されないことが必須条件であることも心しなければならない。

他方、タブラオは中堅や若手の活躍の場となり、フェスティバル、各種コンクールなども行われ、ペーニャも盛んである。観光産業や町おこしと一体化している場合もある。インターナショナル化も先に触れたようにますます盛んとなっている。

活躍の場が飛躍的に拡大したことによって、今世紀に入っても、フラメンコは未曾有《みぞう》の発展を続けている。国際化もますます進んでいる。フラメンコアーティストも、ジプシー、パージョ（ジプシーでないスペイン人）だけではなく、アメリカ人、ドイツ人、フランス人、日本人、オーストラリア人、韓国人、台湾人など、国や民族も多岐にわたりはじめている。

ちなみに、フラメンコの教室や、ペーニャ、タブラオなどのフラメンコの土壌を直接に日常的に掘り起こす土台となる活動の拠点の存在をメルクマールにすれば、スペイン本国はもとより、日本（フラメンコ舞踊教室の全生徒数は2004年段階で、8万人以上と言われる）、アメリカ（ロス・アンゼルス、アトランタ、シアトル等に教室があり、またシアトル大学にはフラメンコ講座も開講されている。かつてのカルメン・アマジャやサビカスの活動の結果が確実に息づいている）、ドイツ（日本に劣らずフラメンコ熱は高く、生徒数も多い）、フランス、イギリス、オランダ、イスラエル、シンガポール、韓国、台湾、オーストラリア、南アフリカ共和国、ベネズエラ、アルゼンチン、メキシコ、チリ、コロンビア、ブラジル、ドミニカ、キューバ、スウェーデン、ノルウェー、デンマーク、などをフラメンコ人口存在国として、列挙することができる。これは仕事や結婚などで海外に渡った私の教室の生徒の生情報、その他などから得た情報である。

実際、スペインの有名スタジオをのぞいてみれば、生徒の大多数が日本人であり、次いで諸外国人であって、パージョが少し、ジプシーの生徒などはごくわずかという状況がおわかりいただけると思う。

そもそものはじめ、そう遠くない時代にアンダルシア地方で、ジプシーによってひそやかに創造されはじめたフラメンコというきわめて局地的、民族的な音楽や踊りが、初期の草創の時代、カフェ・カンタンテ時代、第1期テアトロ、オーディオ時代、第2期テアトロ、オーディオ・ビジュアル時代という道筋を通って、汎アンダルシア化し、汎スペイン化し、さらにインターナショナル化し、そしてこんにちもさらにそのインターナショナルな受容と支持を広げつつあるのである。きわめて局地的民族的なもののインターナショナル化とは、まさしくパラドキシカルな状況と言わざるをえない。

もちろんすでに述べてきたように、テアトロ時代等といっても、カフェ・カンタンテ形態の発展形と言えるタブラオや、個的同族的パーティ、フィエスタ、フェリア、フェスティバルなどの類《たぐい》も同時並行的に盛んに行われているわけであり、活躍の場の選択肢として、新たにテアトロやオーディオ、ビジュアルを取り込むことが、前の時代と一線を画す大きな特徴をなすという意味で、テアトロ、オーディオ・ビジュアル時代と呼ぶわけである。それは活躍の場が飛躍的に拡大したということであり、またそういうことにすぎない。

ところで劇場（テアトロ）芸術というのは総合芸術である。演者の空間と場所の広がりということだけではない。演者の照明、音響などとの渡りあいと協調、競合のスタイルである。それはそれで大変魅きつけられる芸術空間であり、総合芸術への美的芸術的探究心からそちらに向かうのは、また一つの素敵な方法である。しかしフラメンコにおいては、総合芸術という観点をもって演じられているものは実は数少ない。かなりな部分が不可思議である。まず真の意味の演出の存在がない場合が多い。これでは舞台芸術としては致命的となる可能性が生ずる。実は、どんな小さな個的同族的なパーティー、フィエスタにも、演出は貫かれている。演者は見る側からのまなざしを同時に持ち、もっとも自分がアピールできるように自然に行っているのが事実であるから、そのときすでに自己の内に演出の目はあるのである。それがもっと大がかりになったとき、演者は演出と自己を分離し、役割分担することで、演ずることに集中しようとする。演出は演者の代わりの重要な役割をまかされるものである。真の意味での演出のいない、あるいはその必要性のわからないものの演ずる舞台芸術は、実はありえないのである。ジプシーはその厳しい歴史と血によって直観的にそのことを知っている。

さて、演出の重要性もわからないにもかかわらず、それでも劇場で行うというのはなぜか。集客、つまり興行性の観点、あるいは宣伝という観点からだけのアプローチとしか思われない。職業化、プロフェッショナル化がただの商人への道だとすると、芸は廃《すた》れる。商売の神は、ギリシアのヘルメス（エルメス）である。それは「欺《あざむ》く神」である。欺く、だますということが本質というのでは、芸術は死んだも同然であろう。フラメンコとて同じである。実は劇場時代という言われ方には、何かうさんくささがつきまとう。何かが隠《いん》蔽《ぺい》されごまかされているような気配が感じられる。表面的な軽々しさとでも言おうか。せいぜい活躍の場が広がり、選択肢が増えたという程度に理解しておくことが賢明である点は、付け加えておきたい。

しかしここでの本質的に重要な問題は、フラメンコのインターナショナル化ということである。インターナショナル化というのは、国籍、皮膚の色、眼の色、言葉の違いを超えて、すべての人間のものとなるという意味である。

すでにジプシーの章でみたように、ジプシーの生まれでない私達も、ジプシーを受け入れ、共感したアンダルシアの人々の心、気質を持っていれば十分なのだ、という点は確認できた。ジプシーに共鳴し、共感するアンダルシアの人々の心、気質と同質であるがゆえに、私達や私は、フラメンコを愛し、それに強く魅かれるのである。

同じ血でなくてもよい。同じような血を持っていればよいのである。フラメンコを踊り切る資格があるのだと言ってよい。「お上《かみ》」に逆らう、不条理な束縛を嫌う、今だけを生きる潔い明晰さ、歌い飛ばし、踊り飛ばして困難な現実を生き抜くそのたくましさ、こうした気質に対する共感――。自分達とは異質なものを排除しようとする一般的な西洋型や東洋型、あるいは日本型の小市民的意識に、どっぷり浸っているのでは駄目なのである。

そういうものが、たとえば日本のジプシーらしきものを封殺してきたという点についても、すでにみてきた。だから「和の心」などと安易に言ってはならないのである。判官《ほうがん》びいきなどと言って、お上にたてつく者に肩入れし、心のうさを晴らす日本人独特の気風は、一見いかにもアンダルシアぽいが、しかしよく考えれば、小市民達が自分達より身分の上、あるいは同等の者に対してのみ向ける共感であって、自分達より下の下層の者達の反逆に対しては、ほとんど共感を寄せてこなかった、というのが実状である。河原者やかぶき者（傾《かぶ》く＝傾むく、異端に傾むく）の流れを除けば、「和の心」などというものは、むしろ日本人の異質なものに対する偏狭さの上に成立したあだ花である場合も多々含まれているのである。反対に、こうしたものになじめず、いつも漠とした不安や孤独を感じて、苛立ちや孤立感を深めたり、あるいは本来の自分はもっと「別のところ」にあると感じる心こそ、ジプシーやあるいはジプシーに共鳴したアンダルシアの人々に共鳴し、フラメンコに共鳴するのである。

とはいえ、実は同質性、共鳴ということは、なまやさしいことではない。生まれながらにしてジプシーでもなく、アンダルシアの人々でもない私達は、ジプシーのように存在そのものが、絶えず死を予感させる地平にはいない。もっと保障され、スポイルされている。そのため、ズバッと本質が見えない。死が実は隣合わせだと実感できず、あるかないかもわからない老後の心配までしたりする。一応不足のない小さな幸せの中にいる、という幻想の中で、自分を絶えず見失いながら。

同質性とは、なまやさしいものではない。自分自身に問い返してみれば、実は長いものに巻かれろ風であったり、目をそらしたり、あげくはお上に尻尾を振り、また自分がお上になり上がろうとする。そういう醜い姿が、垣間みえる場合が多いのである。言葉で飾りながら現実の行動でみずからを裏切っている、それにもかかわらず無自覚で平然としている。こういう人々は、フラメンコとは本来無縁な人々なのである。芸に品格など出てくるはずがない。

日本においては、「和」の装い、そのフラメンコへの取り込み、あるいは創作舞踊の観点からのフラメンコの舞踊技術の借用としか思えないものなどが、まるで日本人の自己主張、その固有性の誇示、あるいは最後の寄り拠《どころ》でもあるかのように流行しているように見える。しかし、これは今にはじまった試みではなく、半世紀の以前から、頻繁に試みられてきたことである。それについても思い出されることがある。1983年、バルセロナのシッチェス国際フェスティバルにおいて、和服でフラメンコを踊り、特別審査員賞を受賞したN・Nのことである。しかし彼女の名誉は、日本のフラメンコ界では完全に無視された。彼女の踊りが当時盛んであった「舞踏」的傾向が強かったためである。見慣れないものであったため、あれはフラメンコではないと簡単に切り捨てられた。歴史というものは、こんなに簡単に、意図的に消されるものなのか、と実感させられた瞬間でもあった。その評価は別として、フラメンコというのは豊かな心の世界だと思っていた私には、そのとき、日本人の心貧しい状況に対する疑問が生じると同時に、スペイン、バルセロナの人々の度量の広さに深い感動を覚えたものである。その後彼女の消息は絶えて久しい。「和」ものの流行の中で、ふと思い出された出来事である。

さて、次に視点を変えて、もう一つのフラメンコの普遍性の問題について論じてみたい。

第五章

フラメンコ実践論

バイレから見たフラメンコの実践的本質

エンリケ・エル・コッホとパストーラ、ペペ・レジェス（“El Arte del Baile Flamenco”より）

1――フラメンコの要素と形式

まず一般論から述べる。

フラメンコには歌（カンテ）、ギター（トーケ）、踊り（バイレ）の主要な3部門がある。演じられ方には3種類がある。

まず第一に、それぞれの要素が独立して演じられるスタイルが挙げられる。ギター伴奏なしのカンテ・ソロ、ギター・ソロ、バイレ・ソロである。ギター伴奏なしのカンテ・ソロには、トナ、デブラ、マルティネーテや、ア・パロ・セコ（生《き》のままの）のブレリア（カマロンのそれのすばらしさについては前章で触れた）などがある。初期の時代のカンテも、今日的な意味でのギター伴奏のない歌われ方であったが、マンドリン類やリュート類などの諸弦楽器に伴われることが多かった点を考慮しておこう。

ギター・ソロは１９６０年代に完成の時を迎えており、一つのジャンルとして確立している。バイレ・ソロについては、１曲まるごとカンテ、ギターなしの形として私が目撃したのは、ホセ・ミゲルのカパ（闘牛士のマント）を持っての踊りだけである。かつて、ラ・アルヘンティーナが踊った無伴奏シギリージャもそれであったことを、故蘆原英了《あしわらえいりょう》氏が記録されている。それによると、パリージョ（カスタネット）とサパテアード（足のリズム楽器としての音技）だけで踊られたということである。彼女が活躍した時代は、アメリカの創作舞踊家イサドラ・ダンカンが世界を席捲していた頃で、アルカイックなカスタネット舞踊も彼女のレパートリーに入っていた。もちろんイサドラの場合は、太古の祭礼やギリシア悲劇に想をとったもので、そういう意味ではラ・アルヘンティーナのパリージョの太古の祖と言うべきものが、すでに20世紀初頭に別のジャンルの踊りで使用され世界の人々の耳になじんでいたのであるから、ラ・アルヘンティーナが演じたときには、さほど新鮮な感じは持たれなかったと思われる。ただ、ラ・アルヘンティーナはパリージョの名手だったと言われているので、その技巧においては賞賛されたことはあったであろうとは考えられる。ところで、1曲まるごとでなければ、バイレの中にも、曲目の一部としてソロ・デ・ピエというギターにもカンテにも伴われず、パルマだけで演じられるサパテアードの特殊部分が用いられることもある。これは現代においてはよく行われるものである。

第二の演じられ方は、二要素が結びついて行われるスタイルである。すなわち、カンテとギター、カンテとバイレ、ギターとバイレの共演である。カンテとギターのそれは、こんにちのカンテ・ソロのもっとも一般的な演じられ方である。カンテとバイレの共演は、マルティネーテがその典型であり、ブレリア、タンゴ、ルンバなどもこの形態をとることがある。ギターとバイレの共演は、サパテアードという形式の踊られるときがその典型である。ファルーカもそのスタイルをとることが多いが、カンテを交えることもある。ギターとバイレの緊迫したやりとりも妙味があるが、ファルーカという歌は歌わず滅びさせてしまうには忍びない趣きのある歌で、歌い方次第ではカンテ・ホンドかと思わせるような風情を醸し出す曲であるため、私はファルーカをカンテで踊ることが多いのである。

三番目の演じられ方は、カンテ、ギター、バイレの三者が一体となって共演するスタイルである。バイレの視点から見た場合は、この演じられ方がもっとも一般的である。

こうした三様の演じられ方に優劣はなく、それぞれが充足した趣きのある世界を創り出しうるのである。

カンテ、ギター、バイレという演じられる際のいわば三大要素と言うべきもののほかに、準要素あるいは四番目の大要素とでも言うべきパルマ（手拍子）がある。これもまた非常に重要である。19世紀後半にフラメンコギターが登場し、カンテ、バイレの伴奏部門を一手に引き受けるようになる以前の時代には、もっぱらパルマでカンテ、バイレが演じられていたわけである。その歴史的経緯からみても、またパルマなしにはバイレのサパテアード技術の高度化もありえないという点から考えても、さらにスペインではパルメーロというパルマ専門の職業が成り立っているということからしても、その重要性は明らかである。

ところでこれは、一般論である。ただの聴く人、観る人の立場では、ここまでである。しかし実践者の立場からすると、パルマはただの伴奏にはとどまらない。踊り手にとってはさらに重要な意味を持つ。実は、パルマは、〝大地〟なのである。踊り手がしっかりと立つべき確かな大地が、パルマによって形成されるのである。私がこのような考えに至ったのは、一つの不思議な体験を経てからである。

そのとき私は、ある公演（リサイタル）に向けてリハーサルを積み重ねていた。そのさなかのある日、3人のカンタオールがそろい、音合わせがはじまった。二人はヒターノで、もう一人はパージョ（非ジプシー）である。一人は、腕っぷしの強い、「ブラソ・デ・ヒターノ」そのものの腕を持つ家長のようなヒターノであり、もう一人は、鋭いリズム感のヒターノ、そして耳のいいパージョ、この三者の打ち鳴らす寸分の隙間もないぶ厚いパルマの響きあいの中で、私は確かに見た。突然闇の中から、大地が現れたのである。確かな大地、あるいは堅固な床、それこそ私の踏みしめるべき、しっかりとした床板が、私の足元からまたたく間に前方へと、あたかも道が切り拓かれるかのように、ビシッビシッと音を立て、形をなして広がっていったのである。目を見張る光景であった。まったく経験したことのない不思議な感覚だった。もちろんコンパネ（床板）はすでに張りめぐらされていたのだが、そういう実物のコンパネではない、確かな大地、堅固な道の視覚的な感覚を得て、ここが私の踊るべき場なのだと確信したのである。ああ、これなのか、これがパルマの力、パルマの脅威、威力なのか。私は深々と実感した。あらためて感じるパルマの威力の体験であった。おそらく踊り手は、パルマがなければ、空中を漂うものでしかないのだ。フラメンコの初期の段階で、パルマに合わせて踊っていたということも、ようやくそのときに実感をもって理解されたのである。

パルマは、ただの伴奏ではない。踊り手に大地を示し、踊り手を大地へとつなぎとめる、そして踊り行く者の道を照らす、慈悲、慈愛の手のようなものなのだ。これは、実践者、踊る人でなければわからない感覚であろう。事実、私が踊り手でありながら踊らず、他の踊り手の舞台を鑑賞しているときには、パルマはただの聴く音、リズムなどでしかなく、空中を漂い、あるいは空中を飛んで来て私の耳や身体を打つ音でしかないのである。それはただの音楽、要するに楽しい音というだけのものなのである。

このような別次元の局面が拓かれることになろうとは、本当に踊る道の選択が間違いではなかった、と思われた瞬間でもあった。まさか大地の感覚の回復が、フラメンコの中で実現されるとは、夢にも思わなかった事態であった。いや、その可能性の直観があったからこそ、バイラオーラの道を選んだのかもしれないのではあるが、明確な先立つ意識があったわけではない。人間は、無限と無とのあいだに宙吊りにされた不安な存在であるというのは、哲学者パスカルの言葉である。パスカルの語る近代市民社会の人間の自己喪失感と大地の喪失感は、神概念など持ち出さなくても、フラメンコにおいては、一挙に乗り越えられるのである。

三大要素のうち、フラメンコの中心にはカンテがある、というのが一般論である。この点についてはのちに検討を加えることにして、先に進もう。

このカンテ中心説に対して、それに逆らうような意見を提出した研究家もいる。バルセロナのアルフォンソ・プイグ・クララムント[1]で、その著作『バイレ・フラメンコの芸術』の中で、カンテの起源とバイレの発展は別問題だとして〝バイレ・フラメンコの系統樹〟というものを示した。それは図1のようなものである。確かにカンテとバイレは彼が言うように、歴史をともにしていないように見える。カンテは前節でみたように、18世紀後半、トナ、デブラ、マルティネーテ、シギリージャなどを初発とする。しかしマルティネーテやシギリージャが踊りはじめられるのは、１９４０年代になってからであった。この例だけみても、それは明らかである。彼の意図はわからなくもないが、提出された系統樹には19世紀後半に踊りはじめられてこんにち盛んとなるソレア・ポル・ブレリアが見出せない点や、バイレとして廃《すた》れているものも散見され、カタロニア地方の特殊性によるものかどうか判然としない点も多く、どうも系統樹とは言えないようにも思われるところもあって、とりあえず参考までに挙げるにとどめたい。

その系統樹よりも、彼が示しているバイレの分類の仕方のほうが、示唆的である。彼はバイレをバイレ・グランデ（大きい、格調高い踊り）あるいはバイレ・ホンド（深い踊り）と、バイレ・チーコ（小さい、愛すべき踊り）とに分け、前者を「深遠な」「人知の及びがたい」「悲哀に満ちた」「運命的な」曲目として、その中にソレア、シギリージャ等を分類する。後者には「軽く」「愛嬌のある」「ピリッとした」「にぎやかな」「機知に富んだ」曲目として、タンギージョ、アレグリア、ブレリア等を入れている。すなわち、バイレ形式（曲目）を、それが表現する情緒、趣きをメルクマールにして分類しているわけである。

■ 図1　バイレ・フラメンコの系統樹 Arbol genealogico del Baile Flamenco

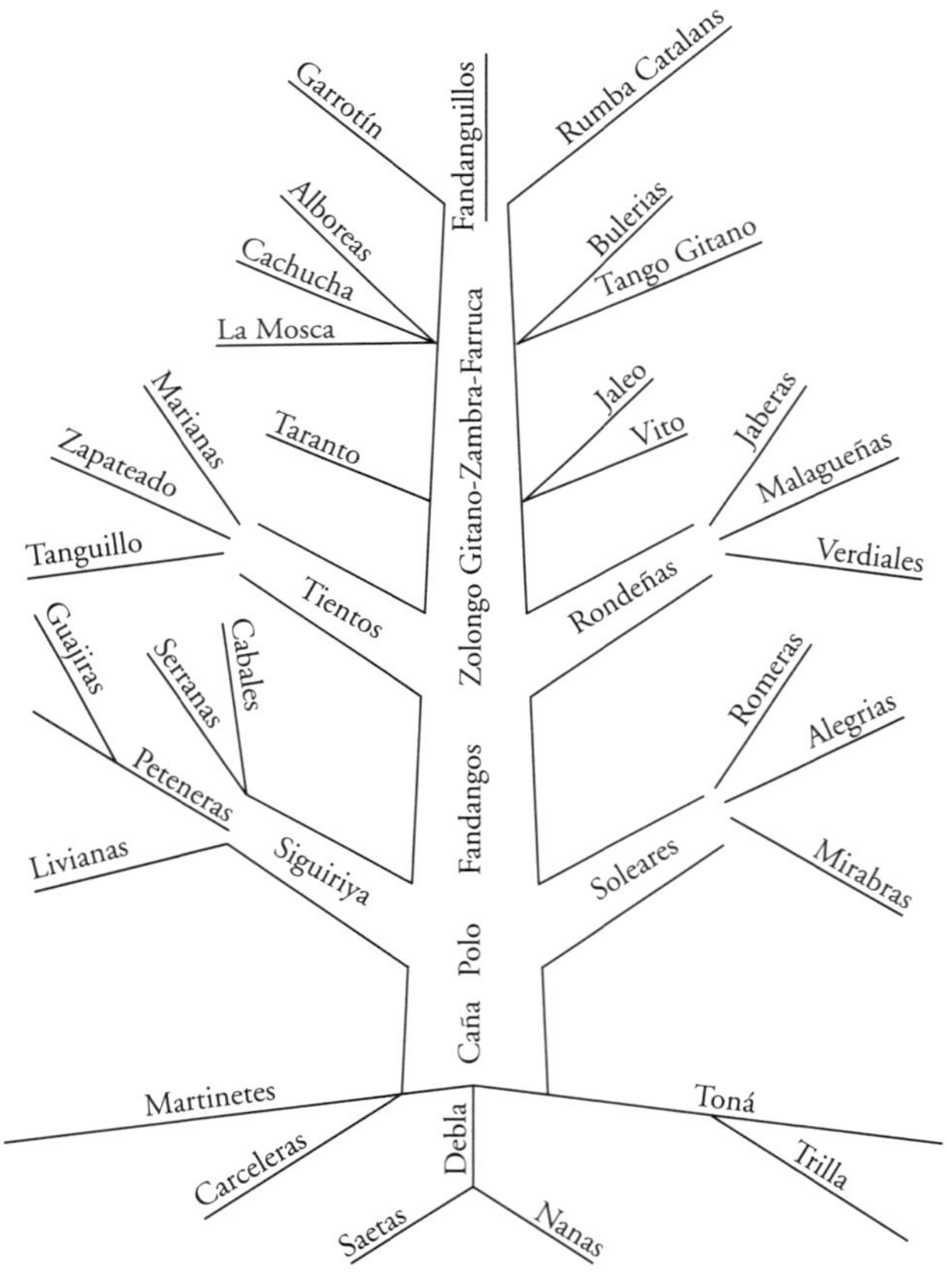

アルフォンソ・プイグ・クララムント著『バイレ・フラメンコの芸術』より
"El Arte del Baile Flamenco" Alfonso Puig Claramunt y Flora Albaicin

■ 図2　カンテの木

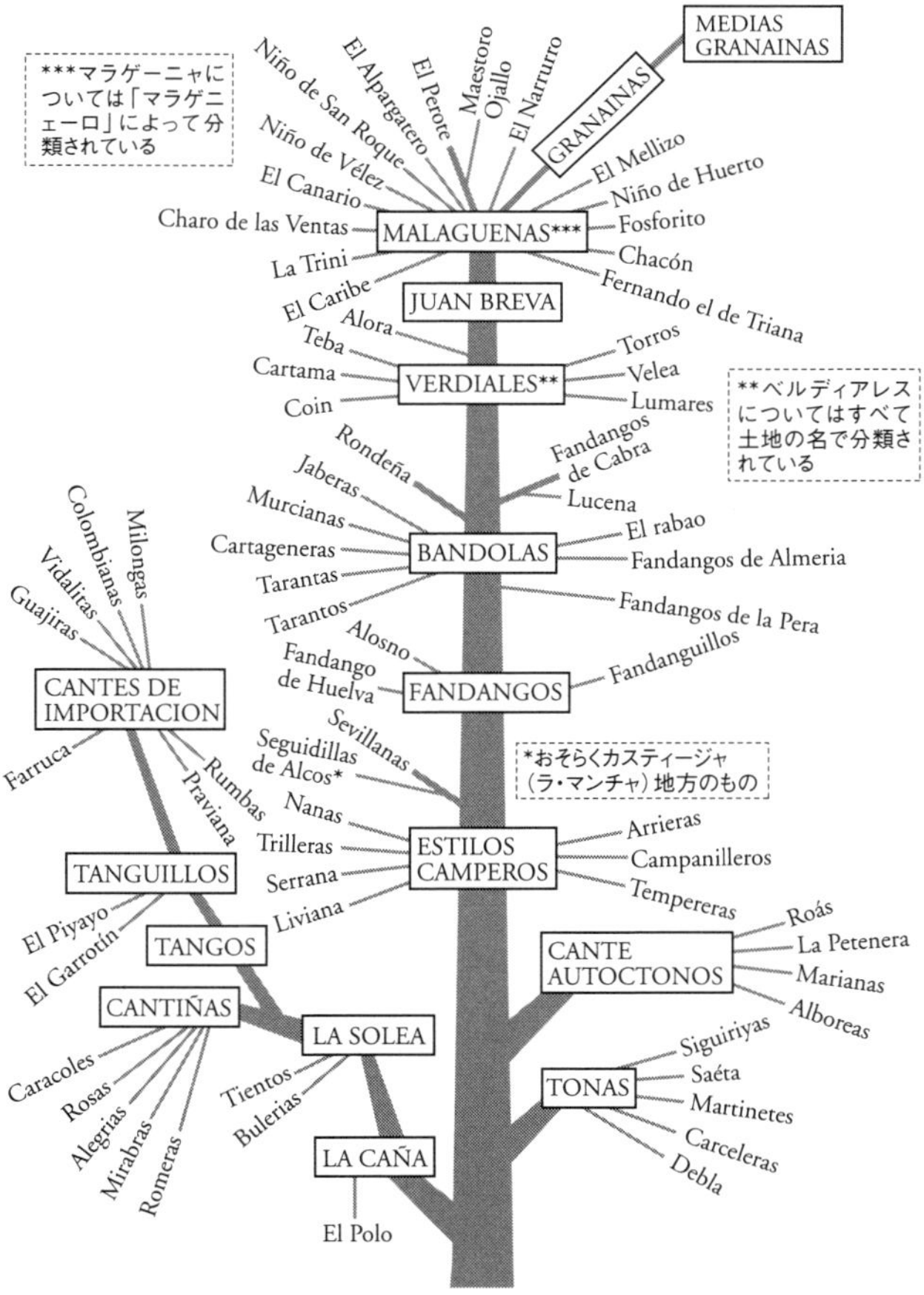

“Cante y Baile Flamencos” Editorial Everest, S. A.

しかし曲の趣きということであれば、むしろ音楽（カンテやギター）、とりわけカンテが鍵となるはずであって、カンテに抵抗しつつも、結局カンテに従ってバイレを分類しているということになる。

ちなみに、カンテの系統樹、カンテの木と呼ばれるものは実は何本もある。それだけ多様で、説も定まらないということであるが、図2のようなものは、一般によく紹介されるようである。しかしこれもカンテの形式とカンタオールとが混在する形で呈示されており、カンテの系統的理解に役立つかというと疑問である。むしろ混乱のもとともなりかねない。本場の人の言うことが必ずしも正しいとは限らない例の一つである。取捨選択は自分のクリアーな頭で、よく考え決めなければならないという諫《いさ》めにはなるだろう。

さて、それでは話を先に進めよう。

アルフォンソ・プイグの説よりもよく整理された形でバイレの歴史を理論化したのが、フラメンコの歴史の章でも触れたテレサ・マルティネス・デ・ラ・ペーニャ[2]である。テレサによると、カンテ・フラメンコとバイレ・フラメンコの大きな違いは、悲劇性（悲しみ）と喜びである。カンテは悲哀の上に立ち、バイレは喜びの上に成り立つということの考え方は、現象的には一見成り立つかに見える。私も研究の初期の段階には同様なことを考えていたが、舞踊というものを根源的に、また歴史的にとらえ返すと、それは大きな誤りであることが明らかになった。考察が浅すぎるのである。この点については、すでに、第三章でも述べたが、さらに詳しくあとで追求することにしたい。

彼女の考察の浅さは別として、そのバイレの分類は多少示唆的である。彼女によると、バイレは次のように分類される。

ジプシー本来のもの——アルボレーア、ローアス

アンダルシアの踊り——カチューチャ、ファンダンゴ、ハレオ、マラゲーニャ・イ・トレロ、マラゲーニャ、オーレ、パナデーロ、セビジャーナス、ティラーナ、ベルディアレス、ビート

フラメンコ——アレグリア、ブレリア、カーニャ、カラコレス、チュフラ、ファルーカ、ガロティン、ミラブラス、ペテネーラ、ポロ、ロメーラ、ロンデーニャ、ローサ、ルンバ・ヒターナ、セギリージャ（シギリージャのこと）、ソレア、タンゴ、タンギージョ、タラント、ティエント、サンブラ、ソロンゴ

バイレ・フラメンコは次のように分類される。

よりジプシー的なもの（本来ジプシーが固有に持っていたという意味で）

バイレ・カナテーロ、ブレリア、ルンバ・ヒターナ、ソロンゴ

よりアンダルシア的なもの

アレグリア、カラコレス、ガロティン、ミラブラス、ロメーラ、ローサ、タンギージョ

より典型的なフラメンコの踊り

カーニャ、セギリージャ（シギリージャのこと）、ポロ、ソレア

さらに、バイレ・ホンド（バイレ・グランデ）とバイレ・チーコを、醸し出す情趣が深いものと軽く表面的なものに分け、さらに伴奏音楽のリズム、拍子の複雑さとシンプルさの区別も付加しているが、たとえば、「趣きの深さ」を「インパクトが強い」程度のとらえ返ししかできておらず、言語の概念規定が曖昧で、成功しているとは思われない。また歴史的なとらえ返しも弱すぎる。

アルフォンソやテレサの試みにもかかわらず、要するに、バイレ・フラメンコのすべて

の形式も、そしてギターのそれも、カンテの形式にもとづいているのである。その視点から、およそ50ほどあるフラメンコの諸形式（レパートリー、曲目）はふつう、次のように分類される[3]。メルクマールは外形（大、小）、あるいは格調（高、低）と、それが表現する情緒、趣きである。

フラメンコの諸形式

1. カンテ・グランデ（大きな歌）——深遠な情緒、究極の心の状態を表わすのに適した格調高いもの。

トナ、デブラ、マルティネーテ、カルセレーラス、シギリージャ、カーニャ、ポロ、ソレア、セラーナ、リビアーナ、サエタ、きわめてジプシー的なマラゲーニャ

2. カンテ・チーコ（小さな歌）——気軽で日常的な哀感を歌うもので、カンテ・グランデより新しい起源を持つものが多く、本来踊り歌であるものが多い。

(1) 生粋のフラメンコの踊り歌

アレグリア、カンティーニャス、ロメーラ、カラコレス、ミラブラス、ブレリア、アルボレア、タンゴ、サンブラ

(2)地方的なファンダンゴ類
ベルディアレス、ロンデーニャ
(3)カンテ・アンダルース――アンダルシア地方の民謡をフラメンコ化したもの。
セビジャーナス、タンギージョ、ビジャンシーコ、カンパニジェーロス、マリアーナ、ナーナ（子守歌）、カンテ・デ・トリージャ（麦打ち歌）、バンベーラ
(4)北スペイン起源のもの
ファルーカ、ガロティン
(5)中南米起源のもの
ルンバ、ミロンガ、グァヒーラ、コロンビアーナ
3．カンテ・インテルメディオ（中ぐらいの歌）――カンテ・グランデほどの深刻さや格はないが、チーコと呼ぶには深すぎる叙情性を持つもの。
ファンダンゴ・グランデ、マラゲーニャ、グラナイーナ、メディア・グラナイーナ、タランタ、タラント、カルタヘネーラ、ハベーラ、ペテネーラ、ティエント、ソレア・ポル・ブレリア
バイレ、ギターの形式もまた、これに準ずると考えてよい。

このような多様な形式・レパートリーを持つことによって、フラメンコの歌や音楽も、そして踊りも、人間の喜びの絶頂から絶望の底までの、人生のあらゆる場面での感情・情趣を表現することが可能となった。このことが、フラメンコの持つ豊かさの一つの由縁である。

2——カンテとバイレ

一般のスペイン語の歌をカントと言うが、それと区別して、フラメンコの歌はカンテと呼ばれる。フラメンコの踊りはバイレで、またフラメンコのギターはトーケである。しかし日本の人々にはトーケという言葉はなじみが薄いため、わかりやすさという点からギターと言われる場合が多い。

さて、先にも述べたが、フラメンコの初期の時代については、カンテ・ヒターノ、カンテ・ホンドの存在をメルクマールとして推し測られ、18世紀後半から19世紀中頃までと確定された。ギタリストについては、その時代には、存在していたとしてもまだ未熟だったと考えられていることはすでに述べた。この時代の踊りについてもすでに触れたが、ここで再度確認しておく。

バイレ・フラメンコのレパートリーは、サパテアード、ポロ、カーニャ、ソロンゴ・ヒターノ、タンゴ・プリミティボ（原初的タンゴ）、ロンデーニャの6種であった。ところで、アンダルシアを含めたスペイン全土で民衆が盛んに踊っていた民俗舞踊も別に存在していた。代表的なものは、セギディーリャ（セビジャーナスもその一つ）、ボレロ、アラゴン地方のホタ、ファンダンゴである。ファンダンゴの踊りは全国的に人気があったが、とりわけアンダルシアで盛んに踊られていた。18世紀前半の記録には、ヒターナ達が下層や上流階級の女性達にまじって踊っていたことがしるされている。それによると、大変奔放な踊りであったということである。また、短調であるがミの旋法も随所に含まれた曲バンベーラの踊りも人気があった。そのほかに、テレサ・マルティネスは言及していないが、バイレ・フラメンコに関わる重要な踊りも行われていた。19世紀初頭から、カディス、へレスで盛んに踊られていた舞曲のハレオである。三行詩の歌詞とミの旋法のハレオは、明るく軽快で活発な中にときおりメランコリック[4]な趣きを含む、遅くないテンポの舞曲であると言われている。

そのハレオと同類でその変種と考えられているソレアがその呼称を獲得するのは、１８５０～60年頃のことであった。ソレアは感傷的な哀愁の趣きを持ち、ゆったりと落ち着いたテンポの曲である。そしてソレアは踊られていたという証言がある。カンタオールのペペ・デ・ラ・マトローナ（１８８７～１９８０）によると、かつてソレアは女が踊るときはヘリアーナ Geliana、男が踊るときはハレオ Jaleo と言われたそうである。実際ソレアは、古いものであればあるほど三行詩型で、リズムも軽快で踊り向きなものとなる（なお現在のソレアは四行詩である）。

ハレオからは別の変種も派生している。舞曲のアレグリアである。19世紀初頭のカディスのアレグリアが、その最初のものだと言われている。アレグリアのリズムはソレアと同じである。おそらくハレオのうち、アラゴンの舞曲ホタの旋律（長調がほとんど）を取り入れたものが、明るく活発でテンポの速い舞曲として成立したと考えられている。北部のアラゴンの踊りが、南のカディスで取り入れられるというのも一見不可解であるが、19世紀はじめの歴史的事情を考えれば納得がいく。19世紀はじめのナポレオンのスペイン北部への侵攻の際に、もっとも勇敢に戦ったのがアラゴン人であった。そこで彼らの武勇を讃える歌をホタの旋律で歌うことがスペイン各地で流行したのである。カディスにおいても同様で、当時人気のホタが取り込まれていくことも当然考えられることである。当時のハレオ自身はすでに滅んでいるため、「聴いたことがないから」として、ソレアとアレグリアのハレオ派生説を否定する人もいるが、その意見も根拠としては稀薄で説得力がないとみられている。

カンテとしては格調高いグランデの中に含まれる、カーニャやポロの踊りについての詳細は不明である。自由律風で踊るのがむずかしかったというテレサの推論通り、あまり演じられなかったのかもしれないが何とも言えない。ただ、ポロについては、18世紀からミの旋法とメリスマ（小節《こぶ》し）の多用による官能的な踊り歌が存在したことは確認されているが、ジプシー達がその通俗歌曲に合わせて踊ったのか、それを自分達流に取り込み変形した曲に合わせて踊ったのかなどについて不明な点が多いので、これ以上論じることは無理である。

ポロとカーニャを除けば、当時踊られていた曲には、バイレ・フラメンコと一般民俗舞曲ともに共通点がある。すべてあまり遅くないテンポの、ときに哀愁を帯びるとはいえ活発な曲趣であるという点である。ソレアの踊りと言っても、ソレアの曲自身、古く時代をさかのぼるほど軽快なテンポになるところから、初期のソレアの踊り歌は、現在の私達が考えるようなカンテ・ホンド、つまり「民衆の歌の母」とマヌエル・マチャドによって名づけられたような深い悲哀の歌にまで育っていない形のものであったと考えられる。このような点からテレサは、バイレ・フラメンコは「喜び」からはじまるとしたのだと思われる。確かにカンテ・ヒターノの中心に置かれるシギリージャ、マルティネーテ、トナ、デブラなどは、初期の時代にはもっぱら歌われるだけで、踊られるようになったのはシギリージャとマルティネーテがともに１９４０年代になってからのことと言われている。トナやデブラはこんにちでもまだ踊られていない。

以上が一般論である。

しかし私には、こうした議論が何か大切なものを見落としているように思われるのである。この議論の前提は、歌は歌う人の行うこと、踊りは踊る人の行うことというあまりにも単純な発想である。歌は歌う人の行為、踊りは踊る人の行為としてのみものを考えることは、生きた人間の生の営みとしての歌うこと、踊ることの実状に即さないのである。

結論的に言えば、私はシギリージャなどのカンテ・ヒターノ、カンテ・ホンドは歌われるだけではなく、踊られていたと考える。それを歌うカンタオールの姿、その様《さま》、形姿を見れば、そのことは明らかである。歌は耳で聴くだけのものではない。目をもって見ても楽しく、皮膚でもって触っても（触られても）おもしろいものなのである。

カンタオール達が、たとえばシギリージャを歌うとき、彼らは声を限りに、喉《のど》も裂けよと言わんばかりに身をふり絞る。眼をかっと見開き、額に青筋を立て、ワナワナと震え、歯ぎしりし、身悶《みもだ》えし、のけぞり、また身をかき抱き、足踏みし、ときには椅子から飛び上がる。その腕を空中に高く差しのべたかと思えば、反転し、こぶしを握りしめ、また指の股が割けるほど開いて、求め、拒絶し、許しを乞う。これが踊りでなくて何であろうか。歌う人が同時に踊る人なのだ。一人の身体に、歌と踊りが未分化な形で同時に存在し、同時に成立しているのである。シギリージャやマルティネーテなどのカンテ・ホンドの初期の段階では、カンテとバイレはそういう形で十分だったのである。すなわち、まだ歌い手と踊り手という二つの身体に分離する必要はなかったということである。ゆったりとした深い歌なので、一つの身体で、歌いかつ踊ることが十分可能だったのだ。

しかしやがて、シギリージャであれば末尾のマチョの盛り上げ部分が進化したり、ソレアであれば終末部分を速度を上げて盛り上げ、やがてブレリアに発展していく頃になると、歌いつつ踊ることは不可能となったはずである。実際に自分で演じてみれば、そのことはすぐに理解される。深々と十分に力強くしかも速いテンポで歌いながら、同時に精一杯身体を使って十分に踊り切ることなど、そもそも無理な話である。どちらか一方の行為を制限し、止めなければ、もう一方が十分に成り立ちえないというぎりぎりの段階に来たのである。そのときはじめて、踊りは歌い手の身体から離れたのである。歌う身体から身を引き離し、別の身体、すなわちもっぱら踊りに専念できる別の身体を欲求した。ここにもっぱら踊りに向かう踊り手が誕生することとなったのである。それが１９４０年頃のビセンテ・エスクデーロであり、グラン・アントニオであった。

もちろん、ビセンテ・エスクデーロやグラン・アントニオの活躍する時代は、バイレ・フラメンコが劇場という新しい活動の場を得て、飛躍的に発展してゆく時であった。そこで踊り手がみずからの創造の欲求から、新しいレパートリーの取り込みやチャレンジを試みたり、また興行性という商人の側からの客の取り込みと拡大を狙った新奇性の追求という動向が、現実的、世俗的背景としてはあるわけである。しかし、それがなくとも、二つの身体への分離は必然の流れであった。

要するに、シギリージャなどのカンテ・ホンドは、ゆるやかで深く、身をよじらなければ歌えない歌であるから、歌い手の身体にかなり長い期間にわたって、踊りが歌と未分化な形で、あるいは密接不可分な形でとどまることができたのである。

長い時間がかかったということについては、さらにもう一つの理由がある。悲しみの中では、人は背を丸めることによってその心を宥《なだ》めると言われている。悲哀などのマイナーな感情の中では人間は、自分を守るために内に閉じこもり、心の鎮まるまで身を抱きかかえる。次に他者に訴え、神に訴えるときには逆に、外へ向かって身を開き、声やあるいは腕を外へと投げかける。内へ向かう動きと外へ向かう動きの反復の果てに、ついに、つと立ち上がり舞いはじめる。踊りはじめるまでには、長いためらいと、内へ外へと繰り返される幾度もの反復があったはずである。これがもう一つの理由である。

カンテ・ホンドのうち、シギリージャとマルティネーテがようやく別の身体で踊られるようになった。曲の末尾の変化付けなどの諸々の進化、深化の試みがなされた結果のことである。進化がなければそうはならない。トナやデブラが今でも別の身体で踊られないのは、歌い手が踊り手を兼ねて歌いながら踊る未分化な状態を、いまだ脱する必要がないからなのである。それほどに、トナやデブラはあまりにも素朴である。その無器用とも言える素朴さが、実は味わい深く、尽きせぬおもしろさがあるのではあるが、すでに成長を止めて未分化な状態のまま、今や消滅しようとしているのである。かつては33種もあったと言われるトナが、今は3種を残すだけである事態を顧みれば、それは明らかである。

私は、カンタオールやカンタオーラが歌うのを見るたびに、そのすばらしい表情や身悶えの仕方、こぶしの握りしめ方、足の踏みしだき方などに深い感動を覚える。彼らの真実味あふれる身振りが、声を伴い、観《み》、聴く側を圧倒する。彼らもまた踊っていると、いつも私は思うのだ。

20年ほど前、マドリードの劇場で、ロマンセを演じる女性の舞台を観たことがあった。彼女はソレアの曲調で物語を歌い語りはじめ、やがてそれが終わるやいなや、サパテアードの音も激しく猛然と踊りはじめた。こんにちよくルンベーラ（ルンバを歌い踊る人）がルンバを演じるやり方である。

ここでは、歌い手と踊り手が、いまだ一つの身体に収まっているのではあるが、間もなくどちらかがさらに進化、複雑化すると、二つの身体に分離し、離別していくことになる、その直前の姿ということができる。その過渡期を思わせる形姿である。しかしこれは、そのままの過渡的な姿のままでも十分おもしろいものであるから、進化する必要もない、つまり保持のみで十分なのかもしれないとも考えられる。厳密に言うと、どんな場合でも、進化の努力が不断に続けられなければ、現状のキープ、保持さえできないのが真実であるから、不断の前進への努力は当然なされたうえでの保持という意味である。

本来、歌は踊りを伴っていた。未分化な形で、いわば踊りを兼ねていたのである。かなり以前に、両手を胸の前でしっかり握り合わせて、身じろぎもせずに直立不動で歌って人気を博した歌手が日本にいたが、それは歌と踊りが一体であるところの歌い方やその身振りに慣れ親しみ、それが当たり前と思っていた人々の眼には、異様と映る形姿で声を際立たせ、そのことによって見慣れない新鮮な感じを与えて成功したのである。

カンテとバイレの身体的分離は、ようやくにして歌い手と踊り手とに身体が分かれたことで、それぞれの道でのより深い進化が保証されることになった、とみるべきである。

そして、身体が二つに分かれた直後のことを体現している歌い手が存在している。高名なディエゴ・エル・ペローテや、前にも少し触れたパストーラ・パボン "ニーニャ・デ・ロス・ペイネス" が、それである。彼らは、高名な歌い手であると同時に踊り手でもあった。ニーニャ・デ・ロス・ペイネスの踊りについてはコンラド・ベルコヴィッチの体験的記述が残されており、信頼すべき舞踊評論家の故蘆原英了氏が訳出されている。その著作はすでに絶版となっているが、生き生きとした筆でニーニャ・デ・ロス・ペイネスの人生や人柄の一端を描き出している点は他に例を見ないものである。少し長くなるが引用しておくことにする。

ペドロ・ロマネスと私（コンラド・ベルコヴィッチのこと――筆者）はキャフェのテラスに腰掛けて冷たいビールを飲んでいた。

「何故」と私は聞いた。「この老ジプシーの小唄歌いをラ・ニーニャ・デ・ロス・ペイネス（櫛をさした少女）というんですか」

するとペドロは次のように教えてくれた。

「今からざっと五十年ほど前、このセビリャ（原文のまま）のあるキャフェに美しいジプシーの少女がぶらりと現れて、ジプシーの唄を歌ったのです。その少女は非常に若く、そして大変美しかった。そうして彼女は美しい黒髪に色のついた高い櫛を数本さしていました。このジプシーの少女は漂然とキャフェに現れたように、また漂然とこのキャフェから姿を消しました。彼女の声を聞いて忘れかねた連中は、セビリャのジプシー村であるトリアーナに彼女を探しに出掛けました。名前がわからないので、彼等は〝櫛をさした少女〟——ラ・ニーニャ・デ・ロス・ペイネス——はどこにいるのだろうと尋ね歩きました。これが彼女の名前の起源です」

「彼女の名前はだんだん有名になりました。方々から彼女の唄を聞きにきました。スペインの大音楽家であるペドレルもアルベニスもファリャも彼女の唄を聞きにきました。キャフェの唄うたいから、劇場の唄うたいになりました。セビリャからグラナダへ、グラナダからコルドバへ、コルドバからマドリードに行きました。彼女の行ったどこの人でも、彼女の唄を聞いた人はみんな、彼女が本当のジプシーの唄をうたい、即興的に作っているのだということを知りました」

「彼女は自分がどうしてこんな唄を知っているのか自分でも知りませんでしたし、わかることでもありませんでした。誰も彼女にそんな唄を歌ってやったわけではないのです。彼女は彼女自身のうちにそれらを発見したのです。彼女に関するすべての文学がそこにあるのです。詩と物語と歴史。人々は彼女の歌う唄を説明しようと努めました。彼女のパーソナリティは、彼女の唄と同様に不可解なものでした。彼女の舞踊は彼女の唄と同様に奇怪なものでしたが、彼女はそれを誰に教わったわけでもありませんでした。それは彼女自身のうちに潜在されていた何物かなのです。何か先祖代々伝わった感情の現れなのです。彼女は現象そのものなのです」

「五十年もの間、彼女は歌ったり踊ったりしていました。演劇も文学も絵画も音楽も、スペインにおけるあらゆる芸術は彼女の影響を受けました。現在本当のスペイン人種と考えられているのは、ムーア人種とヘブライ人種とジプシー人種とイベリア人種との混交ですが、彼女こそはこの考えを復活させた女です。彼女はアラビア人の持つ線の簡潔純正さや、色彩の豊富なカリカチュアなどを復活させたのです」（この辺りのとらえ方の誤りは、当時の研究や常識の未熟さが原因である――筆者）

私は多くのスペイン人がラ・ニーニャのことを今なお美しい「櫛をさした少女」と考えていることを思った。現実の彼女は、歯抜けの、白髪の、傷痕のある顔を持ったジプシーの老婆であるが。

「ラ・ニーニャはまだ踊ることがありますか」と私はペドロにたずねた。

「ほんの時々」と彼は答えた。「選ばれた少数の人のためにのみ踊ります」

それから数週間たって後、私はグラナダ大学の学長であるドン・フェルナンド・デ・ロス・リオス氏を訪ねた。彼はグラナダのジプシー村アルバイシンの程近くに住んでいた。

彼は私に逢うなりいった。

「君はちょうどいいところへ来た。今、ラ・ニーニャ・デ・ロス・ペイネスがグラナダに来ているんだ」

「でも僕はセビリャで彼女を聞いているんだ」と私は答えた。彼はちょっとばかり、がっかりした様子であったが続いていった。

「君は彼女に逢ったことがあるか」

「いや……」

「じゃ、君はラ・ニーニャを知っているというわけにはゆかないよ」

そうして彼と彼の夫人ドンニャ・グロリアとは、ラ・ニーニャを訪問しようと私をさそった。彼等はラ・ニーニャの古い友達なのである。私はグラナダの一番いいホテルに連れてゆかれるものと思っていた。何故ならラ・ニーニャは莫大な金を稼いでいたからである。ところが驚いたことに、我々は町の方へゆかずアルハンブラ宮殿を見下ろすアルバイシンの丘に通じる石ころの多い狭い山道を登り出したのであった。

「こっちの方へ行ってホテルがあるのですか」と私は聞いた。ドン・フェルナンドは微笑して答えた。

「ラ・ニーニャはホテルなんかに住まないよ。彼女はどこへ行こうと自分達と同じジプシーの連中と暮らすのだ。彼女はどこに行っても友達や親類の者がいるのだ。そうして連中と一緒に暮らすのだ。ごく最近まで彼女は汽車で旅行することを拒んだものだ。馬や幌馬車で村から村へ旅行していたほどだ」

グラナダのジプシーは、自分達が山の側面に掘った穴倉に住んでいる。この穴倉の家には窓もなければドアもない。我々が丘に登ってゆくと、花模様の衣裳を着て櫛をさしたジプシーの少女達や、路傍の日向にいた老人達も心から我々を迎えてくれた。そして我々のあとについて来た。我々が丘の頂上に登りついた時には、百人あまりのジプシーが我々の後についてきた。

「彼等は僕達がどこへゆくのか知っているのだよ」とドン・フェルナンドがいった。

「今日は彼等も休日だ。ラ・ニーニャの家はここだ」

我々はジプシーの家の入口に止まった。その家は他のジプシーの家よりずっと大きかった。我々は外を見守っていた美しいジプシーの夫妻に案内されて、内部に入った。ドン・フェルナンドは、ラ・ニーニャが訪問者によって迷惑しないかと聞いた。ジプシーの夫妻は大げさな丁寧さで、ラ・ニーニャは心から御訪問を幸福に思っていると伝えた。

我々は奥に招じ入れられた。

穴倉は薄暗がりであった。明りはわずかに表の入口から射してくるのみであった。私はラ・ニーニャが穴倉のはずれからドン・フェルナンドと挨拶している声を聞いた。櫛の輝きが私の眼をうった。しかし彼女の顔は暗闇に包まれて私にははっきりと見えなかった。彼女は我々にもっと傍に寄るようにいった。彼女は毛布に被れた低い長椅子の上に半ばもたれて腰掛けていた。壁に沿った側に長椅子があって、そこには十二、三人の老若男女が腰掛けていた。みんなラ・ニーニャのお客さんである。彼等は一様に黙っていた。それでも部屋は彼等の輝く真黒な眼によって生き生きとしていた。いつも雄弁のドン・フェルナンドも、ラ・ニーニャが口を開くのを待っていた。彼女も沈黙を守っていた。しばらくすると彼女は椅子から立ち上がって部屋の真中へ引きずり足で出て行った。そうして何だか元気のない様子で指をピチピチ鳴らしながら、円形にゆっくり回りはじめた。

ドン・フェルナンドは私の手を握った。それはあたかも私が奥義を伝えられているということを私に知らせるためかのようであった。踊りである。彼女は前方に動く、少しばかりの明りの方へ。頭を後にそらせたり、何か見えない存在から力とインスピレーションを乞うているかのように、眼をとじたりして、彼女はごくゆっくり踊る。

この歳老いた女が踊ろうと努めているのは、見るもあわれなことであった。しばらくたつと彼女の指は前より盛んに、そして高く鳴り出した。彼女の足は前より早く動き出した。彼女の体は揺れ出した。彼女の腕は伸ばされ、頭の上高く上げられた。彼女は動くたびに本当の齢より若くなってゆくように思われた。

彼女は彼女の長い重いスカートをまくり上げた。そして私がかって見たうちで最も込み入ったステップをやりはじめた。彼女は長いそして細い指を首の後に堅く回して、旋転しはじめた。そうして最もこの世的でない音響をたてるために舌を鳴らした。

彼女は純粋のメロディを歌いはじめた。彼女は前方に体を曲げる。指は地面に触れる。彼女は後方にそる。右左に体をよじる。そして彼女は静かに語りはじめた。あたかも影や精と語るかのように。

突然彼女は止まった。それは踊りの真最中で。彼女は我々の傍に腰掛けた。そこには一人の歳老いた疲れたジプシー女を見るのみであった。彼女は大きなコップに口をつけた。それは彼女がどこにいても用意されているらしいものであった。誰も一言も発しない。誰も身動き一つしない。ただ陶酔のうちに眼ばかりパチクリさせているのみであった。みんなの手はつながり合わされていた。若い連中の頭は互いに寄り添っていた。

誰かが指を鳴らした。みんなドヤドヤと穴倉を出てゆき出した。そうしてドン・フェルナンドとドンニャ・グロリアとラ・ニーニャと私の四人だけが残った。ドン・フェルナンドが口を切った。

「僕がこの友達を連れてきたのだ」

彼女は私を見守ってそしていった。

「じゃ、あんたは私を見たくて来たんだね。ペドロ・モラレスがあんたのことをいろいろ話してくれました。私が今踊ったのは、あんたが私の唄を聞いただけだったからです。私はあの晩とてもよく歌えました」彼女は語調を変えていった。「私は今夜もよく歌えなければなりません」

そうしてそれから彼女は深い眠りに落ちた。我々は爪先立ちにたつと穴倉から出た。

このときの伴奏はニーニョ・リカルドであったということである。

読み進むうちに自分もコンラド達の同伴者の一人であるかのような錯覚に陥ってゆくような記述である。ジプシー達に伴われて歩く山の登り道の様子や、穴倉に住むニーニャ・

デ・ロス・ペイネスの生活の様子、そしてギターの名手ニーニョ・リカルドに伴奏されておもむろに踊りはじめる歌い手の彼女の切迫した様子、白髪の歯抜けの老女の踊りの高まり、そのケブラーダ（ジプシー回りと言われる前傾の回転）やサパテアードの様子、それら一つ一つを、まるで実体験のように鮮やかにイメージすることができるであろう。その一助となれば、と思い書きとどめたわけである。

ともかく、歌はまず踊りとともにあったのである。カンテ・ホンドにおいても、歌は踊りと不可分な未分化の形姿で、ともに一つの身体の内に存在していた。しかし踊り手が踊るために、つまりそれを目的として歌った、というわけではなく、やはりおのずと歌がはじまり、そして歌い手が精魂込めて歌うことが同時に、派生的に踊りの要素を生み出していったと考えるべきであろう。したがって曲趣の特徴は、歌、カンテにこそ際立って現れる。こうした原初的な意味で、歌の形式、レパートリー、曲目の分類に、踊りのそれも準ずると言ってよいのである。

3——舞いと踊りと歌、そして舞いが始まる時

折口信夫《しのぶ》によれば、舞いは旋回運動であり、踊りは跳躍運動である。また、舞いというのは、鷹揚《おうよう》で静かな性格を持った神の一面を表すことが多く、踊りは、いくぶん荒々しい粗野な感情を表現するデーモン、スピリットの類《たぐい》の動作であることが多いともされている。[5] 古代の神遊びからはじまり、江戸の歌舞伎に至るまでの日本の芸能についての分析であるが、舞踊の二側面を鋭く言い当てていて興味深い。この観点から外に目を転ずれば、ペルシアの旋回のみを繰り返す踊り「胡旋舞」や、アフリカのマサイ族のただぴょんぴょんと飛び上がるだけの踊りは、その二つの典型と言うことができる。

舞いは舞うこと、つまり旋回運動で、踊りは踊ること、すなわち上下運動だという分類にもとづいて、柳田國男《やなぎたくにお》はさらに、舞いと踊りの発生的な違いを歌との関係で次のように考察した。

歌の詞章とか歌詞は第二義的で、ただ踊るために踊るのが踊りであり、それに反して舞

いは、歌が第一義的である。舞いには、静かに一心に歌の語りの言葉だけを聴いている時間があり、舞いは、群れをなしてものを聴くという作業である。語りが言葉であるために、もうそれ以上は単なるかけ声をはさむ以外に方法がなかった。だから一同うちそろって物語り、つまり歌を聴いているうちに、詞章の韻律にうながされて、「高興のみずから制しがたい境」つまり感極まってもう抑えられないという気持が高まったとき、「我も人も思わず起って舞うたのである」、誰かがすっくと立ち上り、舞いはじめたのである。

　歌を一心に聴くうちに感極まって、すっくと立ち上がり舞いはじめるという、この舞いの発生、成立の場面は非常に示唆的で興味深い。そしてこれを思わせるフラメンコの踊り方が存在する。フラメンコの踊り方には、大別して二つの異なるパターンがあるのだが、そのうちの一つがそれに適合する。カルメン・アマジャ、マヌエラ・カラスコ、カルメリージャ、ロシオ、ファナ・アマジャなどに共通する踊り方である。彼女達は、歌が歌われているあいだは、ただそれを聴くことに没頭しているように見える。もちろん身体を動かして踊りの動きに入っているのであるが、その動きは鷹揚で、たまに痙攣《けいれん》的な動きも入るが、ともかく歌に一心に耳を傾け、声の震えに身体を共鳴させている。やがて歌が終わると、今度はギターを従えて自分の踊りと音楽の世界に突き進んでいく。

この踊り方に対してもう一方のものは、男性舞踊手に多いパターンで、歌のあいだ中、歌と自己表現を重ねるように踊り切るタイプのものである。前者はいわば、歌に感極まり舞いはじめるという舞いの側面が強いパターンで、後者は踊るために踊る、いわゆる踊りの側面が強いパターンと言えるだろう。マーサ・グラハム[6]は、自分の弟子の中でたえず動き回りじっとしていられない青年に対して、彼は本当に踊ることが好きなのだろうと温かいまなざしを与えているが、この類の踊り手は先の後者のパターンに属すると言える。生来踊りたくてたまらず、声や音にすぐに身体が反応してゆくタイプである。先にも触れた舞踊家イサドラ・ダンカンが、3日間の母の難産の苦しみを経て、母の胎内から「踊りながら」出てきたというエピソードがあるが、フラメンコの踊り手の中にも、このような生来根っからの踊り好きで、踊りたくてたまらず、声や音に敏感に身体が反応して抑えられない人々がいても少しもおかしくないのである。人はその性癖に合った踊り方をするもので、それを良し悪しと評論すべきではない。好みのパターンを押しつけるのは素人の行うことである。

さて、舞いの発生する現場においては、まず歌を一心に聴くというふるまいがあった。ともかくひたすら聴くということは、完全な受身、受容の態度とふるまいである。そのふるまいを目のあたりにして、カンテ、表現者、発信するものとしての歌い手は、無条件に受け入れられているという大きな安心感を得て、さらにいっそう心を開かせてゆく。受け手のふるまいは、許し、許容そして励ましとなって、みずからの身に戻ってきて、歌は冴えわたり、やがて受け手ともども高興の高みへとおもむくであろう。

ここで歌い手と聴き手のあいだには、互いに無条件に受け入れられ、温かく奉仕されているという共通の感覚が発生している。懸命に語りかけられ、歌いかけられているということと、懸命に耳を傾けられているということが醸し出す感覚である。無条件の受容と奉仕、あるいは世話というふるまいが生み出す感覚である。

ところで、この無条件の受容と奉仕あるいは世話というふるまいの究極の形は何であろうか。それこそ、あの人間の原初の体験である。母の胎内から生まれ出たばかりの赤ん坊が受けるそれである。ひたすら働きかけられ、世話をされる。あやされ、声をかけられ、身体をまさぐられ、乳首を含まされ、股ぐらを洗われ、髪を洗われる。まさに存在のケアをされるという経験、と哲学者鷲田《わしだ》清一《きよかず》[7]が語るところのものである。イギリスの詩人ウィリアム・ブレイクの詩においては、当の乳児は、それが煩《わずら》わしいので「蹴ってやった」と歌うのであるが、乳児がふつう最初に享《う》けるものは「やわらかな乳房の肌からの愛情・なさけと流れでる温かい乳」であるとするのが、霜山徳爾《しもやまとくじ》[8]である。

人間が本来もっとも幸せであった、あのケアをたっぷりと享けたときの、充ち足りた感覚の記憶が蘇る。歌い手の顔にも、聴き手の顔にも、幸福感以外の何ものでもない表情が浮かぶ。人々は原初に戻るのである。原初の喜びが現前し、それに触れて、失った時代を一挙に回復するのである。フラメンコの歌が醸し出す懐かしさの源は、本質的にはそこにある。そして涙がこぼれ出る。

そしてそこに舞いが発生する。感極まり、つと立ち上がって舞いはじめるに至るのである。じっと聴くことが、バイレの発生の場であり、出発点である。

こういう意味で、バイレはカンテを心に抱いて踊るのである。そして能動へと転じてゆく。バイレはカンテを胸に抱いて踊りはじめる。ひとくさりの歌が止んだあと、今度はその歌を心に引き継いで、踊り手が踊る。幾度かのその繰り返しのうちに、声と身体全体を重ね合わせ、共振させて終わるのである。

一心に歌を聞き感極まりながら、つと立ち上がるのではなく、唯一残された言葉の表現、かけ声を選ぶのが観客、聴衆というもう一つの受け手である。ひたすらに受け入れ、しかしまだ立ち上がらないまでも、かけ声やパルマで励ましのふるまいに至った受け手は、踊る寸前の状態であるということができる。しかし、身振りが踊りに至らず、心だけを躍らせて観る段階にとどまっている。心はすでに踊り手であるが、踊る行為に踏み出さないだけなのだ。

カンテ、ギター、バイレが一体となって演じられる場合には、それがそのまま再現される。いや、よりいっそう強い形で実現されると言ったほうがよい。ギターが加わることによって、さらなる高興の高みへと人々を導くからである。

懐かしい、いにしえの感じ、やるせないメランコリー、なさけ・愛情と充足の感じ、力強い情熱、そして死をはらむ緊迫感――こうしたフラメンコが醸し出す独特の情感、雰囲気の根源も、実は私達がはじめて母の胎内から世界に飛び出したときに感じる赤ん坊の、原初の感覚だと言えるのである。

ただ母の胎内で音のシャワーを浴び続けながら、やがて皮膚の内と外の音の感覚を感じ分け、自分と他とを区別していたものが、そこから外界へ力強く飛び出したときのとまどいと不安、視覚や身体中に受ける刺激の中で、直観的に感じる死の不安、そうした得体の知れない不安に流される乳児を、授乳のときに母の皮膚から受けるなさけ・愛情とミルクの温かさが救い上げる。全面的に他者に依存し、まるごと無条件に受け入れられている、こうした充ち足りた感覚、それが原初の感覚である。

フラメンコの形式、レパートリー、曲目の多様さは、どこからでも、どの情趣からでも、そこに到達できることを許す入り口の広さ、あるいは入り口の多さを示している。どのような深い究極の悲しみの感情からでも、どんなささいな感情からでも、到達するところは同じ場なのである。それは人が人に本来の姿で出会う場所にほかならない。

ミの旋法というメロディの調性、メリスマ（小節《こぶ》し）という技法、クロス・リズムやシンコペーションあるいは裏返しのリズム法、四分音という西洋にはない細かな音の分割、そして独特な発声法、こうしたフラメンコの音楽的特色も、本質的にはここに位置づけ返される。これらはすべて、人が本来の場に至るための方法なのである。

ミの旋法の歴史的位置づけは、すでに第三章において考察してきた。それは、インドから中近東、北アフリカ、地中海沿岸一帯（イベリア半島も含む）の民謡に見出され、イベロ族以前かもしれない古代の人々が創り出し共有していたと思われるメロディの調性であり、ギリシアでは「リノスの歌」と呼ばれ、エジプトでは「マネロース」、メソポタミア、バビロニアでは「タムズ」、フリギア、リュディアでは「アッティス」と称されたあの共通の歌、あるいはその旋律を貫くモードである。太古においては激烈な慟哭《どうこく》の歌の形姿で現れていたあの歌のことである。

またメリスマの多用は、インド、東南アジア、アラビア、日本に広く見られる。歌詞の1シラブルを細かな装飾音で飾りながら、引きのばして歌う方法で、日本の江差追分《えさしおいわけ》や稗《ひえ》つき節、インドのラーガ、ユダヤの聖歌、イスラムのコーランの声明《しょうみょう》などを思い起こせば理解されることができる。

リズムに関しては、東洋、アフリカ、アラブの人々が刻む複雑なものの中に、また四分音がアラブ、ハンガリー等の音楽の中にそれぞれ共通に見出される。フラメンコの中に見出されるそれぞれの技法などには、一種独特の変異があるとはいえ、それも含めてすべて、原初のものとして持っている幸福感を得るための方法として、太古の昔から、東洋、アラブ、アフリカ、地中海沿岸全域の人々が創り出し、用いたものなのである。いにしえ風とも、オリエンタル風とも、野性的とも言われる感じ、情趣の出自である。ジプシーがこの方法を選び取っていったのも当然である。

ここで、先に述べたブレイクの詩を2篇書きとどめておこうと思う。

よろこびという名のおさなご（無心）

「わたしに　名は無い
生まれて、たった二日だもの」
なんとおまえを、わたしは呼ぼう？
「わたしは　しあわせ
よろこびが、わたしの名」
たのしい喜びよ、おまえの上にあれ！
いとしいよろこび！
たのしい喜び、生まれてたった二日の
たのしいよろこびと、わたしはおまえを呼ぶ
おまえは、にこにこ笑う
そのあいだ　わたしは歌う
たのしい喜びよ　おまえの上にあれ！

かなしみという名のおさなご（有心）

母はうめいた！　父は泣いた
危険な世界へ　わたしはおどりこんだ
たよりなく　裸のまま　かんだかく泣き
雲間にかくれた悪鬼のようだ

父の両手の中で　じたばたもがき
おむつをはねのけようと蹴りに蹴るが
しばられ　疲れ　わたしは考える
母の胸にすねているのが　いちばんよいと

（ブレイク詩集より　訳／寿岳文章）

ところで次に、フラメンコ特有の魅力、情感を生み出す独特なリズムの代表例を、以下に記しておこう。

代表的な曲のリズム例

ソレア

$\left(\frac{3}{4}\right)$ 3拍子

○	○	◯	○	○	◯	○	◯	○	◯	○	◯
1	2	**3**	4	5	**6**	7	**8**	9	**10**	11	**12**

上記は、純スペイン的な下記のようなものに、ひねりを加えたものと言われている。

◯	○	○	◯	○	○	◯	○	◯	○	◯	○
1	2	3	**4**	5	6	**7**	8	**9**	10	**11**	12

シギリージャ

$\left(\frac{3}{4}, \frac{6}{8}\right)$ 3拍子

◯	○	◯	○	◯	○	○	◯	○	○	◯	○
1	2	**3**	4	**5**	6	7	**8**	9	10	**11**	12

タンゴ

$\left(\frac{2}{4}\right)$2拍子

○	◯	○	◯	○	◯	○	◯	○	◯	○	◯
1	**2**	3	**4**	1	**2**	3	**4**	1	**2**	3	**4**

ペテネーラ

$\left(\frac{6}{8},\frac{3}{4}\right)$ 3拍子

◯	○	○	◯	○	○	◯	○	○	○	○	○
12	1	2	**3**	4	5	**6**	7	8	9	10	11

ブレリア

$\left(\frac{6}{8}\right)$3拍子

◯	○	○	◯	○	○	◯	○	◯	○	◯	○
12	1	2	**3**	4	5	**6**	7	**8**	9	**10**	11
◯	○	◯	○	◯	○	◯	○	◯	○	◯	○
6	1	**2**	3	**4**	5	**6**	1	**2**	3	**4**	5

その他。

カンテもバイレも、他者と切り離された孤独な作業ではない。人が生きる中で、身の内、心の奥底から噴出してくる、たまりにたまった思いの数々を、ただ聴いてもらいたくて、ただ受け止めてもらいたくて、そしてそういう自分がいることを証明したくて、歌い踊るのである。他者に心を伝えることを欲求するところに生まれるもの、目の前の生身のあなた、あるいはそういう対象がいない場合は、すべてを許すはずの神、そういう他者に向かっての語りかけ、投身、つまり身を投げかけることなのであるから、孤独な狂者の行為ではない。生きる人間のまことに人間らしいふるまい、というものである。

無念の念を念として
歌うも舞うも法《のり》の声
三昧《ざんまい》無礙《むげ》の空ひろびろ

白隠禅師のうた[9]である。

4――バイレのはかなさについて

スペインの舞踊には、情熱に裏づけられた無限の哀愁がある。

故蘆原英了氏はその著『舞踊と身体』の中で、このように述べられている。「哀愁が表面的でなく、華やかさの陰にあるので、かえって二倍の力をもって、そくそくと胸に迫ってくる」「スペインの舞踊は、東洋の舞踊と同じく、魂も内面的である。情熱は肉の神秘のうちに包まれているのだ。情熱は決して表面的でなく、内部へ、奥へと潜ろうとする。そしてそこには深い哀愁を見い出すことができるのだ」

これ以上何もつけ足す必要のない、スペイン舞踊、フラメンコ舞踊についての香り高く味わい深い表現がここにはある。スペイン舞踊とバイレ・フラメンコの概念的把握においてみられる本質的混乱にもかかわらず、である。

観る人を熱狂に導き、陶酔に陥れ、そして無限の哀愁に涙させる。このようなフラメンコ舞踊が生きるのは、今この瞬間だけである。いやフラメンコに限らず、舞踊というものは、そういう宿命から逃れられない。確かに、巫女《みこ》の神事としての踊りなどは伝承されるが、しかしそこにあるものは舞踊性ではなく、ただ神鎮めの宗教的な儀式としての行為である。舞踊性が脱落することによってのみ、伝承が可能なのである。つまり〝段取り〟が受け継がれるだけである。逆に言えば、舞踊性を抹消し、段取りと化すと伝承されるのである。意味を抹消した「パ」と「ポーズ」の連続という意味では、クラシック・バレエも伝承されると言えるかもしれない。しかし、家伝相続の能や歌舞伎舞いなどにおいても、所作《しょさ》、つまりジェスチャーは流儀として相続されても、たとえば、六代目菊五郎の踊りそのものは伝承されえないのである。タリオーニのバレエもその類であろう。

以前スペインでマノレーテに師事していたとき、所用でレッスンを施せない彼は、代わりにイシドロという名の老人を連れて来てくれたことがあった。イシドロ爺さんはカルメン・アマジャのブレリアを知っているから、それをエンサージョ（練習）するように、と言うのである。伝説のフラメンコの女王カルメン・アマジャの火の出るようなサパテアード入りのブレリアをレコードで聞き知っていた私は、期待を募らせてイシドロ爺さんの踊りを待った。それは案外シンプルで、思ったほどむずかしいものではなかった。しかしそのことが私を失望させたのではない。当然と言えば当然のことであるが、教示されたのは振りの順番、段取りだけで、彼女の踊りそのものではなかった。その踊り手の息吹きも、気迫も、身体が奏でたであろう音色も、きらめきも、要するに私が見、知りたいと思ったものは何一つ呈示されることはなかったのである。私の失望はそこにあった。そもそも舞踊とはそういうものである。ただ単に振りと伝説が残るだけなのである。

ビデオ等の記録の手段が高度化した現在においては、記録し保存するということは、ある意味においては可能である。しかしビデオや映像で記録する技術というものは、実際の踊りを生々しく、あるがままには伝えない。ビデオなどにおいては、踊りは視覚、聴覚にのみ収斂《しゅうれん》され、他の感覚器官から受けとるもののすべてが脱落する。まず嗅覚が抹消される。さらに身体全体、つまり皮膚への接触の感覚、身体全体に感ずる振動や腹に響く音の打撃感、その他の全身的感覚が衰微脱落するのである。伝えられることはほんのわずかである。その脱落した大部分をイマジネーションである程度補い、イメージ的に再現し、追体験できる場合もあるとはいえ、それが可能なのは、特別に鋭い特殊に打ち鍛えられた想像力や知識を持つ人に限られる。しかもすべてではない。完全には伝えられない。踊りというものは、徹底して一期一会《いちごいちえ》なのである。振りや伝説が残るだけでも、ましである。よほど大衆化するなどのことがなければ、どんなにすばらしい踊りで人々を魅了した踊り手でも、時とともにやがて忘れ去られてゆく。あのイサドラ・ダンカンのような、一時代を画した舞踊家でさえ、そうである。

ワザオギの悲しきことは
わが身かくぬる後
留まることのなきなり

これは、平安時代後期、『梁塵秘抄《りようじんひしよう》』の選者で、今様《いまよう》を愛し、自身も習い踊った後白河《ごしらかわ》法皇《ほうおう》の言葉である。ワザオギというのは、手振り、足踏みなどのおもしろおかしい技をして歌い舞い、神や人の心を和らげ楽しませる人のことである。歌舞音曲の芸能人は、死んでしまえばやがて忘れ去られ、人々の記憶にとどめられない、という深い嘆きが、この歌の基調をなしている。

カンテもまた然《しか》りである。音譜という手段がある分、バイレよりいくぶんましであるが、それにしても伝承できるものであろうか。誰々の流儀、誰々風というのがやっとである。しかも同一の歌い手でさえ、常に同じように歌うことは恥とされ、インプロビゼーション

（即興）に価値が置かれる分野であれば、伝承そのものが唾棄《だき》されるべきものである。それを音符にすれば、大切なものがどっとこぼれてしまうのである。音符で習ったと思われる人の歌は、概して平板である。ではＣＤやＭＤなどはどうか。それらを駆使すれば、バイレの場合よりはましかもしれない。それによって逐一獲得できたとしても、しかしそれは模倣にすぎない。模倣は人の目から隠れたところで、修業のレベルにおいて死ぬほど懸命になされるべき事柄であって、人前でなすことではない。

　ワザオギには、歌う人も含まれる。カンテもまた一期一会、バイレほどではないにしても、本質的には、はかない。改作に次ぐ改作の共同作業という第三章で言及したフグラール流の方法という観点からとらえ返せば、とどまらぬこそあわれなりけり、である。

　そもそも残る必要など本質的にはないとさえ言えるかもしれない。踊るにしろ、歌うにしろ、すべての芸術にたずさわる行為は、未来に飛び出そうとする自己を押しとどめ、過去に置き去りにされかけた自己を拾い上げ、その両方から自己を現在に引きとめる仕事であり、本当の意味で今を生きる自分というものを実感しつつ、忘れた大切なものを思い出す行為なのであるからである[10]。

　今を盛りと咲き誇るバイレという命の花々には、宿命的な死の翳《かげ》りがある。彼女らは瞬時の花なのだ。愛おしい、たった今だけの花々を、むげに手折るな。ただ、あわれむべし。

5――カンテは意味を解体する

故蘆原英了氏の表現によると、カンテ・フラメンコは悲痛な歌ばかりである。「哀切極まりないもので、聞いていて胸をさかれるようなものばかりである。主として貧乏人やならず者や犯罪人の絶望の唄であり、恋の唄であり、死の唄である」「いずれにしても、明日を知らない放浪の徒の本能に命をかけた唄ばかりである。運命の残酷さの前に嘆き、苦しさをかえって強め、得体の知れない運命の法則によってグサリと刺された血の滴《したた》る傷口を、更にまた深くえぐる。そして悲しみの中に泣く」「ここで悲しみは一つの魅惑である。と同時に一つの致命的なものである悲しみを、まるで知覚を失ってしまったものが、子守歌でも歌うように歌う」「フラメンコの唄は、歓喜の極致である恋を歌うが、その恋は必ず彼の最も親しい姉妹である〝死〟と手をつないでいる。恋と死は、フラメンコの唄においては、切っても切れぬ姉妹なのである」「こういう唄を、絶叫的に男も女も区別のない声で歌う」「しゃがれ声で歌うのだ」——絶望したこともない人間が、果たしてこうした、過酷な運命を引き受け、明日をも知れない、死がぱっくりと口を開けて足元にひそむ今を精一杯生きて歌う人々の歌を、どの程度理解できるのかは疑問であるが、これほど的確な文章もないと思われるので引用した。人生をかけて聴くべきである。また聴き、受け止められるだけの人生を深く生きるべきだとも思う。

カンテ・フラメンコについては、また別の人の次のような一般的な表現もある。「全身全霊をかた向けて、ひたむきに」「人生の生の感情を偽りなく表そうとする」「心の奥底にある深々としたものを表現しようとする」

これでは歌一般の歌われ方にすぎないとも思われるが、ジプシーでなくても誰でも歌えるという説明としては有効であるかもしれない。

ともかく、痛哭の刃《やいば》を秘めた飾らない歌い方をもって、カンタオールらは、受け手の心、魂に直接的に切り込んでくるのである。

ランボーやボードレール、ブレイクや李白《りはく》、杜甫《とほ》、柿本人麻呂《かきのもとのひとまろ》、山上憶良《やまのうえのおくら》や藤原定家《ふじわらのさだいえ》、源 実朝《みなもとのさねとも》、蕪村《ぶそん》や芭蕉《ばしょう》、島崎藤村《しまざきとうそん》や吉本隆明《よしもとたかあき》等々……このような完成度の高い詩的言語で受け手に迫るものに慣れ親しんでいる者にとっては、フラメンコの歌詞のあまりの素朴さに思わず笑いが込み上げてしまう場合もあろう。それらの完成度の高い詩にくらべると、フラメンコの場合、歌詞はあまりにも素朴で直接的すぎる。しかも、歌われる声は「ラホ」（ひびわれた）の声が最高と言われるフラメンコ独特の美意識にもとづいた、きわめて素朴で洗練されていないものである。フラメンコのカンテは、単純で未熟とも言える言葉を、これまた素朴な音声で何倍にも拡大し、変容させ、そうして深い感情、思いを伝えようとするものなのである。文字を持つ人間と持たない人間（ジプシー）との違いであり、言語で表現し切るか、音声で表現し伝達するかの違いである。

バイレは、そうしたカンテをしっかりと心に受け止めて、踊るのである。

ところで、思いを音声で伝達する際の、メリスマ（小節《こぶ》し）ということを考えてみたい。メリスマというのは言葉の1シラブルを引き伸ばし、細かく小刻みに震わせて歌う方法のことで、日本の追分、木遣《きやり》などもそうして歌われる。ところでシラブルを引き伸ばすと何が残るか、あるいは何が出てくるか。母音である。そういう歌い方によると、言葉は引き伸ばされて母音へと収斂され、そしてその母音を震わせることになる。そこから起こることは、言葉の意味の脱落である。

私は子どもの頃、ほかの子ども達が「メリーさんの羊」を歌うのに対して、「稗《ひえ》つき節」に妙に魅かれて、よく歌っていた。「庭のさんしゅゆの木に鳴る鈴をかけて」ではじまる、この宮崎県の椎葉村《しいばむら》地方の平家落人《おちうど》伝説を取り入れた民謡の哀愁を帯びた感じと、その声の震わせ方に、何か陶然となるものを感じていたのであるが、実は、子どもの私にとっては、「さんしゅうのおきいいいいい」となる「変な」言葉が、どういう意味なのかさっぱりわからなかった。「木らしい」と見当をつけ、やがてそれを「さんしゅうの木」と理解したのであるが、当時は「謎」であった。意味はわからなかったが、それでも「大好き」であったのである。そこで起こっている事態は、まず小節《こぶ》しによって「さんしゅうのおきいいいいい」と引き伸ばされることによって、「さんしゅうの木」という言葉は解体され、したがって意味を失うということである。見過ごされやすいが、この点は大変重要である。では意味が言葉から脱落したときに、何が起こるか。声である。意味に代わって声が現れるのである。音の肌ざわりとして、声が私に触れてくるのである。

声は、言葉として、歌唱ならば歌詞という言葉として発せられたり、漏らされたりするが、言葉から〝意味〟というものが脱落したとき、そのときはじめて私達は声を聴く。純粋に〝声〟に触れるのである。たとえば、外国で知らない言葉を話している人達に囲まれたときや、意味の理解できない外国語の歌詞で歌われたアリアにうっとり耳を傾けるとき、私達はいわば意味の外で声に触れるのである。ここでは意味がいわば免除されている。鷲《わし》田清一《だきよかず》氏[11]とともに、こう言うことができるのである。

　声に触れる、ということはどういうことか。それは声が身体のいろいろなところで、私達に触れてくるということである。その声は私の皮膚を、しっとりと被う、ふわっと撫《な》でる、また、まとわりつく。そして声には、強度と律動と艶《つや》と陰影とがある。しゃがれ声、猫撫で声、震え声、尖《とが》り声。こういう声の「テクスチェア」と言われるもの、つまり声の肌理《きめ》、肌ざわり、声音《こわね》、声色《こわいろ》によって、私達はその発する人の思いや感情に触れるのである。他の身体に触れる、ということになる。声には強い浸透力がある。だから、私達はそれを強く拒むこともある。

　他人が自分に語りかけてくるとき、私達は、その声の肌理《きめ》（皮膚、肌で受ける感じ）、ニュアンスやイントネーションなどで、その人の本当の気持、本心や真意を探り、受け止めようとする。すでに経験から、言表《げんぴょう》内容、言葉の意味と本心とのあいだに、良い意味でも悪い意味でもズレがあることを知っているからである。けなす言葉が実は愛情の表現であったりほめ言葉であったり、ほめ言葉が実は、ほめ殺しやねたみ、そねみの思いの現れであったりと、言葉は本当に面倒くさく、かつおもしろい。

言葉を話すようになる前にも、人は声に触れている。乳児のときに体験する、あの身体中に降り注がれる言葉のシャワーは、意味以前の音の肌理の経験である。しかしこうした声は、すでに意味を漠然とおぼろげに予兆する中で触れられる。そして声は、言葉を覚え出すとともに、しだいに意味に従属させられるようになる。聴くということが皮膚の経験、身体全体の経験であることをやめて、しだいに耳の経験となってゆく。こうして、物音や言葉に耳を澄ますとき、人は声に触れる皮膚としての身体を抑圧するようになってしまうのだ。鷲田氏は言う。「ひとがこと細かに話をしていながら、いや話の内容が詳しくなればなるほど、こころが離れているように思われることがあるが、このときわたしたちはもう他人のからだに触れてはいないのであろう」。聴くということが、耳だけの、言葉の意味の解析作業へと貧弱化されていくとき、私達の、味気なく、無感動な、居場所のない孤独がはじまるのである。

カンテは、これを一挙にくつがえす。メリスマで意味を脱落させ、ひびわれ声で聴く人の皮膚をブラッシュし、あるいはときに尖り声で、心臓にも届けよとばかりに皮膚を突き破り、またかすかに震わせて、皮膚を優しく叩くのである。トントンと皮膚を打たれながら、聴く人は歌い手の思いの深さを受け取るのである。存在を受け取ると言ってもよい。

今、仮に、苦しみ傷ついた人が歌うとする。本当の苦しみは、実は口にできない。それほど重いものである。苦しみの言葉は、聴く人の祈りそのものであるような耳を待ってはじめて、ぽろりとこぼれ落ちるように生まれる。言葉が「大きなミット」で受け止められるという、先行的な確信のないところでは、人は言葉を相手に預けないものなのだ。聴く人の祈るような沈黙が、苦しみの最初の呻《うめ》きや呟《つぶや》きを誘い出す。したがって、苦しみの歌というものは、歌い、語る人の行為であると同時に聴く人の行為でもある。身体を投げかけあうところ、身振り、ふるまいを重ねあうところに、苦しみのカンテは立ち現れるのである。人は他者の苦しみに触れ、その苦しみに感応《かんのう》する。他者の苦しみに傷つく。それにひりひりとさらされる。同調と共鳴、共振が起こるのである。

じっと聴く、じっと受け止める人がいてはじめて、苦しみの歌を人は歌い出すのである。したがって気もそぞろな人を前にしては、歌い出すことができないのである。せいぜい気もそぞろの歌を歌い出すのが関の山である。カンテの出来、不出来は、聴く人によるのである。

究極の絶望のときに発する声と、喜びの極みに発する声とは同じである、と言うのはイサドラ・ダンカンである。ともに「ああ」しかないのである。そういう意味では、これまで述べたことは、喜びの歌でも言えることかもしれないと思われる。

マヌエル・トーレが、カフェ・カンタンテのステージで何時間も座り続けて、夜が明ける頃客がほとんど帰ってしまったあとに、おもむろに歌い出したというのは、歌い出すに至るまでの、あの祈るような沈黙の時を待っていたのでもあろうか。

ところで、カンテにおいて、言表内容、意味はどうでもよいのであろうか。

粗野な言葉でも、無意味な言葉でも、声の肌理で十分に意、心は伝わる。そういう意味では、どうでもよい。言葉の意味を知らなくても、子ども達はビートルズの歌が好きだったりする。しかし、意味がわかったとき、もっとしみじみと感動できる場合もある。歌詩そのものがイマジネーションを撃発するときである。意味も、声の肌理も、ともに受け取るというのも楽しいものである。しかし、意味にのみ偏重していくのは最悪である。

これに関して思い出すことがある。

ある日本人の作家が、セビージャのタブラオを訪れて、すっかりフラメンコの虜《とりこ》になってしまったときのことである。彼は、昔の貴族と同じようにジプシーの踊り女に恋狂いしそうになって、分別を保つためセビージャを早々に退散した。帰国後もフラメンコに強い関心を持ち続けていたが、あるパーティーで、スペインの高官の一人にこう言われた。「フラメンコは歌だ。歌は言葉である。スペイン語がわからない者が、フラメンコなどわかるはずがない」。英語は堪能だが、スペイン語はさほどでもない彼は、その一言でフラメンコに対する興味をすっかり失ってしまったのである。こうしたスペイン高官のような愚を犯すことのないようにしたいものである。そもそも、カンテは意味を解体するのであるから、言わずもがなの一言であった。

さて踊るとき、踊り手も歌をじっと聴く人、しっかり受け止める人となる。そしてカンテと同調し、共振するのである。実は、踊り手は踊りながら歌っているのである。ギターもまた同じである。ギターも奏じ、聴きながら、同調し、共振している。さらにカンテとギターは、歌い、奏でながら、踊っているのである。忘れたものを思い出しながら、自分とは何だったのかをそこではじめて知りながら、彼らも歌い、奏で、かつ踊るのである。

しかし、私達が、音や声で感応するのはなぜだろうか。

人体の70%は水分だということであるが、この水については、「水は情報を記憶する」

という科学論文が提出されている。『ネイチャー』１９８８年6月号におけるフランスの科学者、ベンベニスト博士の論文である。その主旨は、原子・素粒子レベルのエネルギーパターン、つまり波動を水が記憶するのではないかというものである。喜怒哀楽や記憶に関して、知覚から脳へ信号が送られ、脳からドーパミンや、ノルアドレナリンなどの脳内物質によって、それらが生み出されるという従来の常識パターンのほかに、体内の水そのものの感覚、つまり体内感覚のようなパターンもあるのかもしれない。身体の大部分を構成すると言える水で感ずる、というのも不思議であるが、当然とも考えられるし、一つのおもしろい観点ではある。

次に、カンテ・ギター・バイレともに歌い、奏で、かつ踊るという点について考察してみたいと思うが、その前に、春秋に富む多くの踊り手の心を冷やす一つの問題について触れておきたい。

物知り風に恫喝《どうかつ》まがいに「サジェスト」される、「歌がわかっていない」「歌が聞けていない」という「批判」である。習い覚えた未熟な振りを、そのレベルでは精一杯踊ることに夢中な踊り手に対して発せられる意見である。いまだ身の内から発するかのような自由なレベルに至っていない、そういう意味で「新人」の彼らが、聴く耳を持たないということはよくあることである。歌いかつ踊るということを体得することは、物真似から入り物真似が目的の踊り手の場合にはかなり困難なこととは言える。まず歌をじっと聴くという踊りのはじまりが、彼らにとっては意味をなさないからである。こういう本源的な構造をふまえてなされるサジェストなら意義がある。しかしたいていの場合、「サジェスト」する側にその認識のかけらすら感じられない。自分がカンテが好きだとか、カンテが最高とか、声高《こわだか》な主張に依存しての理由でしかないのではないかと思われる意見が多すぎるのである。素人のファンのレベルの意識である。

そうではなくて、本源的に踊りは歌を内包して立ち上がるという意味において、歌を、歌のない曲であれば心の歌を、じっと聴くことからしかはじまりえないという意味において、歌はじっと聴かれなければならないのである。ただし、聴くに堪える歌ならばの話である。これを聴いて何を感じよというのか、ただ幻滅と嫌悪しか感じられないというような歌、ないよりまし程度の歌に対して、踊り手が耳をふさいでいたとしても当然ではないかとも思えるのである。感じられないものは感じられないという素直な表明であるかもしれないが、大半はまだそういうレベルにないということが事実に近い。

歌をじっと聴くことができないのは、バイレの未熟さのほかに、意味を理解しようとのみするためである。しかしカンタオールらは、気分にまかせて、気持にまかせて適当に短詩を連ねて歌っているにすぎないのである。意味ではなく、問題は気持なのである。声音、声の肌ざわりを受け取れば、それはすぐ感じ取れる、つまりそういう意味で理解されるのである。言葉が理解されなくても、たちまち人の気持を直観的に読み取る能力はジプシーにおそらく経験的に備わっている。その点では彼らは偉大な師である。私も、日本人よりも彼らのうちの何人かとは直観的に気持が通じあえるという経験をしている。二、三言で初対面でも、何年来からの旧友のような感覚と確信が得られるのである。本物の歌い手と歌を信じればよいのである。本物の、心から歌う歌い手の歌は、自然な感じでよくわかるのである。ギターもそうである。

ごくふつうに、身体も精神も開放（解放）された状態にあれば、誰でも自然に歌や音楽に反応し、感応することができる。子どもが、流れるテレビやCDなどの音楽に合わせて飛んだりまわったりすることを見れば明らかである。ところが頭で理解しようとすると、とたんに身体が自由には動かなくなる。フラメンコのカンテを聴くことのできない多くの日本人の踊り手は、そのあたりに問題がある。先ほど述べたように、フラメンコの歌は、詩型から言えば短詩、短かい独立した詩で、カンタオールは自分の気の向くままに歌詞を選び、短い詩を適宜、つまり適当にいくつか連ねて歌う。自然に培われてきた流れはあるものの、物語性の上に成立するオペラなどのような厳格性はない。心の流れのつながりがあるだけで、物語性はない。つまり自由なのである。要は感情の吐露なのであり、感情の表現の楽しみの追求なのである。物語性や詩句のつながりにこだわる必要などまったくない。歌に添うことは心を添わせるということで、詩句がわからなければならないとか、理解しなければならないということはほとんどないのである。身体が、感ずる耳や肌であればよいのである。声や音が皮膚を打つあるいは撫でる感覚は、実に心地よいものである。また力のある歌い手は、踊りの同伴者である場合、カンテ・ソロではない歴史的に培った立場と技術と心を備えている。そこで踊り手が何を求め、感じているのかを鋭く感じ取り、踊り手の心に添うと考えられる最善のすべてを尽くし歌うのである。踊り手に向けられた純真なジプシーのカンタオールの眼の輝きを想起してみれば、明白である。添い切れば子どものように喜び、少し不十分なときは子どものようにしょげ返る。だから信頼して踊り手も添ってゆけばよいのである。

　バイレにそれをできなくさせているものが、カンテに無意味な神秘性を持たせ、神棚に祭ろうとする一部の傾向である。そういう部分からの「歌がわかっていない」「歌が聞けていない」という心ない半端な非難に、どれほど多くの発達途上の若い踊り手達が心を傷つけられ、心を萎縮させられ、身動きつかなくなるトラウマと癖を助長させられてきたことか。神の言葉ではないのだ。血を流してもやまない神の声の時代は、太古に去った。今は、人間の言葉である。しかもむしろ音声である。しかも楽しい音声なのである。リラックスし、心身を解き放つこと、そうすれば、歌の声音も、ギターの音色も、身体と心にしみ込み、あるいは切り込んでくるのがわかるだろう。そうならないのは、自分が自己解放できていないか、歌やギターの未熟さのせいである。批判者は、バイレの身動きならない心身の未熟さを指摘するか、感じられない歌やギターの問題であればそちらを批判すべきである。感じられない歌やギターに、何を感じろというのか。それとも感じなくても感じたふりをして踊れというのか。嘘を奨励することにもなりかねないということが理解されているのだろうか。とはいえ蘆原英了氏を失ったこんにち、バイレ・フラメンコを愛情をもって評論できる技量と度量を備えた人は皆無に等しいと言われるのであるから、いちいち対応しないほうが賢明であるとも思われる。若い人々も多くは実際、フットワークは軽やかであり、このようなことは言わずもがなであるかもしれないが、無器用で、何事も真正面からぶつかってしまう人々のために、書いたのである。

L’Éternité

Jean-Nicolas-Arthur Rimbaud

Elle est retrouvée.
Quoi ? ——L’Éternité,
C’est la mer allée
Avec le soleil.

また見つかった、
何が——永遠が、
海と溶け合う太陽が。

（訳／小林秀雄）

Correspondances

Charles Baudelaire

Comme de longs échos qui de loin se
confondent
Dans une ténébreuse et profonde unité,
Vaste comme la nuit et comme la clarté,
Les parfums, les couleurs et les sons
se répoudent.

長き反響《こだま》の　遠方《をちかた》に混《まじ》らふに似て、
奥深き　暗き　ひとつの統一の
夜のごと光明のごと　広大無辺の中に
馨《かをり》と　色と　物の音と　かたみに答ふ。

（訳／鈴木信太郎）

火の秋の物語——あるユウラシヤ人に——

吉本隆明

ユウジン　その未知なひと
いまは秋でくらくもえている風景がある
きみのむねの鼓動がそれをしっているであろうとしんずる根拠がある
きみは癈人の眼をしてユウラシヤの文明をよこぎる
きみは至るところで銃床を土につけてたちどまる
きみは敗れさるかもしれない兵士たちのひとりだ

じつにきみのあしおとは昏《くら》いではないか
きみのせおっている風景は苛酷ではないか
空をよぎるのは候鳥のたぐいではない
鋪路《ペイヴメント》をあゆむのはにんげんばかりではない
ユウジン　きみはソドムの地の最後のひととして

あらゆる風景をみつづけなければならない
そしてゴモラの地の不幸を記憶しなければならない
きみの眼がみたものをきみの女にうませねばならない
きみの死がきみに安息をもたらすことはたしかだが
それはくらい告知でわたしを傷つけるであろう
告知はそれをうけとる者のかわからいつも無限の重荷である
この重荷をすてさるために
くろずんだ運河のほとりや
かっこうのわるいビルディングのうら路を
わたしはあゆんでいると仮定せよ
その季節は秋である
くらくもえている風景のなかにきた秋である
わたしは愛のかけらすらなくしてしまった
それでもやはり左右の足を交互にふんであゆまねばならないか

ユウジン　きみはこたえよ
こう廃した土地で悲惨な死をうけとるまへにきみはこたえよ
世界はやがておろかな賭けごとのおわった賭博場のように
焼けただれてしずかになる
きみはおろかであると信じたことのために死ぬであろう
きみの眼はちいさいばらにひつかかつてかわく
きみの眼は太陽とそのひかりを拒否しつづける
きみの眼はけっして眠らない
ユウジン　これはわたしの火の秋の物語である

（吉本隆明詩集より）

6――バイレの演じられ方、ならびにフラメンコの実践的本質

バイレ・フラメンコには、アラブやインド、日本などの東洋の踊りと共通する動きが多い。手や腕、指などのしなやかな旋回、そして動と静、緩急の目まぐるしい転換、あるいは腰や、胴体の波打つ動き、足踏みなどがそれである。

故蘆原英了氏は、西洋の踊りと東洋の踊りの違いについて、鋭く、細やかに、生き生きと考察している。

東洋の舞踊の動きは、集中的である。すなわち膝は合わせせられ曲げられる。腕は内側に曲がりながら、体を抱く、すべてが中心に寄り集まる。しかし、西洋の舞踊の動きは、逆に胸を張り出しながら、腕や足は身体から引き離されるように伸ばされる。すべてのもの、身体も魂の外に拡がる、外へと開く。その反対に東洋の踊り手にあっては、身体や魂は肉の神秘のうちに閉じこもっている。ヨーロッパの踊り手は、バレリーナでも、百姓女

でも、のびのび動く。回転する、空中で飛ぶ、滑る、走る。しかしアラブやインドの舞妓は同じ位置で踊る。自分自身の上を回転する。まるで彫刻の台石の上で彫像が回転するように。しゃがんだり、背伸びする。腰はくぼむ、お腹は膨れたり引っ込んだりする。流動する筋肉は、光沢ある腕の皮膚の下で、漣動《れんどう》する。そして身体全体の作る湾曲した曲線は内的リズムに合わせて波動する。

とくにステップについては、バイレ・フラメンコは音響的で、踊り手は本質的に打楽器であるが、クラシックバレエは沈黙的である。前者はリズムを聴覚に訴え、後者はリズムを視覚化する。姿勢についても、前者は曲線的であり、後者は直線的である。フラメンコ舞踊家は、身体の各部分が曲線のアウトラインにしたがって変化する。眉、まぶた、瞳、手首、足の甲、顔、筋肉……まで踊られる。

クラシック・バレエの動きは、「パ」と「ポーズ」で成立する。パというのは身体の重心の移動を含んだ足の動きである。パは抽象化された純粋な動きで、意味を含まず、何ものも表現しない。そしてパは、音符に一つ一つ結びついている。踊り手は、パとポーズを一つ一つ学んでゆけばよい。一つの踊りがパとポーズの連続であるから、振り付けに応じて、それらを結び合わせたものを踊ればよいということになる。振り付けは、パとポーズの結び合わせの方法である[12]。

クラシックバレエの、このつま先で立つという不自然さがいやで、それをやめてしまったのはイサドラ・ダンカンである。彼女は、独自の、アルカイックなダンスの道を切り拓いていった。

「ダンスの本質とは、人間を、心の中の風景を表現することだと思う」と述べたのは、マーサ・グラハムである。確かにこれは、ダンスに人生を託し、ダンスで人生を学んだダンサー自身の率直な言葉であろう。これは、精神と身体の二元論などと批判されるものではない。存在論としてではなく認識論のレベルで述べられていることだからである。身体を通して表現される彼女の心の中の風景とは、遠い昔の、祖先の声なのである。おそらく裸足《はだし》のイサドラも、同じような声を聴き、同じような思いを抱いて踊っていたと思われる。真実の実践者はたいてい、同じような共通の想い、共通の事態に気づいている。

しかし、踊り手は、はじめに明確なイメージを持ってから踊るのではない。踊る行為は、漠然とした感じ、情緒と漠然としたイメージからはじまる。そして、踊る中ではじめて、自分が感じていたこと、抱いていたイメージのよりいっそう明確な、豊かな、ときには思いもよらぬ様相の展開する形姿に出会う。そして気づくのである。ああ、こういうことであったのか。私とは、こういうものであったのか。このような異形《いぎょう》の私が立ち現れるとは思いもよらなかった……。踊る中で、本来の自分とも言うべきものに出会う、つまり自己認識に至るのである。そして、踊る中で、私達踊り手は変容するのである。あらかじめ、わかったうえで踊りはじめるわけではない。漠然とした思い、もどかしいような感じの薄暗い闇に挑むように、得体の知れない、何か大切なものを覆い隠す雲を振り払い、あるいは切り裂くように、踊りがはじまるのである。

日常の生活の中においては、私達が現実の行動に進もうとするとき、最初の瞬間に、そうした漠たる感情を、名づけることのできる明快な感情に置き換えてしまう。たとえば、漠然とした不安は、怒りや悲しみと命名され、そのことによって、あらゆる微妙なニュアンスは容赦なく切り捨てられる。そのとき、人は明らかに自己を欺《あざむ》いているのである。がしかし、人は、その虚構の感情、偽《にせ》ものの感情の上に立ってはじめて、行動の目的を決めることができるようになる。そして、その偽ものの感情によって明らかにされた目的に向かって、決意し、選択し、企てる、すなわち未来に身を投企する。そこでは、多様な、もっと豊かで大切なものが落ちこぼれる。大切なものがふるい落されるのである。

踊りや歌などの行為はまったくこの逆で、あくまでも、あの漠然とした感情の全体にこだわり、それを全体として、落ちこぼれなく明らかにしようとする行為である。ふるい落とされたものを拾い上げ、思い出す作業なのである。遠い祖先の声とも、原初の光景とも、海のリズムとも、野性の叫びとも言ってダンサー達が伝えようとするものは、そのあたりのことのダンサー的な表現なのである。

蘆原氏には別に、クラシック・バレエと歌舞伎に関する優れた比較芸術論がある。バイレ・フラメンコは、歌舞伎とほぼ同じような特徴づけがなされている。そして正反対の対極をなすクラシック・バレエと歌舞伎の二つの踊りの特徴から考えても、たとえば歌舞伎役者がクラシック・バレエを基礎として習うなどということはありえない。その逆もまた同様である。そしてバイレ・フラメンコも同じである。時間をもて余しているのならそれもよいが、短い花の命の中では、もっと別に基礎として時間をかけることが山積みされていると思うのだ。クラシック・バレエへのこだわりは、明治以来の、日本人の持つあの西洋崇拝の思考傾向を払拭しきれない人々がいることを示している。私自身は、あらゆるジャンルの踊りが好きであり、クラシック・バレエも同様で、それぞれの踊りに尊敬とシンパシーの念を持っている。もし人がそれを好むなら、一直線にそれに向かえばよいと思う。しかしフラメンコの基礎などと考えるのは愚かな幻想である。片眼、片足が不自由な古老エンリケ・エル・コッホの涙あふれるようなバイレのどこに、クラシック・バレエが必要だと思うのか。むしろ、それに傾けば、フラメンコの本来の楽しさ、おもしろさから大きく離れていくことになる。ただし、スペイン舞踊においては別である。

ともかく、海に向かい、海のリズムと海のパルマに身をゆだねる練習をしたイサドラや、砂浜で一直線に全力疾走しては突然停止し、また振り向き走るなどの練習を繰り返すことによって身体の感受性や柔軟性を研ぎ澄まそうとした川上貞奴《さだやっこ》の練習方法のほうが、私達にはずっと示唆的である。

話題を変えて、今度は西洋と東洋、日本との芸術の精神的支柱の相違について考えてみたい。美のイデアの認識とその模倣《ミメシス》という、プラトンを典型とする芸術のロゴスティックな把握を精神の核として持っている西洋に対して、日本の芸術行為の根本には、人と人とのコミュニケーションの問題がある。どうやって人と人との折り合いをつけるか、が、日本における踊りや歌に関わる人々の関心事であった。

彼らにとって大切なのは、表現の相手であり、聞き手なのである。自分と他人との関係、見せる人間と見る人間の関係が、日本人の表現の根本にあるものである。

世阿弥《ぜあみ》は『風姿歌伝』の中で、「この芸能は、衆人愛敬をもって理想とする」と言っている。つまり観客第一ということである。さらに「この芸能はやむなく見物人を本とする道だから……」、「目利かずの目にもおもしろく見せるのがこの芸である」とまで言う。観客と自分、役者、演者とのあいだに、どのようにして表現を成立させるかが、彼の最大の関心事であったのである。そして「秘すれば花」も同様である。秘するべきなのは、役者、演者のこれみよがしの意識であった。

歌の世界では、紀貫之《きのつらゆき》が『古今集』の「仮名序」でこのように書いている。「やまと歌は、人の心を種として、言の葉《ことは》になって現れるものである。そしてその言葉は、男や女や侍《さむらい》や、最後には、自然や、神や鬼まで動かすものである」語り手、詩人という表現者と、それを聞く人、最後には鬼までてくるが、要するに、人間同士の関係の中で、歌は生まれるというのである。そして歌の世界でも、言葉の技よりも、余情を尊ぶ独特の美意識が重んじられる。過度の技巧に伴う作者の自己顕示の匂いを避ける工夫である。

日本人にとって歌や踊りは、そもそも一つの気分で統一された「共同体」を作り上げる作業、仕事だったのである。[13]

フラメンコも同様である。インドの踊りも、アラブの踊りも、古代ギリシアの踊りも、西ゴートの民衆の踊りも同じである。

優れたフラメンコの演じられる場では、いつでも、どこでも、それが小さなタブラオであれ、大劇場であれ、手を取りあい、一瞬の今だけ燃え上がる生命の火をたよりに漂泊、野営するあの浅黒い人々の夜の集いの光景が、二重映しのように、幻のように現出するのである。いかなる場所、いかなる状況の中であろうとも、フラメンコの核は、そうした生命の核の震え合わせ、共振、感応にある。どのように古風な形姿であれ、どのように新奇な試みであれ、またどのように典型的な試みであれ、その核があれば、それはフラメンコなのである。

それでは次に、バイレの演じられ方、プロット構成をみてみよう。

フラメンコの歴史のはじめに主としてパルマでなされていたバイレは、19世紀の後半からはじまるギターの大発展を待って、20世紀以降一挙に本格化していくという点については、すでに述べた通りである。踊られ方、つまりプロットも、頻繁に踊られる形式（曲目）から整えられてきている。今でもあまり踊られないものについては、さまざまの定式化されない自由な構成がなされる場合があるが、ここではそれらは除外し、典型的なものを示すことにする。

こんにち、もっとも典型的なバイレの演じられ方は、バイレ、カンテ、ギターの三者が一体となって、それにパルマが加わって演じられるということも、すでに触れておいた。ここではバイレの中でも、こんにち、もっとも実践構成が完成されている三拍子のソレア、アレグリア、二拍子のティエント、五拍子のシギリージャを取り上げておく。これらについては、カンテも、踊りのための伴唱歌として完成されている。

ソレア

・ファルセータ（ギター前奏、メロディ）
・サリーダ（カンテ導入部）
・ギターのジャマーダ（呼びかけ、合図）
・バイレの入り（出）とジャマーダ

・歌ぶり（カンテ伴唱、ギター伴奏）
・ジャマーダ（バイレによる）
・サパテアード（足で刻む音楽）
・追い上げ（スビーダ）の足
・ジャマーダ（バイレ）
・ブレリア

繰り返される場合が多い（歌ぶり〜サパテアード）

アレグリア
・ファルセータ
・サリーダ
・バイレの入りとジャマーダ
・歌ぶり
・ジャマーダ
・シレンシオ（ギターのゆるやかなメロディとバイレ）
・ジャマーダ（バイレ）

繰り返される　2回が多い　1回も可（歌ぶり〜ジャマーダ）

・カスティジャーノ（“王城の散歩”と呼ばれる活発なカンテ）
・ジャマーダ（バイレ）
・サパテアード
・追い上げの足からジャマーダ
・ブレリア

ティエント
・ファルセータ
・サリーダ
・バイレの入りとジャマーダ
・歌ぶり
・ジャマーダ（バイレ）
・サパテアード（ジャマーダも）
　　――2回が多い
・追い上げの足からジャマーダ
・タンゴ（ルンバも可）

シギリージャ
・ファルセータ
・サリーダ
・歌ぶり
・ジャマーダ
・サパテアード
・追い上げの足からジャマーダ
・マチョの歌

（歌ぶり〜サパテアード：2回が多い）

こうした基本型のほかに、踊り手のセンス、イマジネーションやインスピレーションによって、カンテ、ギターの常識を越えない範囲での変型、その意味での自由な構成がありうる点も付け加えておく。つまり、いくつかのカンテ、ギターとの約束事の枠の中では、バリエーションはいくらでも無限に可能なわけである。踊り手は、基本形をふまえながら、指揮者の役割を担って、歌い手、ギターに呼びかけ、指示（ジャマーダという）を与えつつ演技を進めていくわけである。

ここで次に、バイレに備わるべき美的価値基準となるその概念をみてみよう。

グラシア、これは英語のチャームと同義である。えも言われぬ美しさとか、匂い立つような愛らしさを意味する。コラヘは胆力、胆の座った根性のようながんばりである。アイレは、すばらしい風情、気分、風のささやきである。ペルソナリダーは人間性の品格を示し、きわめて重要な概念である。「塩からい」という感じのサレーロとか「純粋な」という意味のプーロなど、バイレの持つべき多くの特質の中で、最高のものはドゥエンデであると言われている。

それは一般に「魔的なもの」などと訳されて「人の心を締めつけつつ陶酔させる、何かほの暗い力」などとも言われている。アーティストが奇跡的な最高の状態に到達したときにみられる一種の神がかり的な、デモーニッシュな究極の趣きとでもいうようなものである。これはフラメンコに限らず、あらゆるアルテ（芸術）の行為の中に生み出されうるものとして、それぞれの分野でさまざまな言い方がされている。たとえば演劇などでは「神が降りて来られた」などと表現されているが、これもこの類である。

もう少しみておこう。フラメンコにおいてはドゥエンデとは、ガルシア・ロルカによって霊感とか、詩的高揚とか言われる、ほとんど神秘的な情動である。ロルカ論を書いたアルチゥロ・バレアは次のように記している。
「アンダルシアでは、ドゥエンデとは、個人芸術を含む一切の型式の人間芸術を通じて幅をきかせている正体不明の力である。演奏者は、退屈でつまらぬ音楽にめいめいの悪魔を吹き込むことができる。そして、それを真理や美に変えることができる。アンダルシア人のしわがれた叫び、カンテ・ホンドは奥底にあらゆる創造の苦悶を秘めた人間の心から出てくる。それは絶叫の暗い根というゆらぐことのない感情を秘めているからであり、他のものはことごとく、気の抜けたものになってしまうのである。……ドゥエンデとは死を意識することであり、ロルカが心に感ずるところでは、スペインほどよそにくらべて、たえず暗い響きに耳をそばだてる国はないからである」

ドゥエンデというのは、演者の内奥に秘められた正体不明の暗い感情の力、とでも言うべきものである。芸術一般が内包する、人を創造へと駆り立てるこのデモーニッシュな黒い感情を、アンダルシアではドゥエンデと言い、きわめて重要視する。それを擬人化、擬態化して、悪魔とか地霊のようなイメージを創り出し、そして、歌や踊りが名状しがたい高揚の高みに至った状態を、それらがとり憑《つ》いた状態というように理解するわけである。日本人が感じる〝内なる鬼〟と同じである。オニとは隠仁、隠された人の核心であり、内奥の出口を求めてとぐろを巻く、どす黒い情熱のことをさす。歌や踊りは、わが国においても、彼の国スペインにおいても、このような心の闇にひそみ、かつ、のたうち、内奥から創造へと突き上げてくる抗しがたい感情や情熱を根とするのである。そういう意味では、芸術は、あるいは歌や踊りは、オニの噴出、開示ということもできる。芸術家一般の、あるいは歌わずにはいられない歌い手の、踊らずにはいられない踊り手の、性《さが》とでも言えるこの身の内を焦がす情熱が、最高の開示の結果を得たとき、ドゥエンデが憑いた、あるいは鬼が踊った、と言われるのである。そういう意味では、踊らないでもすむ人、歌わないでもすむ人は、「幸せ」であるということも言える。

このような結果として現れたドゥエンデは、しかし観る側、聴く側にも伝わり、彼らも彼らなりの、ゾッとするような、ゾクゾクするような名状しがたい興奮を覚えるものとなるのであるが、これはあくまでも、一つの出現した結果を説明する概念にすぎず、演者がドゥエンデを意図し、めざそうなどと思って演ずるわけではない。行為の直接的な目的でも実践の指針でもなく、ひたすら無心な行為の結果的な美的価値基準を示す概念にほかならない。作意は禁物である。いわば結果論的な「評論家の言葉」が一人歩きしないように、無心こそ肝要と実践的にとらえることを、演者は心にとどめておくべきである。

逆に、この概念、言葉がフラメンコの価値の中心に存在するということは、次のことを意味する。すなわち、フラメンコは、単なる一民俗音楽や民俗舞踊を大きく超えて、芸術へと飛翔しうるということである。フラメンコの芸術性の根拠はこのドゥエンデにあり、その言葉の存在自身が、そのことを証明しているのである。

さて、演じる側のカンテ、ギター、バイレは互いを触発し、導き助け、他者に内在する宇宙を実現させてゆくのである。それがいわゆる「三位一体《さんみ》」と表現され、最重要視される状態であるが、ただそれだけではない。それに加えて、バイレ、カンテ、ギターが協調し、感応（コレスポンデンス）しあう作業の中に、さらに受け取る側、観客、聴衆の側も、ハレオ（かけ声）、パルマ（手拍子）などで参入し、さらに演じる側を触発し、高めてゆく。演じる側と受け手とのあいだにもコレスポンデンスが生まれる。この二重の感応、コレスポンデンスの中で、演者にも受け手にも強い一体感、あるいは深い共感が生じ、それが至福の時をもたらすのである。刹那《せつな》に、しかも確かに現実に生じるこの温かく深い共感の中で確認できる、人間性の再発見的体験、これこそが、ジプシーでもない遠い異国の者を魅きつけてやまない最大の理由なのではないだろうか。あらゆる境涯、差異を一挙に乗り越え、人間としての深い共感や人間の原初的感覚とも言えるものが得られる、類稀《たぐいまれ》なる

「術《すべ》」が、フラメンコなのである。またその術が、フラメンコの持つ普遍性の根拠でもある。なお、先に述べた二重のコレスポンデンスはインドやアラブの踊り、さらに日本の歌舞伎（本来の形の）などに共通してみられるものである。

フラメンコにおいては、カンテもギターもバイレも、ともに歌い、奏で、踊りながら、語らいあう。無条件に他者を受け入れ、また同時に他者に身をゆだねる。今までの古い自分を無化し、捨て去り、他者の思いや心に触れている新しい自分を自覚する。バイレは、声や音に魅かれ、手を引かれて、自分でも思わぬ動きをしている新しい自分に気づくのである。ああ、こういうことだったのか、なんと、こんなことを私がするのか……、不思議な自分に出会い、茫然とする。心が充ちて勝手に身体が動いてゆく感覚、しかしどこに向かうのか、私はまだ知らない感覚。カンテの声音にゾッとしたり、ゾクッとしたり、優しく撫でられたり、背をそっと押されたり、手を取られたり……、それらによって心を開き、胸を高まらせ、また苦しみを感じ、悲しみを募らせ、他者の苦しみを苦しみ、喜びを喜ぶ、それらを自分のものとして、勝手に身体が動いている自分がいるのである。

またバイレは、じっと聴いていると同時に、じっと視《み》られ、聴かれている。カンテもバイレのために懸命にふさわしい歌を選び、考え、気遣いながら歌い続ける。そのまなざしは、踊り手にじっと、ビシッと向けられている。そのときカンテは、自分を空しくし、他者を受け入れ、他者に向かって献身している。バイレを許し、励まし、ぴったりと寄り添ったとき、深い共感、一体感、思いや心の、魂の交わりの感覚を覚える。そして自分の確かな存在を新しく感じる。踊り手の力量によっては、思わず、引きずり出された自分の今までとは異なる新しい声の力を感じさえする。ギターもまた同様である。

歌うのも、弾くのも、踊るのも、聴き聴かれ、視て視られる。その関係性の中で新しい自分を感じ、また、他者の思いや心に触れて感応しあうのである。形は違うが、同じ身体のふるまいであり、そのふるまいによって互いに心や思いを交感、コレスポンデンスしあう。カンテも、ギターも、バイレも、本質はまったく同じである。

そこには、他者に対する絶対的な許し、励ましがあり、他者との魂の交感、感応がある。自分だけを見ていればよい、踊り手のほうは見るな、とギターに言ったカンタオールなどは、あわれである。自分を捨て、他者に向かうことのできない者は、フラメンコのアルティスタとしては未熟である。

しがみつくべき自分など幻想である。他者のために自分の力をふり絞って、献身する。この態度はいつでも、共演するジプシーのアルティスタからとくに強く教えられてきた。

彼らの目も、手も、顔も、身体も、すべて献身へと向けられている。また献身によって自分は生き、触発されて、新しい段階に一歩踏み出すのである。そして新しい自分を発見する。他者の思いに触れ、感応し、今を確かに生きる自分を感じるのである。

声であれ、音であれ、身体の動きであれ、すべて身体のふるまいなのである。どれが優位でもない。言葉の意味にしがみつくから、「カンテが先」というカンテ優位論が出てくるのである。言葉の意味だけ探れば人間が理解できると思うのは、幻想である。言葉の意味を探ることに傾きすぎて、人間は、人間のつながり、触れあい、心の感応といった大切なものを喪《な》くしてゆくのである。そして喪くした大切なものを回復する、取り戻す術がフラメンコにはある。そこに気づかず、歌やら、ギターやら、踊りやらのそれぞれの技術を誇り、誇示しようとするものは、技術だけの、外見上だけのフラメンコというべきものである。私達が、それぞれの分野で各自技術を磨くのは、身体的ふるまいで語らいあい、感応しあうためなのである。

ところで、私が観る側、聴き手の側にいるときに、とりわけおもしろいと感じられるのは、踊り手の技量でもなく、ギターの上手下手でもなく、歌い手の技量でもなく、インスピレーションでもない。それらも興味深いけれども、それにも増しておもしろいのは、踊り手にじっと添えられたそのまなざしとふるまいである。レベルの高いカンタオールやギタリストの場合は、とりわけ感動的である。踊り手を見つめるギタリストの目は、その動きの一つも見逃すまいと、まるで寄り目になるほど真剣で、純真である。生き生きと、キラキラと輝いている。歌い手も、踊り手のどんな動きも見逃すまいと、同じく目が寄りそうになるほど目に力が込められている。パルマも同じである。だから、少しでもはずしたりすると、バッと頭ごと目線をそらす。ごめんね！という声が聞こえるような気がするほどである。カンテもギターも、じっとバイレを見つめて、目で踊り手の身体を触り、心をまさぐっているように見えるのだ。どうかなこの感じ、もう止める?、スピードを上げたいの?、準備はいいかい？そろそろ行く?、まだ?、もういい、OK、今なんだね!、その声が聞こえるように見えるのである。彼らは舞台上で語りあっているとしか思えない。許しあい、励ましあい、ひたすら力を重ねあっているとしか思えない。それらは、美しく楽しげな光景に見える。

逆にレベルの低い演者達の場合は、目は踊り手にじっと注がれることがない。視線は弱く動き回り、踊り手のミスを非難したり、自分の力量に酔い痴れたり、これでもかと自己主張を繰り返すなど、舞台を壊すふるまいが目につく。目線と顔の表情に端的に心が表れる。卑しかったり、醜くかったり、傲慢《ごうまん》そうであったり、要するに興ざめなのである。表情一つ、目線一つで舞台が壊れることを知るべきである。

観客、聴き手は、歌の声やギターの音を聴きつつ、観ているのである。聴いても観ても楽しんでいるのである。声や音だけでなく、身体の動き、ふるまいをも楽しんでいるのである。だからまた、嫌悪もする。

聴き手、観手（観客）は、ただ耳でのみ聴くのではなく、目でのみ観るのではない。その全身の皮膚で、身体のあらゆる部位で聴き、かつ観るのである。波打ち、震える身体が、目を撃ち、耳を撃ち、皮膚を打つ。泣くギターの音色が胸のあたりを締めつける。強くかき鳴らされるラスゲアードが、身体中にぶつかり、血液は身体中を逆流する。頭や身体は激しくゆさぶられる。かすれた声が、そくそくと胸に迫る。悲痛な声が矢となって心臓を貫き、息もできないほどにのどを締めつける。届けられた身体のふるまいの中で、観る者、聴く者は、その思いの深さを受け取る。そうしてこぶしが握られ、また重ね合わされ、打ち鳴らされる。足がトントンと床を打つ、踊り手とともに、頭がグラリと旋回しそうになる。息が詰まり、またのどが震え、そうしてついに声が発せられる。思いを受け取り、それに感応し身体中が応えるのだ。投げ返され、受け止め、また投げ返され、舞台上の演者と聴視者、観客とのあいだには、繰り返し高められる感応が実現される。これがフラメンコの醍醐味である。そこにおいては、人間が本来の人間に帰る。

カラハリ砂漠のグウィ族の会話の仕方、コミュニケーションのとり方は、特異であるそうだ[14]。私達はふつう、誰かがしゃべり、別の人がその言葉を聴き、そして言葉を返すというやり方をとる。それが当たり前だと思っている。しかしグウィ族は、相手の発話に、同時に自分の発話を重ねるというやり方をする。会話はあたかも歌、合唱のように進行するのである。同時に声を響かせあい、溶かしあうことによって、コミュニケーションを成立させるのである。彼らはともに歌うのだ。

カンテ、バイレ、ギター、そして観、聴く側の人々も、これと同じである。ともに歌い、ともに奏で、ともに踊り、そして交感する。言葉の違いも、皮膚の色や、髪の色などの身体の特徴の違いも消し去って、生命の核を震わせあい、重ねあって、感応しあい、高めあう。そしてお互いに変容する。

フラメンコの普遍性の、もっとも重要な根拠はここにあり、これこそがフラメンコの本質と言われるべきものである。歌も踊りもギターも、本質的な違いがあるわけではない。ましてや優劣などあるはずもない。歌うも舞うも法《のり》の声――つまり歌うことも踊ることも、ともに宇宙の理法にかなっていると言うではないか。持ちよる身体のふるまいの違いがあるだけである。それぞれは身体的表現の相異なる一つの「転調」にすぎない。

こうして私達は、フラメンコという場において、身を寄せ合い、まじわり合いながら、至福の時をしばし生きるのである。

終章

残された問題

ところで、月天心、青みを帯びた夜空の下で、一人踊りはじめる自分がいるということも事実である。月光が踊りへと私を導くのである。どこまでも広がる青い天空に向かって、あるいは降り注ぐ秋の陽光に向かって、思わず踊りはじめる自分もいるのである。２００２年の初夏、水星、金星、火星、木星が沈みゆく太陽から立ちのぼるかのように西の空に直線を描いて並び上がったときの神秘さと不思議さは格別であった。そのようなときに、身体が動かないほうが異常なのである。

こうした月下の舞い、あるいは蒼穹《そうきゅう》の踊り、あるいは星々の踊りは、すべて観客を必要としていないところに立ち現れる。歌も同じである。これは一体何であろうか。

ワルター・F・オットー[1]は、見せることを目的としない、没目的の、人間の純然たる自己表出とも言うべき原初の踊りというものに言及している。彼は、踊りや歌や音楽の始原を太古に求める。自然に対峙《たいじ》して人間が直立したときの、休止、静止を踊りの始原とし、その自然の静けさを、音なき音による静寂の調べとして音楽や歌の原初としている。

人間の静止行動から、すべての多様な生命力に充ちた動きが生み出されるという意味では、静止は潜在的な動き、踊りのはじめと言えるかもしれないが、そこに人間の全能力の豊かさと生命性が凝集され、発揮される下ごしらえができているというのは勝手な意味づけ、妄想にすぎない。むしろ恐怖と不安にうち震えながら、それでも立ち上がらざるをえないというのが実状に近い。

音楽のはじまりとされる自然の静寂の調べという点にも違和感がある。私には、自然は沈黙し、静寂に包まれているようには思われない。山は風に煽られた木々がゴーゴーと音を奏で、川辺では水の流れがさらさらと、あるいはドードーと歌い、海辺では繰り返される波の音に海猫の声がまじる。宮沢賢治においてはドッドドドドオと風が渦巻き、また風の絶えた早朝の夏の庭では、蓮の花がポンッと音を立てて開く。チッチッと鳥は鳴き、秋の夜には虫がすだき、蝶の羽音さえ聞こえる春がある。自然にそっと寄り添えば、圧倒的と言えるほどに、自然は音に充ちあふれている。宇宙空間でさえ、繰り返される核融合の大音響が、あるいは小さな星々が引きあう音が轟《とどろ》きわたっているとさえ思われる。人間の声など、風の一吹きで吹き飛ばされてしまうだろう。

オットーの「静寂の調べ」とは、聞けども聞こえずの議論のように思われる。自然が沈黙的としかとらえられないのは、逆に、西洋の近代的自我の寂しさにほかならない。自然と切り離された個としての近代的自我は、温かい他者との身体的交わりまで見失い、私と言うたびに死んでいるのである。それは、デリダの次のような言明に端的に言い表される自我のことである。「〈わたし〉の宣言にはわたしの死が構造的に必然である」。

むしろ、月光の下の踊り、あるいは歌は、おそらく身体が自然のリズム、つまり宇宙の理法に感応していることの自己表現である。宇宙のリズムに身をゆだね、一体化しているようなときの思わずのふるまいである。自然や宇宙との共振と言うべきものである。そしてこれは、身体の70％を占める水の波動での宇宙や自然の受容というレベルの出来事なのではなかろうか。

最後に、フラメンコに魅せられて、この道を一途に突き進もうとしている人々に贈りたい、はなむけの言葉（辞）がある。

芸能を志す人は、「下手なうちは人に知られたくない。ひそかに練習し習得してから人前に出るのが格好よい」とよく一般に言われるようであるが、このようなことを言う人は、一つの芸さえ習得することができないのである。

まだ芸が未熟なうちから、上手な人々にまじって、けなされ悪口を言われたり笑われたりしても恥じることなく、他人の無責任な言葉に振りまわされることもなく、一生懸命に稽古にうち込む人こそ、生まれつき明敏に芸の本質をすばやくとらえることが不得手でも、芸の道に懸命にうち込み、身勝手なふるまいもせず年月を送れば、器用ではあるが平素熱心に稽古を積まない人よりは、最終的には、世間から芸の名人、上手と認められる境地に達し、人格、器量も十分に備わり、世の中から認められ、並ぶものもないという名声を得ることになる。

世間で一流の芸の名手と言われている人でも、初期の頃は下手と言われ、ひどい罵声をあびて恥辱を受けたりしている。しかし芸道のいましめを正しく守り、尊重して、くさったり怠けたりの身勝手をしなければ、やがて世の中に広く知られる大家として、多くの人の師となるということは、いかなる分野の芸道においても同じである。

（『徒然草《つれづれぐさ》』第百五十段[2]）

すなわち、

能をつかんとする人、「よくせざらんほどは、なまじひに人に知られじ。うちうちよく習ひ得て、さし出でたらんこそ、いと心にくからめ」と常に言ふめれど、かく言ふ人、一芸も習ひ得ることなし。

未だ堅固《けんご》かたほなるより、上手の中に交りて、毀《そし》り笑はる、にも恥ぢず、つれなく過ぎて嗜《たしな》む人、天性《てんぜい》、その骨《こつ》なけれども、道になづまず、濫《みだ》りにせずして、年を送れば、堪能《かんのう》の嗜《たしな》まざるよりは、終《つひ》に上手の位《くらい》に至り、徳たけ、人に許されて、双《ならび》なき名を得《う》る事なり。

天下のものの上手といへども、始めは、不堪《ふかん》の聞《きこ》えもあり、無下《むげ》の瑕瑾《かきん》もありき。されども、その人、道の掟正しく、これを重くして、放埒《ほうらつ》せざれば、世の博士《はかせ》にて、万人の師となる事、諸道変るべからず。

故蘆原英了氏の評論には、温かい人間の品格と、圧倒的な教養と知識の量からくる豊かな心情があふれていた。今読み返しても、その心の温かさがそくそくと私の胸に迫る。豊かさ、色鮮やかさで涙がこぼれそうになる。そして、こうした良質の品位あるバイレ・フラメンコの評論を目にしなくなって久しい。あれは、唯一の、バイレ・フラメンコに対してなされるべき資格を持った評論であった。資格とは「知性に裏打ちされた度量の広さ」である。

もの知りはものを考えないから嫌いだ、と言うのは本居宣長《もとおりのりなが》である。[3]

一般的に、無責任な心ない物知りが、思い込んだつまらない「正義」「正論」で、いともたやすく花々を傷つける例をよく目にする。愛でれば大きく花開くかもしれないものを、いとも簡単に手折ってしまう。もっと悪いことには、手折ったことにも気づかず、自分では善意だと思い込んでいる。自分の言葉や行為に傲慢《ごうまん》に酔っている。こんなことはざらである。このような、人生に仕掛けられた愚劣な罠のようなものは、軽やかにまたぎ越してしまおう。人の言葉は、まっすぐな素直な気持でよく考え、取捨選択し、くさらず流されず、惑わされず、ひたすら今なすべきことに集中していれば、きっといつかは大きく花開くのだから。

私が「フラメンコに魅かれるのはなぜか」ということを出発点として、あらゆる人々を魅了しうるフラメンコの持つ普遍性について言及してきた中で、多くのことが明らかになった。私自身の予想を超えた、驚くべき事態の開示もあった。そのうちの重要点を選び、ここに確認しておこうと思う。

一つは、生まれはジプシーでなくともよい、むしろジプシーを受け入れたアンダルシアの人々と同じ気質や思いがあれば、フラメンコに十分関わり切れるということである。その思いや気質の同質性というのは、理不尽な「お上《かみ》」に逆らう、圧政的な権力には容易に屈しない気質、今を徹底的に力強く生き抜く姿勢、今にすべてを爆発させるパワー、くよくよしない前向きな態度などの、いわばジプシー魂に近似のアンダルシア魂のことである。

そしてもう一つは、徹底的に許しあい、励ましあい、今ここに有りうべからざる瞬間の本来の人間関係を現出させて至福の時を得る術が、フラメンコの持つ本質であるということであった。

私の、心と身体の探究の長い旅は、こうした魂を求め、この魂を今ここに実現させる方法の探究であったのである。

さらに古代の歌や踊りの探究は、驚愕のドゥエンデへとたどり着いた。

今、あらためて私は思う。フラメンコに身を投じるべくして投じたのだと。

誠実に思考し、書く作業というのは、すでに踊り手となってしまった私にとっては、時として耐えがたい苦痛を伴うものであった。身体が踊りたいと軋《きし》むのである。そのようなときに私を見守り、温かい励ましを与え続ける人々の支えがあった。深い感謝の意を表したい。また、小松欽画伯のご厚情、水曜社の仙道弘生氏や高野香子氏ほかの方々にも、感謝の気持ちを伝えたい。

参考文献Ⅰ（原注）

序　章

1 折口信夫，死者の書，折口信夫全集27，中央公論社など
2 ガルシア・ロルカ，月と死神，ロルカ詩集　小海永二訳，角川書店，1968
3 W. Blake, Sick rose, Songs of Experience, 1794
ウィリアム・ブレイク，病める薔薇，ブレイク詩集　寿岳文章訳，弥生書房
4 W. Shakespeare, A Midsummer Night's Dream
ウィリアム・シェイクスピア，真夏の夜の夢，世界文学全集1　福田恆存訳，河出書房など
5 紫式部，源氏物語，日本文学全集2，3，河出書房など
6 柿本人麻呂，万葉集，日本文学全集1，河出書房など

第一章

1 Antonio Machado y Alvarez, Demófilo,1848-1892, Colección de Cantes Flamencos, Demófilo, Madrid, 1975
2 E. Ocón, Cantes Españoles, Union Musical Española, Madrid, 1952
3 Ricardo Molina y Antonio Mairena, Mundo y Formas del Cante Flamenco, Revista de Occidente, Madrid, 1963
4 Gustavo Adolfo Bécquer, 1836-1870
5 Sarafín Estébanez Calderón, Escenas andaluzas, Espasa-Calpe,Col. Austral, Madrid, 1960

6 J. B. Trend, The Music of Spanish History to 1600, The Hispanic Society of America, 1926
7 George Borrow, 1803-1881
8 J. bloch, Los gitanos
9 A. Machado y Alvarez, Primeros Escritos Flamencos : 1869-70-71, Demófilo, Cordoba, 1981
10 Manuel García Matos, Cante Flamenco. Algunos de sus Presuntos Orígenes, Anuario Musical vol.V, 1950 etc.
11 飯野昭夫，カンテ・フラメンコの先史時代
12 Angus Fraser, The Gypsies, 2nd ed., Blackwell, Oxford, 1995
13 Ian Gibson, Federico García Lorca : A Life, Faber and Faber, London, 1989
14 García Lorca obras completes.

第二章

1 Domingo Manfredi Cano, Geografía del Cante Jondo, Col.“El Gritón”, Madrid, 1955
2 Alvares Caballero, Historia del Cante Flamenco, Alianza Editorial, Madrid, 1981
3 F. Grande, Memoria del Flamenco, Espasa-Calpe, Madrid, 1979
4 G. Lorca, El Cante Jondo—Primitivo Cante Andaluz, 1922
5 G. Lorca, La Consturuction del Cante Jondo, 1931-32
（4および5は、Obras Completas, Aguilar, Madrid, 1957所収）
6 Dr. Martin Block, Zigeuner-ihr Leben und ihr Seele, Bibliographisches Institut. Ag, Leipzig, 1936
7 Rafael Lafuente, Los gitanos, el flamenco y los flamencos, Barna, Barcelona, 1955

8 Ian Hancock, The Hungarian student Valyi Istvan and the Indian connection of Romani, Roma no.36, 1991
9 Angus Fraser（第一章-12参照）
10 Johann Rüdiger, ドイツの学者, Neuster Zuwacks der teutschen fremden und allgemeinen Sprachkunde, Leipzig, 1782など
11 H. L. C. Bacmeister, サンクトペテルブルグの視学官（Angus Fraser 第一章-12参照）
12 H. M. G. Grellmann, Die Zigeuner, Ein historischer Versuch über die Leben und Verfassung, Sitten und Schicksale dieses Volks in Europa, nebst ihrem Ursprung, Dessau and Leipzig, 1783, 2nd Göttingen, 1787
13 Sir William Johnes, イギリスのオリエント学者，東インド会社勤務
14 August Friedrich Pott, ドイツのジプシー研究家，ハレ大学教授, Die Zigeuner in Europa und Asien, Halle, 1844-45
15 Franz Miklosich, オーストリアのジプシー研究家， Über die Mundarten und die Wanderungen der Zigeuner Europas, Denkschriften der keiserlichen Akademic der Wissenschaften, Philosophisch-historische Klasse, Vienna, 1872-81,
16 G. A. Grierson, Linguistic Survey of India, Delhi, 1903-28
17 A. J. H. G誌, The American Journal of Human Genetics
18 Tony Gatlif, Ratcho Drom
19 伊藤千尋，「ジプシー」の幌馬車を追った，大村書店，1999
20 J. Kochanowski, Gypsy Studies, New Delhi, 1963
21 Dr. Rajko Djurić, Gypsies of the World, London, 1989
22 John Sampson, The Dialect of the Gypsies of Wales, Oxford, 1926, Notes on Professor R. L. Turner's "The position of Romani in Indo-Aryan", JGLS(3), 6, 1927
23 Sir Ralph Turner, The position of Romani in Indo-Aryan,

JGLS(3), 5, 1926. The position of Romani in Indo-Aryan : A reply to Dr. J. Sampson, JGLS(3), 6, 1927

24 Terrence Kaufman,'Explorations in proto-Gypsy phonology and classifications',paper at the 6th South Asian Languages Analysis Round-table, Austin, Texas, 25-26, May, 1984

25 B. Higgie, Proto-Romanes Phonology, PH.D. dissertation, University of Texas at Austin, 1984

26 Charman Lal, Gypsies—Forgotten Children of India, Ministry of Information of the Government of India, 1976

27 G. Puxon, Rom : Europe's Gypsies, London, 1975, 1987

28 'Umar Khayyām, Ruba'iyāt

29 Firdusi (Firdawsi), Shāh Nāmeh（J. S. Harriot, Observations on the Oriental origin of Romanichal, 1830, シャーナーメのペルシア語原文と英語訳収録）

30 W. Tarn, The Greeks in Bactria and India, 1951

31 杉山二郎，遊民の系譜，青土社，1992

32 Hamza of Ispahān, 王の歴史（Harriot 第二章-29参照、Angus Fraser 第一章-12参照）

33 D. Kenrick and G. Puxon, The Destiny of Europe's Gypsies, London, 1972/Gypsies ; from India-from the Indus Mediterranean, D. Kenrick

34 相澤久，漂泊の魂，講談社現代新書，1981

35 Sir Mare Aurel Stein, 1862-1943, イギリスの探検家

36 Kalhaṇa,12世紀のインドのカシミール歴史家Rajataraṅgiṇī,

37 A. H. Sayce, The Religions of Ancient Egypt and Babilonia, 1902

38 柳田國男，遠野物語，南方熊楠への手紙　大正元年12月5日

39 大江匡房，傀儡子記

40 南方熊楠，柳田國男への手紙　明治44年6月12日

41 三角寛，サンカ社会の研究，三角寛選集第6巻，現代書館，2001
42 三角寛， サンカの社会資料編， 三角寛選集第7巻， 現代書館，2001 / 同上
43 松平定信，宇下人言
44 市川捷護，ジプシーの来た道，白水社，2003
45 Tomas Andrado de Silva, Antología del Cante Flamenco, Hispavox. S. A., Madrid, 1954
46 Bernardo el de los Lobitos, Marianas
47 小林惠子，興亡古代史，東南アジアの覇権争奪1000年，文藝春秋，2001
48 江上波夫，（杉山二郎，第二章-31参照）
49 永川玲二，アンダルシア風土記，岩波書店，1999
50 Mario Maya, 1937-, バイラオール
51 1695年のカルロス2世の布告および18世紀の布告（フェリペ5世1717年、フェルナンド6世1746年、カルロス3世1783年）は、M. H. Sánchez Ortega, Documentación selecta sobre la situación de los gitanos españoles en la siglo XVIII, 1977に収録。その他、M. Torrione, Del dialecto caló y sus usuarios : la minoría gitana de España, 1988と、A. Gómes Alfaro, El Expediente general de Gitanos, 1988にも収録。
52 近藤仁之，スペインのジプシー，人文書院，1995
53 ジル・ヴィセンテ，『ファルサ・ダンス・シガナス』（Angus Fraser 第一章-12参照）
54 M. de Cervantes, Novelas Ejemplares : La Gitanilla
55 Miguel de Unamuno, 1864-1936
56 Gregorio Marañon, 1887-1960（Ian Gibson 第一章-13参照）
57 Rafael Lafuente（第二章-7参照）
58 近藤仁之（第二章-52参照）

第三章
1 川成洋，図説スペインの歴史，河出書房新社，2002
2 野々山真輝帆，すがおのスペイン文化史，東洋書店，1997
3 Strabon(Strabo Geographus), BC63(64)-AD19(24), Geographica
4 Herodotos, ＢＣ５世紀のギリシアの歴史家，『歴史』，C. Hude, Herodoti Historiae 2vols., Oxfordなど
5 Julian Marías, España inteligible—Razon histórica de las Españas, Madrid, 1985
6 Gerhard Herm, Die Phönizier, Econ Verlag GmbH, 1973
7 Strabon, Geographica, 17巻
8 エゼキエル書　第28章11-13，旧約聖書
9 エゼキエル書　第26章3-14，旧約聖書
（8および9は中央公論社『世界の名著』など所収）
10 H. Rossy, Teoría del Cante Jondo, Credsa, Barcelona, 1967
11 Πλάτων : Platon(Plato), Πολιτεία（国家）, De republica
12 Lukianos, 120頃-180頃，ローマ帝政期のギリシアの作家，Lucianus, De historia conscribenda,「弁舌の師匠」，テュルタイオス，断片12.5 / 呉茂一，ギリシア神話参照
13 野々山真輝帆（第三章-2参照）
14 永川玲二（第二章-49参照）
15 Hesiodos, Hesiodi Theogonia, 断片192
16 Homeros, BC800 – 750, Irias, 出生地として小アジアのスミュルナ（イズミル）、キオス、アルゴス、アテナイなどがあげられるが不明。
17 Pindaros, 断片139
18 Callimachos, BC310-240, Aitia（縁起の書），アレキサンドリア時代最大の学者，詩人，アフリカのキレネ出身。各地の祭礼、習慣の縁起をうたった。
19 Herodoti, Historiae 2vols.79

20 Apollodorus, Mythographus（ギリシア神話）
21 Ovidius, Metamorphoses（変身の書）
22 Lucianus, De historia conscribenda（歴史叙法）など
23 Pausanias Periegeta, Graeciae descripito（ギリシア案内記）
24 Aeschylus, Agamemunon
25 Sophokles, Aios
26 Walter F. Otto, 1874-1958, Die Musen und der Götliche ursprung des Singens und Sagens, 1954
27 Pamphos
28 Sappho
29 Strabo Geographus（第三章-3参照）
30 Diodorus Siculus, シシリーのディオドロス， AD1世紀の人，Bibliotheke（ギリシア世界史 ）
31 Sirius Italicus, イタリカのシリウス，AD100年頃の人，本名カイウス・シリウス
32 Marcus Valerius Martialis, 40-104
33 Polybios, BC203 − 103, ヘレニズム時代のギリシアの歴史家
34 Esther Van Loo（後述のKarol Henderson Harding 第三章-37参照）
35 戸部順一，アリストパネス喜劇を巡る一考察，現代思想3，1982
36 Lilian Lawler, The Dance of the Ancient Greek Theatre, 1964
37 Karol Henderson Harding, The World's Oldest Dance—The Origin of Oriental Dance, 1993
38 S. M. Baugh, Cult Prostitution in New Testament Ephesus : A Reappraisal, J.E.T.S., 1999
39 Livius Andronicus, BC284-204
40 同上
41 種村季弘，非喜劇の出生—F・アラバールと迷宮演劇，アラバール戯曲集Ⅰ 戦場のピクニック 解説，思潮社，1968

42 A.Grabar, Une pyxide en ivoire á Dumbarton oaks, Quelgues notes sur l'art profanne pendant les derniers siécles de l'Empíre byzantin, 1960
43 Pausanias Periegeta, 先述の地誌学者（第三章-23参照）
44 Plutaruchos Lykurgos, Instituta Laconia
45 Terpandoros, BC7世紀の人，詩人で音楽家，アポロン祭での歌唱法ノモスを完成した。七弦琴の発明者。
46 Thaletas, BC7世紀後半の人，クレタから来た。音楽と舞踊の名手。
47 Everett Ferguson など
48 C. Hude（第三章-4参照）
49 Xenophon, Oeconomicus 7.5参照
50 聖イシドロ，Isidorus Hispalensis, 560/570-636, Etymologiarum seu Originum libriXX（エティモロジー）
51 イブン・アブディルハカム，エジプト征服史，Ibn 'Abd al-Ḥakam, Futūḥ Miṣr wa'l-Maghrib wa'l-Andalus
52 イブン・イザーリ，バヤーヌル・ムグリブ（アンダルシアとマグレブの歴史），Ibn'Idhārī, al-Bayān al-mughrib fi akhbār al-Andalus wa'l-Maghrib
53 余部福三，アラブとしてのスペイン，第三書館，1992
54 Ibn 'Abdūn, Risāle fi'l-qadā'wa'l-hisba, Un document sur la vie urbaine et les corps des métiers á Sevilla un début du Xlle siécle, Journal Asiatique vol.224, 1934
55 Ziryab or Ziriab
56 モカダム・デ・カブラ，古くはMohammed de Cabra, Muwashshaha
57 永川玲二（第二章-49参照）
58 José García López, Resumen de historia de Literaturas hispñnicas, Editorial Teido. S.A., Barcelona, 1968
59 永川玲二（第二章-49参照）

60 Juan Ruiz, Arcipreste de Hita, Libro de buen amor

61 Manuel García Matos, レコード解説序文, Antologia del Folklore Musical de España

62 E. Martínez Torner, La Canción Traditional Española (Carreras y Candi, F;Folklore y Costumbre de España) Casa Editorial Alberto Martín, Barcelona, 1931

63 A. Larrea, El Flamenco en su Raiz. Editora National, 1974. La Cancion Andaluza 3Vol. Centro de Estudios Históricos Jerezanos, Jerez, 1963. Guia del Flamenco, Editora National, 1975

64 J. A. de Donostía, El Modo de Mi en la Canción Popular Española, Anuario Musical, Barcelona, 1946

65 M,. Schuneider, A Propósito del Influjo Arabe, Anuario Musical, Barcelona, 1946

(61～65は、ミの旋法関連)

66 浜田滋郎，フラメンコの歴史， 晶文社，1997

67 Cantar de Mío Cid

68 メネンデス・ピダルの説である。Ramón Menéndez Pidal, Los Españoles en la Historia

69 José García López（第三章-58参照）

70 三村具子，ロマンセ——レコンキスタの諸相，彩流社，1995

71 Cancionero de Estúñiga

72 M. Schneider, A Propósito der Influjo Arabe, Anuario Musical, Barcelona, 1946

73 F. Ribera y Tarragó, Music in Ancient Arabia and Spain, 1970, Historia de la Música Arabe Medieval

74 E. Martinez Torner, La CanciEón Tradicional Española, Barcelona, 1931

75 A. Larrea, El Flamenco en su Raíz, Editora National, 1974

76 J. A. Donostía, スペインの音楽年報 Anuario Musical 1946年号中の El Modo de Mi en la Canción Popular Espanõla 論文
77 García Matos, Cante Flamenco. Algunos de sus Presuntos Orígenes, Anuario Musical vol.V, 1950
78 Diogenes ho Laertiosの言について, Porphyrius, Vita Pythagorica（ピタゴラス伝）参照
79 Herodoti, Historiae 6vol.129

第四章

1 Tio Luis el de la Juliana
2 Antonio Machado y Alvarez, Demófilo, Colección de Cantos Flamencos, Madrid, 1975 (1881)
3 Toña, Debla, Martinete, Siguiriya, Serrana, Liviana, La Caña, Polo, Solea, Alegría
4 Jaleo
5 José Blas Vega, Conversaciones Flamencos con Aurelio de Cádiz, Librería Valle, Madrid, 1978など
6 Fandango, Petenera, Saeta, Bambera, Cantes de bamba, Nana, Cantes de Trilla, Cantes de Siega, Cantes Camperos, Sevillanas
7 Diego el Fillo
8 El Planeta
9 Teresa Martinez de la Peña, Teoría y Practica del Baile Flamenco, Aguilar, Madrid, 1969
10 Gonzālez del Castillo, Los Sainetes
11 Sarafín Estébanez Calderón（第一章-5参照）
12 Charles Davillier, Viaje por España, 1957
13 Fernando el de Triana, Arte y Artistas Flamencos, 1935, (Madrid, 1952)

14 El Murciano, 1795 − 1848, ムルシアの人というあだ名で呼ばれた。本名Francisco Rodriguez。最古のフラメンコ・ギタリストとする説もある。ならぶ者のない名手で、グラナダに住み、自分や親しい人々の楽しみのためだけに、ギターを弾いた。控え目な性格の人だったということである。
15 José Subirá, La Musique Espagnole, Que Sais-je? 823
16 Sarafín Estébanez Calderón（第一章-5参照）
17 José Blas Vega, Los Cafés cantantes de Sevilla, Madrid, 1978
18 Teresa Martinez de la Peña（第四章-9参照）
19 浜田滋郎（第三章-66参照）
20 José Blas Vega（第四章-5参照）
21 Cátedra de flamencologia

第五章

1 Alfonso Puig Claramunt, − 1976, El Arte del Baile Flamenco, Editional Polígrafa, S. A., Barcelona, 1979
2 Teresa Martinez de la Peña（第四章-9参照）
3 浜田滋郎，「フラメンコとは」，現代ギター，フラメンコ専科，1973
4 A. Capmany, El Baile y la Danza (Folklore y Costumbre de España vol.2), Casa Editorial Alberto Martín, Barcelona, 1931
5 折口信夫，折口信夫全集21，日本芸能史六講，中央公論社，1996
6 マーサ・グラハム，血の記憶　マーサ・グレアム自伝，筒井宏一訳，新書館，1992
7 鷲田清一，聴くことの力，TBSブリタニカ，2000
8 霜山徳爾，人間の限界
9 白隠禅師，坐禅和談

10 山崎正和，人生にとって芸術とは何か，『近代芸術論』，世界の名著81，中央公論社
11 鷲田清一（第五章-7参照）
12 蘆原英了，舞踊と身体，新宿書房，1986
13 山崎正和，劇的なるもの，東と西―『比較芸能論』，平凡社，1971 / 第五章-10参照
14 鷲田清一（第五章-7参照）

終 章

1 Walter Friedrich Otto, Menschengestalt und Tanz, München, 1956
2 吉田兼好，徒然草　第百五十段，岩波文庫，日本文学大系，河出書房など
3 本居宣長，玉勝間，岩波文庫など

参考文献Ⅱ

Jacques Derrida, Fors, in N. Abraham et M. Torok, 1976

Jacques Derrida, L'ecriture et La différence, 1967

Jacques Derrida, Le Monolinguisme de L'autre, 1996

ジャック・デリダ，アポリア；死す──「真理の諸限界」を［で／相］待一期する，港道隆訳，人文書院，2000

ジャック・デリダ，たった一つの、私のものではない言葉──他者の単一言語使用，守中高明訳，岩波書店，2001

ジャック・デリダ，エクリチュールと差異（上）（下），ウニベルシタス 79，若桑毅・野村英夫等訳，法政大学出版局，1997

現代思想　デリダ読本，手紙・家族・署名 vol.10-3，臨時増刊，青土社，1982

Maurice Merleau-Ponty, L'union de l'ame et du corps chez Malebranche, Biran, Bergson, Librairie Philosophique J. Vrin, Paris, 1968

メルロー・ポンティ，知覚の現象学，竹内芳郎・木田元・宮本忠雄訳，みすず書房，1975

メルロー・ポンティ，シーニュ，竹内芳郎監訳，みすず書房，1969

メルロー・ポンティ，行動の構造，木田元等訳，みすず書房，1968

メルロー・ポンティ，眼と精神，木田元等訳，みすず書房，1968

René Descartes, 1596 − 1650, Discours de la Méthodo, OEuvres philosophique, Tome1, (1618-1637)

René Descartes, Meditations de prima philosophia, 同上 Tome2, (1638-1642)

René Descartes, Les passions de l'âme, Librairie Philosophique, J. Vrin, Paris, 1970
Edmond Husserl, Meditationes Cartésiennes, Librairie Philosophique J. Vrin, Paris, 1969
Ludwig Wittgenstein, Philosophical Investigations, A Backwell Paperback, Oxford, 1972
Blaise Pascal, 1623-62, Pensés sur la religion et sur quelques autres Sujets
パスカル，パンセ，田辺保訳，角川文庫，1973
野田又夫，パスカル，岩波新書，1974
田辺保，パスカルと現代，紀伊國屋新書，1967
Herder, Die Biebel
前田護郎編集，聖書，中央公論社，1978
Ｊ・Ｇ・フレイザー，金枝篇 上・下，吉川信訳，筑摩書房，2003
ワルター・Ｆ・オットー，ミューズ――舞踏と神話，西澤龍生訳，論創社，1998
カール・ケレイニー，迷宮と神話，種村季弘他訳，弘文堂，1996
ゲルハルト・ヘレム，フェニキア人，関楠生訳，河出書房新社，1976
Federico García Lorca, Teoría y juego del duende, Madrid, 1933
Federico García Lorca, Poema del Cante Jondo / Romancero gitano, Ed. Allen Josephs y Juan Capallero, Catedra Letra Hispanicas, Madrid, 1977
Federico García Lorca, Primer Romancero Gitano / Llanto por Ignacio Sánchez Mejías, Ed. Miguel García-Posada, Editorial Castalia, Madrid, 1988
Federico García Lorca，ロルカ詩集，世界の詩集19，小海永二訳，角川書店，1972
Federico García Lorca，ロルカ組曲集，小海永二訳，舷燈社，1994

イアン・ギブソン，ロルカ・スペインの死，晶文選書，1973
小海永二，ロルカ『ジプシー歌集』注釈，行路社，1998
川成洋他編，ガルシア・ロルカの世界，行路社，1998
N. Diaz de Escovar, Cantares de Andalucía, Algazara, Málaga, 1994
R·M·ピダル,スペイン精神史序説,佐々木孝訳,法政大学出版局，1974
堀田善衛，スペインの沈黙，筑摩書房，1979
堀田善衛，ゴヤ 1～4，新潮社，1974
ヨハン・ホイジンガ，中世の秋，業岩正夫訳，角川文庫，1976
G・A・ベッケル，スペイン伝説集，山田眞史訳，彩流社，2002
ジェラルド・ブレナン，素顔のスペイン，新評論，1998
有本紀明，スペイン聖と俗，NHK出版，1985
J・ソペーニャ，スペイン フランコの40年，講談社現代新書，1977
中山瞭，スペイン街道物語，JTB，2002
林屋永吉他，スペイン黄金時代，NHK出版，1992
立石博高編，スペイン・ポルトガル史，山川出版社，2000
地中海学会編，スペイン，河出書房新社，1997
増田義郎監修，スペイン，新潮社，2000
小岸昭，スペインを追われたユダヤ人，人文書院，1992
小岸昭，マラーノの系譜，みすず書房，1998
フィリップ·コンラ,レコンキスタの歴史,有田忠郎訳，白水社，1999
D・W・ローマックス，レコンキスタ，林邦夫訳，刀水書房，1996
ピエール・ヴィラール，スペイン内戦，立石博高・中塚次郎訳，白水社，1993
W・M・ワット，イスラーム・スペイン史，黒田寿郎・柏木英彦訳，岩波新書，1988
立石博高等，スペインの歴史，昭和堂，1998
牛島信明等編，スペイン学を学ぶ人のために，世界思想社，1999
西澤龍生，スペイン原型と喪失，彩流社，1991

山田信彦，スペイン法の歴史，彩流社，1992
フリアン･マリーアス，裸眼のスペイン，西澤龍生訳，論創社，1992
浜田滋郎，スペイン音楽のたのしみ，音楽之友社，1992
飯野昭夫，フラメンコ詩選，大学書林，1981
クワベナ・ンケティア，アフリカ音楽，龍村あや子訳，晶文社，1989
安藤武子，クアトロ・ディスタント，彩流社，1994
勝田保世，砂上のいのち，音楽之友社，1978
ウナ･ムーノ, スペインの本質，佐々木孝他訳，法政大学出版局，1972
木内信敬，ジプシーの謎を追って，筑摩書房，1989
間野英二他，内陸アジア，朝日新聞社，1992
小川悟，ジプシー，関西大学出版部，2001
小野寺誠，ジプシー生活誌，NHK 出版，1981
八切止夫，サンカの歴史，作品社，2003
田中勝也，サンカ研究，新泉社，1987
佐野眞一，宮本常一が見た日本，NHK 出版，2001
曽野綾子，アラブの格言，新潮新書，2003
古事記
相馬龍夫，解説日本古代文字，新人物往来社，1978
杉山二郎，天平のペルシア人，青土社，1994
李家正文，天平の客、ペルシア人の謎，東方社，1986
宇野正美，古代ユダヤの刻印，日本文芸社，1997
江上波夫他，騎馬民族の謎，学生社，1992
佐原眞，考古学千夜一夜，小学館，1993
竹田昌暉，「神武」は呉からやって来た，徳間書店，1997
小林惠子，解説「謎の四世紀」，文藝春秋，1999
小林惠子，二つの顔の大王，文藝春秋，1991
小林惠子，白虎と青龍，文藝春秋，1993
小林惠子，白村江の戦いと壬申の乱，現代思潮社，1987

小林惠子，高松塚被葬者考，現代思潮社，1988
小林惠子，倭王たちの七世紀，現代思潮社，1991
梁塵秘抄，新潮日本古典集成，新潮社
世阿弥，風姿花伝，日本思想大系24，岩波書店
世阿弥，申楽談義，日本思想大系24，岩波書店
戸井田道三，観阿弥と世阿弥，岩波新書，1969
小林責・増田正造，能と狂言の世界，講談社，1982
北川忠彦，世阿弥，中央公論社，1970
辻部政太郎，日本古典演劇遺産の問題，てんびん社，1978
服部幸雄，歌舞伎の構造，中公新書，1970
梅原猛，水底の歌，集英社，1981
中西進，柿本人麻呂，筑摩書房，1975
北山茂夫，柿本人麻呂，岩波新書，1981
鈴木大拙，日本的霊性，岩波文庫，1972
森永種夫，流人と非人，岩波新書，1963
市川雅他編，見ることの距離，新書館，2000
Charles Baudelaire, Les Fleurs du Mal 等, Armand Colin, Paris, 1961
J. N. A. Rimbaud, Une Saison en enfer, Les Illumination 等
吉本隆明，言語にとって美とは何か，勁草書房，1965
吉本隆明詩集，思潮社，1965
ニジンスキー，ニジンスキーの手記，市川雅訳，現代思潮社，1971
ウィットウォース，ニジンスキーの芸術，馬場二郎訳，現代思潮社，1977
イサドラ・ダンカン，わが生涯，小倉重夫等訳，冨山房，1975
イサドラ・ダンカン，わが生涯（続），イルマ・ダンカン等編集，小倉重夫等訳，冨山房，1977
シュウェル・ストークス，裸足のイサドラ，山本恭子訳，岩波文庫，1972

ポール・ブランシャール，演出の歴史，安藤信也訳，白水社，1961
リー・ストラスバーグ，メソードへの道，米村晰訳，劇書房，1989
エドワード・D・イースティ，メソード演技，劇書房，1978
栗田勇，わがガウディ，朝日選書，1981
モーリス・ベジャール，舞踊のもう一つの唄，前田允訳，新書館，1990
神澤和夫，21世紀への舞踊論，大修館書店，1996
尾上松緑，踊りの心，毎日新聞社，1971
笠井叡，神々の黄昏，現代思潮社，1979
笠井叡，聖霊舞踏，現代思潮社，1977
尼ヶ崎彬，芸術としての身体，勁草書房，1988

橋本 ルシア

フラメンコ舞踊家。橋本ルシア舞踊研究所代表。岡山県生れ。東京大学文学部哲学科卒業。マノレーテ、エル・グィート、マリオ・マジャ、ラ・トレア、メルチェ・エスメラルダなどに師事。上演作品に「死者の書」「病めるバラ」「葵上」「アルバセーテの匕首」「青の幻想」「エータ・カリーナ—フラメアンテの起源—」「風が見える時」など。著述に「バイレについて」(晶文社『フラメンコ読本』所収)。舞踊、音楽の実践と理論、歴史を研究しつつ、独自の舞踊追究、後進の指導のほか大学などで講演も行っている。

アルス選書

新装版
フラメンコ、この愛しきこころ
フラメンコの精髄

発行日　2019年1月17日　初版第一刷

著　者　橋本 ルシア
発行者　仙道 弘生
発行所　株式会社 水曜社
〒160-0022　東京都新宿区新宿1-14-12
Tel. 03-3351-8768　Fax. 03-5362-7279
URL www.bookdom.net/suiyosha/
装　幀　中村 道高 (テトメ)
印　刷　日本ハイコム株式会社

定価はカバーに表示してあります。
乱丁・落丁本はお取り替えいたします。

ISBN4-88065-453-9 C3073